L'amant qu'elle attendait

———

Le rêve d'Ericka

CHRISTINE RIMMER

L'amant qu'elle attendait

Passions

❿ HARLEQUIN

Collection : PASSIONS

Titre original : A BRAVO CHRISTMAS WEDDING

Traduction française de EDOUARD DIAZ

HARLEQUIN®
est une marque déposée par le Groupe Harlequin

PASSIONS®
est une marque déposée par Harlequin

HARLEQUIN

83-85, boulevard Vincent-Auriol, 75646 PARIS CEDEX 13.
Service Lectrices — Tél. : 01 45 82 47 47

www.harlequin.fr

ISBN 978-2-2803-3006-0 — ISSN 1950-2761

Quelqu'un avait fait jouer ses relations.

Aurora Bravo-Calabretti, princesse du Montedoro, le devinait, parce que Walker McKellan l'attendait déjà sur le tarmac lorsque le jet privé dans lequel elle avait voyagé sur l'insistance de sa mère se posa à l'aéroport de Denver.

Elle aurait dû s'y attendre, songea-t-elle, irritée contre lui et contre sa mère. Comment, en effet, une petite chose fragile et innocente comme elle aurait-elle pu descendre toute seule d'un avion et passer la douane sans un homme grand et fort pour s'assurer qu'elle ne courait aucun danger ?

Très grand et mince, vêtu d'un vieux jean, de bottes éraflées et d'une grosse veste en mouton retourné, les bras croisés sur son large torse, Walker l'attendait adossé à un grand 4x4 vert kaki. Dans la pâle lumière de l'hiver, il avait l'air cent pour cent américain — un éleveur de bétail tout juste sorti de son ranch, ou un montagnard s'accordant un bref répit entre un combat au corps à corps avec un grizzly et une séance de dressage de pumas. En dépit de sa frustration, Rory ne put s'empêcher de sortir son fidèle Nikon pour prendre plusieurs clichés de lui à travers la vitre de son hublot.

Walker était un homme merveilleux, et elle l'adorait. Il avait été un excellent ami pour elle durant les sept dernières années, depuis qu'elle faisait des séjours réguliers au Colorado. Sachant qu'on ne devait pas abuser de la gentillesse de ses amis, elle n'aurait jamais songé à le déranger pour si peu de chose.

Mais sa mère, qui, d'ordinaire, avait le bon sens de s'occuper de ses propres affaires, avait cédé et abusé de la gentillesse de Walker *en son nom*. Et lui l'avait laissée faire.

Plus elle y réfléchissait, et plus elle était furieuse contre eux deux — contre sa mère pour avoir piégé Walker dans ce rôle de garde du corps, et contre lui pour ne pas lui avoir laissé l'opportunité de s'extraire de cet arrangement injuste.

Elle enfila son manteau, fourra son appareil-photo dans son sac de cabine et se dirigea vers la porte de l'avion, s'arrêtant au passage pour remercier le steward et les pilotes.

Alors qu'elle descendait, Walker vint à grands pas à sa rencontre. Ces yeux bleus aux coins plissés de ridules délicieusement masculines l'examinèrent de la tête aux pieds, notant son caban rouge vif, son long pull et ses chaudes leggings d'hiver fourrées dans de confortables bottes Sorel. Puis il lui tendit ses bras.

— Ma princesse favorite !

Elle s'autorisa à se blottir dans son étreinte durant quelques instants, puis elle se libéra.

Il eut l'air un peu surpris par la fraîcheur de cet accueil, mais il se contenta de demander :

— As-tu fait bon voyage ?

— Oui, excellent, répondit-elle, sans même se donner la peine de feindre la sincérité, s'attirant un nouveau regard scrutateur, qu'elle ignora. Nous allons devoir passer à la douane, mais ça ne sera pas long.

Une demi-heure plus tard, ses bagages avaient été contrôlés et chargés à l'arrière du 4x4, et ils se mirent en route en direction de la petite ville de Justice Creek, où vivaient ses cousines Bravo.

Alors qu'ils roulaient à bonne vitesse sur l'autoroute, il essaya d'entamer une conversation, la taquinant sur le nombre de ses valises, déclarant en riant qu'il comptait l'employer à faire la cuisine et le ménage dans son ranch, le Bar-N. Elle ne lui adressa que des réponses laconiques, tournée vers le paysage plat qui s'étendait jusqu'à la ligne bleue des montagnes à l'horizon.

Au bout d'un moment, il renonça, alluma la radio et chantonna à mi-voix les airs de Noël que diffusait une station country.

Walker attendait.

Sa comédie de la bouderie ne durerait pas longtemps. Rory croquait la vie à belles dents, et rien ne pouvait jamais ébranler très longtemps sa bonne humeur.

Il la laissa ruminer ses pensées jusqu'à ce qu'ils aient quitté l'autoroute pour s'engager sur une route secondaire en direction du nord-ouest. Constatant qu'elle refusait toujours de sortir de son silence, il éteignit la radio.

— Allons, cela ne peut pas être aussi grave, déclara-t-il.

Elle grommela des propos indistincts et lui coula un regard désapprobateur.

— As-tu au moins accepté l'argent que mère t'a proposé ?

— J'ai refusé.

— C'est idiot !

— Elle a tout de même envoyé un gros chèque.

— Ne t'avise surtout pas de le lui renvoyer, l'avertit Rory en le fixant d'un regard sévère. C'est déjà beaucoup que tu aies à me servir de nounou. Il n'est pas question que tu le fasses bénévolement.

— Mais j'aime beaucoup te servir de nounou.

— Ta façon de dire cela ne me rassure pas du tout,

répliqua-t-elle d'un ton sarcastique. Tu sais combien je déteste que tu me traites comme un bébé.

— C'est toi qui as parlé de nounou. Ce que je voulais dire, c'est que j'aime beaucoup ta compagnie.

Comme elle continuait à se murer dans un silence boudeur, il ajouta :

— Et il ne me semble pas juste d'accepter de l'argent uniquement pour veiller sur toi.

— Mais je n'ai pas besoin que quelqu'un veille sur moi. En plus, tu es le chef de l'équipe de secours en montagne de Justice Creek, et aussi pompier volontaire. Que feras-tu si un campeur se perd dans la montagne, ou si un feu de forêt fait rage quelque part ?

— Le camping est plutôt une activité d'été et, en hiver, les feux de forêt sont rares. Mais, si une urgence se produit, nous nous arrangerons.

— Je suis sérieuse, Walker, insista-t-elle, adoptant à présent un ton menaçant. Si tu ne mets pas ce chèque à la banque, je ne t'adresserai jamais plus la parole.

— Continue ainsi, ça me sera bien égal, rétorqua-t-il, décidant d'entrer dans son jeu. Est-ce ma faute si ta mère insiste pour que tu sois entourée de quelques mesures de sécurité ?

— Non, bien sûr, et je n'ai jamais dit cela.

— Dans ce cas, pourquoi m'en rends-tu responsable ?

— Walker, je ne te rends responsable de rien.

— Dans ce cas, arrête tes caprices.

— Ha ! fit-elle d'un ton excédé. Voilà à présent que tu te comportes comme si tu étais mon grand frère. Je n'ai vraiment pas besoin de cela, merci beaucoup. J'en ai déjà quatre à la maison, et c'est amplement suffisant.

— Ça suffit, Rory. J'en ai assez entendu.

— Tu vois ? riposta-t-elle d'un air pincé. Exactement comme un grand frère autoritaire et je-sais-tout.

A ce stade, elle commençait réellement à l'agacer, et il mit fin à cet échange.

— Très bien, grogna-t-il. J'abandonne. Boude jusqu'à notre arrivée au Bar-N si cela te chante.

Chacun s'enferma alors dans un silence irrité. Il ne se donna même pas la peine de rallumer la radio et de prétendre que son attitude belliqueuse ne le dérangeait pas du tout.

Dix minutes s'écoulèrent ainsi, chacun fixant le pare-brise en faisant semblant que l'autre n'était pas là. Puis, elle n'y tint plus. Otant son bonnet de laine rouge, elle recoiffa ses longs cheveux bruns du bout des doigts, avant de déclarer :

— Si j'ai fait ce voyage seule, c'était justement pour avoir l'opportunité de me débrouiller sans l'aide de personne. Je suis une adulte, mais ma mère continue à me voir comme le bébé de la famille. Ce n'est pas juste. Je pensais qu'elle avait enfin compris ce que je désirais. Qu'elle avait fini par admettre qu'il était ridicule de me faire accompagner par un garde du corps chaque fois que je quitte le Montedoro. Qui a besoin d'un tel niveau de sécurité ? J'ai huit frères et sœurs mieux placés que moi dans l'ordre de succession au trône, et je ne suis pas une cible intéressante. J'ai envie de pouvoir voyager à ma guise pour les besoins de mon travail de photographe. De vivre comme tout le monde. C'est tout ce que je demande. Je n'ai pas besoin de tant de protection. Non seulement c'est inutile et trop cher, mais cela me dérange.

— Si tu y réfléchis bien, tu as déjà fait un pas dans cette direction, argua-t-il. Après tout, tu es venue sans garde du corps, cette fois-ci.

— Parce que c'est *toi,* mon garde du corps, répliqua-t-elle d'un ton sarcastique.

— Quoi qu'il en soit, nous allons passer beaucoup de

temps ensemble. N'est-ce pas ce que font généralement la demoiselle et le garçon d'honneur ?

— Tu ne réussiras pas à me remonter le moral, Walker, répondit-elle avec un profond soupir. Inutile d'essayer.

— Comme il te plaira.

Elle ne dit plus un mot. Durant environ cinq minutes. Puis, elle secoua lentement la tête.

— Je me demande…

Toutes ses précédentes tentatives pour lui rendre son sourire s'étaient heurtées à un mur d'hostilité, et il fut tenté de ne pas renouveler l'expérience. Mais, au fond, pourquoi prolonger une dispute absurde plus que nécessaire ?

— Que te demandes-tu ? fit-il.

— Je pensais au mariage de Ryan et Clara. Je n'arrive pas à croire qu'ils vont vraiment franchir le pas — comme cela, du jour au lendemain. Je trouve cela bizarre. Je me demande ce qu'ils trament, ces deux-là.

Le jeune frère de Walker et la cousine Bravo favorite de Rory avaient surpris leur entourage en annonçant qu'ils comptaient se marier le samedi précédant Noël.

Au moins, Rory ne boudait plus, et c'était un soulagement. Puis, il songea à Clara et Ryan, et un pli soucieux barra son front.

— Je dois reconnaître que Ryan ne s'est pas montré très loquace sur le sujet.

Son frère prétendait qu'il était amoureux de Clara depuis leurs années de lycée. Au cours des dix dernières années, il lui aurait demandé de l'épouser à plusieurs reprises, mais Clara aurait toujours décliné, en déclarant qu'elle l'aimait et qu'elle l'aimerait toujours, mais pas de cette façon-là.

— Qu'est-ce qui a subitement changé entre eux ? s'enquit Rory comme si elle avait deviné ses pensées. Crois-tu vraiment que Ryan soit prêt à fonder une famille ?

Même s'il avait toujours clamé son amour pour Clara,

son frère n'était pas resté chez lui à se morfondre en attendant qu'elle accepte de l'épouser. Il aimait les femmes, et les femmes l'aimaient. Ses petites amies ne duraient pas plus de un ou deux mois, puis une nouvelle conquête apparaissait à son bras, pour être remplacée quelques semaines plus tard par la suivante.

— Je n'ai pas la moindre idée de ce qui a pu changer, reconnut-il en soupirant. Et, tout comme toi, j'espère que Ryan est prêt.

— C'est seulement… Cela ne ressemble pas du tout à Clara de décider tout à coup que Ryan est l'homme de sa vie après avoir prétendu le contraire durant toutes ces années. Au téléphone, elle a déclaré qu'elle s'était trompée par le passé, qu'elle aimait réellement Ryan et qu'elle savait qu'ils seraient heureux ensemble.

— Elle m'a tenu les mêmes propos, comme quoi elle aurait enfin ouvert les yeux et décidé d'épouser son meilleur ami.

— Non, décidément, je ne comprends toujours pas, marmonna Rory. A la première occasion, je vais bavarder un peu avec elle, et essayer de découvrir si elle est vraiment certaine de ce qu'elle fait.

— Dans ce cas, tu n'as pas de temps à perdre. Le mariage doit avoir lieu dans deux semaines seulement.

— Tu as raison, convint-elle en soupirant. Je ne veux pas causer de problèmes. Ryan a toujours désiré épouser Clara, c'est un fait. Et Clara est une femme forte et intelligente. Si elle a pris cette décision, c'est sûrement parce que c'est ce qu'elle désire.

Ils roulaient à présent sur une route de montagne qui grimpait en serpentant entre des pentes abruptes, couvertes de forêts de mélèzes. Çà et là, de larges étendues de neige, vestiges de la tempête de la semaine précédente, scintillaient au soleil tels des sequins d'argent sur une robe de bal.

— Souhaites-tu passer d'abord chez Clara ? s'enquit-il alors qu'ils amorçaient la descente vers Justice Creek Valley.

— Il est plus de 16 heures, rappela-t-elle. Le soleil a déjà disparu derrière les crêtes, et il fera bientôt nuit. Continuons simplement jusqu'au ranch. Je verrai Clara demain matin.

Rory admirait le magnifique spectacle qui s'offrait à ses yeux. Niché au fond de sa propre vallée entourée de montagnes, le Bar-N était jusqu'à récemment un ranch traditionnel où l'on élevait du bétail depuis cinq générations. Le « N » était l'abréviation de « Noonan », le nom de jeune fille de la mère de Walker. La propriété avait été léguée à Walker et à Ryan par leur mère, Darla, et leur oncle, John Noonan. Quatre ans plus tôt, Ryan avait vendu ses parts à Walker, pour aller s'installer en ville.

Walker avait conservé quelques chevaux, mais l'élevage de bétail n'était plus qu'un souvenir. Aujourd'hui, le Bar-N accueillait des touristes. La maison d'origine, au centre de la jolie petite vallée, était entourée de bâtiments soigneusement entretenus. Au cours des années, Walker, et son oncle avant lui, avait bâti cinq confortables bungalows. Le ranch comptait aussi quatre grandes habitations modernes. Ces maisons, construites au cours des générations, avaient autrefois servi de résidence à divers membres du clan Noonan. Aujourd'hui, Walker louait deux de ces maisons, les bungalows, ainsi que les anciens quartiers des cow-boys totalement rénovés, aux vacanciers.

La maison principale, une construction de pierre et de bois patiné par le temps, était dotée d'un grand porche sur l'avant. A leur arrivée, Lonesome, le braque allemand de Walker, et Lucky Lady, sa chatte noire, y étaient assis côte à côte à les attendre.

Elle éclata de rire en contemplant la scène. Ils étaient

trop mignons, tous les deux, assis au sommet des marches. Lorsque Walker mit pied à terre, le chien se précipita à sa rencontre. La chatte suivit plus posément. Il les caressa tous les deux, leur offrit quelques mots gentils, puis il entreprit de décharger ses bagages.

Elle suspendit son sac de voyage à son épaule et, empoignant l'une des valises, elle le suivit jusqu'au premier étage. Il la conduisit dans une chambre en façade. Elle hésita sur le seuil tandis qu'il posait les valises dont il était chargé sur le tapis.

Puis, il se retourna et, alors qu'elle rencontrait son regard, elle fut tout à coup incapable de prononcer la moindre parole. Bizarre, une telle chose ne lui était jamais arrivée.

— Tu trouveras des cintres dans le placard, et je t'ai libéré tous les tiroirs du bureau, déclara-t-il. Je vais aller chercher le reste de tes bagages.

Là-dessus, il la contourna rapidement et ressortit pour se diriger vers l'escalier.

Dès qu'il eut disparu, elle entra dans la pièce qui serait sa chambre durant les deux prochaines semaines. Une grande fenêtre s'ouvrait côté façade, et une autre, plus petite, sur le mur latéral. Le vaste lit était recouvert d'une jolie couverture en patchwork. Il y avait aussi un grand bureau de bois sombre, un petit placard et une salle de bains.

Qui avait deux portes.

Elle ouvrit la porte extérieure, et se retrouva face à celle d'une autre chambre, juste en face dans le couloir, plus petite et dotée d'un bow-window ouvert sur le jardin à l'arrière de la maison. De toute évidence, il ne s'agissait pas de la chambre de Walker.

Mue par sa curiosité naturelle, elle traversa rapidement le couloir pour y jeter tout de même un petit coup d'œil.

Pas celle de Walker, la chose était à présent certaine. Walker appréciait, certes, la simplicité, mais cette pièceci était *trop* dépouillée, trop bien rangée. Aucun objet personnel sur la commode ou sur la table de nuit ne suggérait qu'elle était occupée.

Elle retourna dans la salle de bains et contempla son reflet dans le miroir au-dessus du lavabo. Elle connaissait Walker depuis sept ans, mais c'était la première fois qu'elle montait au premier étage de sa maison. Disposait-elle de la seule salle de bains de cet étage ? Walker et elle devraient-ils la partager ? Cela pourrait s'avérer un peu gênant — en tout cas pour elle. Si Walker la voyait nue, il se contenterait probablement de lui tapoter la tête et de lui conseiller de s'habiller avant d'attraper froid.

Entendant la porte de l'entrée s'ouvrir au rez-de-chaussée., elle referma la porte extérieure, regagna précipitamment sa chambre et entreprit de défaire ses bagages.

— Alva nous a laissé de quoi dîner dans la cuisine, lui dit Walker en apparaissant à la porte du couloir. Où veux-tu que je pose cette dernière valise ?

Alva Colgin et son mari étaient chargés de divers travaux au ranch, et ils vivaient dans la maison d'en face.

— Pose-la n'importe où, répondit-elle en rougissant.

Avait-il deviné qu'elle fouinait partout ? Si c'était le cas, il n'en laissait rien voir.

— As-tu faim ? s'enquit-il.

— Je suis affamée. Je descends dès que mes bagages sont défaits.

Il ressortit, et elle continua à ranger ses affaires dans les tiroirs jusqu'à ce qu'elle entende le bruit de ses bottes à l'étage inférieur. Alors, refermant la porte du couloir, elle retourna aussitôt dans la salle de bains.

Elle ouvrit l'armoire à pharmacie et le placard sous le lavabo. Il y avait là les habituelles serviettes et gants de toilette, quelques pansements adhésifs et un tube de pommade antiseptique, une boîte d'aspirine qui avait depuis longtemps dépassé sa date de péremption, et une boîte entamée de tampons hygiéniques.

Des tampons oubliés par une petite amie ?

Walker avec une femme…

Walker n'avait pas de petites amies. En tout cas, elle n'en avait jamais rencontré aucune.

Il avait cependant une ex-épouse, Denise. Denise LeClair, une grande blonde, belle à couper le souffle, mais elle avait quitté Justice Creek depuis très longtemps.

Denise était arrivée de Floride pour s'installer au Colorado six ans plus tôt. Et ça avait été le coup de foudre avec Walker. En tout cas, c'était ce qu'on racontait. D'après Clara, la cousine de Rory, l'ex-épouse de Walker jurait qu'elle l'aimait à la folie, et que son unique désir était de passer le reste de sa vie à ses côtés, au Bar-N.

Un premier hiver particulièrement rigoureux dans les montagnes Rocheuses avait refroidi ses ardeurs. Ils étaient mariés depuis moins de un an lorsqu'elle avait demandé le divorce pour retourner à Miami, laissant derrière elle un Walker d'abord stupéfait, puis morose.

Rory n'avait rencontré Denise qu'une seule fois, quelques mois après le mariage — et elle l'avait détestée au premier regard. Et pas nécessairement parce que Denise était une personne détestable.

L'embarrassante vérité, c'était que Rory était amoureuse de Walker depuis qu'elle avait posé les yeux sur lui, sept ans plus tôt. Même à cette époque, alors qu'elle le connaissait à peine, son cœur battait plus fort lorsqu'il était dans les parages.

Mais il ne s'était jamais rien passé entre eux, et il ne se passerait jamais rien. Trop d'obstacles les séparaient, outre la débâcle du mariage avec Denise. Bien sûr, ces obstacles auraient pu être vaincus, si Walker l'avait voulu. Mais ce n'était pas le cas, et elle l'acceptait.

Walker était un ami très cher. Fin de l'histoire.

Depuis un an ou deux, il semblait s'être remis de sa déception avec Denise. Mais aucune femme n'était entrée dans sa vie. Il déclarait qu'il n'y en aurait plus jamais, qu'il était comme son oncle John, un solitaire content de l'être.

Elle recula d'un pas pour contempler les placards grands ouverts. Des serviettes, des pansements, de la pommade, des aspirines. Et la boîte de tampons. Ainsi que quatre savonnettes neuves, encore dans leur emballage. Aucune trace d'affaires de toilette masculines.

Cela signifiait donc que Walker disposait de sa propre salle de bains. Le mystère était éclairci.

Elle se laissa tomber sur le bord de la baignoire, se sentant vidée de toute son énergie, ridiculement déçue de n'avoir pas à partager sa salle de bains avec Walker.

C'était stupide. Vraiment stupide. Elle avait depuis longtemps dépassé son béguin pour lui et le stade où elle rêvait de le voir nu. Elle devait se ressaisir.

Elle allait vivre ici durant deux semaines. A la demande de sa mère, Walker se chargerait de sa sécurité. Il n'allait rien se passer entre eux. Elle affronterait ces quelques jours jusqu'au mariage sans se couvrir de ridicule. Ensuite, elle rentrerait au Montedoro et reprendrait le cours normal de son existence.

Car Walker et elle étaient des amis. *Des amis.* Et rien de plus. Ils étaient des amis, et c'était très bien ainsi.

Elle se releva d'un bond et adressa un regard sévère à son reflet dans le miroir.

Et elle ignora la petite voix qui protestait qu'elle l'aimait, qu'elle l'avait toujours aimé — et que cela ne changerait jamais.

- 2 -

— C'est un peu étrange, lança Rory. Etre ici, dans ta maison, toi et moi…

Assis à la grande table rustique, ils savouraient le délicieux ragoût d'élan que leur avait préparé Alva Colgin, accompagné de biscuits tout chauds que Walker venait de sortir du four. Le lustre ancien de style espagnol accrochait des reflets auburn dans ses cheveux bruns.

— Pourquoi ? s'enquit-il, sirotant sa bière.

— Oh ! pour rien, éluda-t-elle, s'emparant d'un biscuit afin de ne pas affronter les yeux bleus qu'elle sentait fixés sur elle. Détends-toi, je n'ai pas l'intention de me plaindre. Et je sais que je me suis conduite comme une chipie, tout à l'heure. Je te prie de m'excuser. Mais nous ne faisons pas cela, d'habitude.

Elle descendait toujours à l'hôtel Haltersham, le palace de Justice Creek bâti par un riche industriel au début du siècle dernier et qui était censé être hanté.

— Ah ? fit-il en posant sa bière. Et que faisons-nous ?

— Tu le sais bien, répondit-elle, un peu agacée. Nous nous retrouvons au McKellan's, le pub de ton frère Ryan, ou nous traînons chez Clara. Et, quelquefois, nous partons en randonnée dans les montagnes avec eux deux, pour faire du camping et pêcher.

Ils avaient souvent campé ensemble, tous les quatre, quatre bons amis dénués d'arrière-pensées romantiques.

19

Mais, à présent, Clara et Ryan allaient se marier. Et elle dormait chez Walker.

— Je ne suis venue au ranch que six fois depuis que nous nous connaissons, ajouta-t-elle. Et, ce soir, c'était la première fois que je montais au premier étage. C'est un petit peu étrange, non ?

— Tu n'as pas envie de rester ici, c'est cela ? demanda-t-il en la fixant d'un regard indéfinissable. Est-ce pour cela que tu étais tellement furieuse qu'on m'ait chargé d'assurer ta sécurité ?

Merveilleux. A présent, elle avait réussi à rendre la situation encore plus compliquée. Elle entreprit de beurrer la moitié d'un biscuit avant de répondre :

— Non, Walker, ce n'est pas ce que j'ai voulu dire.

— Tu es habituée à un cadre plus luxueux, nous sommes loin de tout, nous n'offrons pas de *room service* et notre connexion Internet est plutôt capricieuse...

— Non, ce n'est pas ça. Ce lieu est magnifique, et la maison très confortable. Je ne me plains pas, je t'assure.

— Je reconnais qu'il est plus pratique pour moi de t'avoir ici, au ranch, plutôt qu'à l'hôtel. Mais, si tu préfères, nous pouvons...

— Vas-tu enfin arrêter ?

— Je tiens à clarifier la situation.

— Il n'y a rien à clarifier. J'ai remarqué que c'était un peu étrange, c'est tout. J'essayais seulement de... meubler la conversation.

— Meubler la conversation, répéta-t-il, d'un air sombre.

— Oui. Une personne parle, l'autre lui répond, et cela s'appelle une conversation. Tu es au courant, non ?

— Quelque chose te tracasse, constata-t-il en posant brusquement sa fourchette. Qu'est-ce que c'est ?

— Rien ne me tracasse, assura-t-elle. Absolument rien.

Elle mentait, bien sûr.

Elle ne cessait de penser à ces deux portes dans la salle

de bains. A cause de ce détail, elle l'avait imaginé nu, et ce n'était pas ainsi qu'on pensait à un ami.

Durant des années, la situation avait été bien claire entre eux — et, pour lui, c'était toujours le cas.

Mais, pour elle, en revanche…

Elle n'avait pas vraiment envie de rester dans cette maison. Mais qu'elle ne soit pas un hôtel de luxe n'avait rien à voir là-dedans.

Non. L'idée de dormir chez lui, de l'avoir pour garde du corps, l'idée de ce mariage soudain entre Ryan et Clara, tous ces changements… entraînaient son esprit dans des directions dangereuses.

Et son cœur saignait de ce qu'il ne pourrait jamais obtenir.

Il s'adossa à sa chaise et la considéra un moment d'un regard qui la mit au supplice, avant de déclarer :

— Quel que soit le problème, tu dois m'en parler.

Elle joua les innocentes. Il n'était pas question de lui avouer qu'elle fantasmait sur son corps nu.

— Je ne comprends pas ce que tu veux dire.

— Tu comprends parfaitement au contraire.

C'était vrai, bien sûr, mais elle préféra nier.

— Pas vraiment, assura-t-elle en réprimant un bâillement.

— Fatiguée ? s'enquit-il.

— Epuisée, mentit-elle de nouveau. Ce doit être le décalage horaire. Je vais avaler ce délicieux ragoût et aller dormir.

— Es-tu certaine que tout va bien ?

— Oui, dit-elle. Je suis un peu fatiguée, c'est tout.

Il n'insista plus.

Après le repas, elle l'aida à remettre de l'ordre dans la cuisine. Puis elle monta dans sa chambre, prit un long bain et appela Clara, à qui elle laissa un message pour l'informer de son arrivée, lui dire qu'elle avait fait bon voyage et qu'elle la verrait le lendemain matin pour les derniers essayages. La mariée et ses demoiselles d'honneur avaient convenu de se retrouver à la boutique Wedding Belles à 10 heures.

Rory raccrocha et se glissa entre des draps sentant bon l'amidon et le soleil. En éteignant la lumière, elle était certaine qu'elle allait passer des heures à cogiter mais, lorsqu'elle rouvrit les yeux, le pâle soleil hivernal s'immisçait entre les rideaux de coton blanc. Elle se redressa et s'étira, se sentant pleine d'énergie. Assise au pied du lit, Lucky Lady faisait tranquillement sa toilette en la fixant de ses yeux verts.

Rory lui adressa un sourire rayonnant. Dans son cœur ne subsistait plus aucune trace des sentiments tumultueux qui l'agitaient la veille.

Et, même si elle avait encore un petit béguin pour Walker, quelle importance ? Cela ne devait pas l'empêcher de vivre.

Walker la conduisit en ville. Il trouva une place de parking sur Center Street, juste devant Wedding Belles, sous un lampadaire somptueusement décoré pour les fêtes de Noël.

— Je t'appellerai dès que nous aurons terminé, promit Rory en détachant sa ceinture de sécurité.

— Je vais t'accompagner à l'intérieur, grogna-t-il.

Espérant encore qu'il y renoncerait, et qu'il s'en irait faire un tour en ville avec Ryan, elle entra dans la boutique.

Wedding Belles était un lieu très spécial, proposant des robes magnifiques de toutes les couleurs de l'arc-en-ciel, suspendues sur des présentoirs disposés le long des murs. C'était un espace conçu pour les femmes, et seules Clara et ses demoiselles d'honneur étaient censées participer aux derniers essayages.

Le garçon d'honneur n'avait rien à faire ici.

Walker entra tout de même. Dans son rôle de garde du corps, il se positionna un peu à l'écart, près de la porte.

Clara était déjà arrivée. Une expression pensive sur son joli visage, elle se tenait au centre de la boutique, toute vêtue de blanc, perchée sur la petite plate-forme ronde destinée aux essayages, devant un grand miroir à bascule au cadre argenté. Sa robe était magnifique avec une jupe d'organza à volants, des manches trois quarts de dentelle et un corsage très près du corps, lui aussi de dentelle et de perles. Clara était absolument adorable. Une autre femme, probablement la propriétaire de la boutique, s'affairait sur l'ourlet de la jupe.

Comme toujours, Rory avait apporté son appareil-photo. Elle le sortit de sa housse et prit rapidement quelques clichés de la mariée, qui semblait perdue dans son monde intérieur, et de la modiste agenouillée devant elle.

Clara leva les yeux, et son expression lointaine disparut instantanément. Un grand sourire éclaira son visage.

— Rory ! s'exclama-t-elle en lui tendant les bras.

La modiste s'écarta afin que Clara puisse sauter à bas de la plate-forme, rassemblant des mètres et des mètres de jupe dans ses mains, pour se précipiter vers elle.

Rory rangea son appareil-photo et serra sa cousine dans ses bras. Clara portait un discret parfum floral, auquel se mêlait une note de café, ce qui suggérait qu'elle était passée à son restaurant, le Library Café, un peu plus tôt.

— Mon Dieu, c'est merveilleux de te revoir !

Elles échangèrent un sourire ravi, puis Clara déposa un baiser sur sa joue et grimpa de nouveau sur la plate-forme.

— Je te présente Millie, qui est propriétaire de ce magasin. Millie, voici ma cousine Rory.

— Bonjour, la salua-t-elle. Nous nous connaissons déjà, en quelque sorte. Nous avons parlé plusieurs fois au téléphone.

— Bonjour, Votre Altesse. J'avais hâte de faire votre connaissance en personne. Je suis très honorée.

— Vous pouvez l'appeler Rory, intervint Clara en riant. Elle se fâche lorsqu'on la traite comme une princesse.

— Oui, renchérit Rory, en réponse au regard interrogateur de la modiste. Appelez-moi Rory, tout simplement.

— Entendu, répondit la femme en s'agenouillant de nouveau pour reprendre son travail.

Clara observa Walker.

— Ne le prends pas personnellement, Walker, lança-t-elle, mais les garçons d'honneur ne sont pas invités à cet essayage.

L'intéressé haussa les épaules — et ne bougea pas.

— Tu es ravissante, Clara, la complimenta-t-il. Ryan a beaucoup de chance.

— Merci. Et, maintenant, tu peux te retirer.

— Désolé, mais c'est impossible, répondit-il en jetant un coup d'œil par la fenêtre comme s'il s'attendait à une attaque terroriste. Fais comme si je n'étais pas là.

— Qu'est-ce qu'il lui prend ? chuchota Clara à l'oreille de Rory.

— Ma mère l'a engagé pour me servir de garde du corps durant ce voyage, expliqua-t-elle en soupirant. Et, comme tu le vois, il prend sa mission très au sérieux. Je loge au Bar-N afin qu'il puisse me protéger même pendant mon sommeil.

— Hum ! fit Clara, en baissant encore la voix. Voilà qui pourrait devenir intéressant.

Les yeux verts de sa cousine brillaient de malice, et Rory se rembrunit. Clara la connaissait trop bien. Au fil des années, Rory lui avait confié une fois ou deux qu'elle avait un petit béguin pour Walker. Elle aurait mieux fait de se taire. Mais, en chacune de ces occasions, elles avaient bu un peu de vin, et les filles aiment à se faire des confidences.

— N'y pense même pas, répliqua-t-elle d'un ton sévère.

— Penser à quoi, exactement ? s'enquit Clara avec un sourire faussement innocent.

Le carillon de la porte tinta au même instant, lui évitant d'avoir à répondre. Elise Bravo et Tracy Windham entrèrent d'un pas alerte dans la boutique.

Elise était la sœur de Clara, et Tracy aurait pu tout aussi bien l'être. Lorsque les parents de Tracy étaient décédés, quinze ans plus tôt, Sondra, la mère d'Elise et de Clara, avait accueilli Tracy dans la famille, et elle l'avait élevée comme sa propre fille. Elise et Tracy étaient traiteurs associés dans une société appelée Bravo Catering. Non seulement elles faisaient partie du cortège nuptial, mais elles avaient aussi organisé la réception et assuraient toute la restauration pour le mariage. Elles adressèrent un salut amical à Walker, puis elles se ruèrent sur Rory pour une autre séance d'embrassades.

— Pourquoi Walker reste-t-il planté près de la porte ? s'étonna Elise.

Rory dut expliquer la situation une nouvelle fois. Ensuite, Joanna Bravo, la demi-sœur de Clara et d'Elise, fit son entrée. Son arrivée jeta visiblement un froid.

Joanna serra Rory dans ses bras, embrassa Clara, puis elle salua Elise et Tracy d'un simple hochement de tête.

— Clara, dit Elise, nous devrions vraiment discuter de la décoration florale de la réception.

— Cette question est déjà réglée, rétorqua Joanna, que tout le monde appelait Jody.

— Pas du tout ! protesta Tracy.

— Allons, les tança Clara d'une voix douce. Nous en avons déjà discuté. Ne rouvrons pas ce débat.

Cette intervention mit fin à leur dispute, mais Rory savait qu'elles ne tarderaient pas à recommencer. Si la question des arrangements floraux n'avait pas servi de déclencheur, elles se seraient opposées sur un autre sujet, car les Bravo de Justice Creek entretenaient des relations compliquées.

Le père de Clara, Franklin Bravo, avait élevé deux familles simultanément : la première avec son épouse, Sondra Oldfield-Bravo, une riche héritière, et la seconde avec sa maîtresse, Willow Mooney. Ses neuf enfants — quatre de Sondra et cinq de Willow — portaient tous le nom Bravo.

Aux obsèques de Sondra, décédée dix ans plus tôt, Franklin avait pleuré. Et, le lendemain, il avait épousé Willow puis l'avait installée avec ses deux plus jeunes enfants, Jody et Nell, dans la grande résidence familiale où vivaient toujours Elise et Tracy. Franklin avait succombé à un AVC trois ans plus tôt, et Willow s'était retrouvée seule dans l'immense maison que Frank avait bâtie avec l'argent des Oldfield, après son mariage avec Sondra.

Les cinq fils de Franklin et ses quatre filles, nés de deux mères différentes, étaient tous adultes, aujourd'hui, et ils vivaient leurs propres vies. Clara avait déclaré plus d'une fois à Rory qu'ils avaient dépassé leurs jalousies d'enfance et leurs vieilles querelles. Mais elle voyait toujours ce qu'il y avait de meilleur chez les gens.

Or elle aurait peut-être mieux fait d'y réfléchir à deux fois avant d'engager Jody pour les arrangements floraux du mariage, et Tracy et Elise pour la restauration.

En tant que traiteurs, Tracy et Elise jugeaient qu'elles auraient dû fournir aussi les fleurs de la réception, et qu'elles n'avaient d'ordres à recevoir que de la mariée. Elise se plaignait de ne pouvoir décider de la décoration de l'événement sans avoir à consulter Jody à tout moment.

Rory faisait le tour de la pièce, les mitraillant de photos pendant qu'elles se disputaient, se réjouissant d'avoir apporté son appareil, car cette activité lui occupait l'esprit, et lui permettait de faire semblant d'ignorer l'ambiance de plus en plus électrique.

— C'est moi qui suis chargée de toutes les fleurs, un point c'est tout, déclara Jody d'un air pincé.

— Mais le décor de la réception doit être conçu comme un ensemble, répliqua Tracy. Elise et moi devrions rester libres de nos choix. N'es-tu pas de mon avis, Clara ?

— Ne vous disputez pas, répondit celle-ci. Vous devez travailler ensemble. Jody va s'occuper des fleurs. Nous en avons déjà discuté, et vous savez toutes ce que je recherche.

Tracy et Elise fronçaient les sourcils, visiblement contrariées. Jody jubilait. Clara marqua une pause, considérant tour à tour les belligérantes, avant d'ajouter :

— Jody saura imaginer des arrangements floraux compatibles avec la décoration des tables. Je sais que vous ferez un travail merveilleux ensemble.

Elise ouvrit la bouche pour protester, mais elle n'en eut pas le temps, car Nell Bravo, la fille benjamine de Willow, venait d'entrer dans la boutique.

Nell était l'une de ces femmes qui causent des accidents de la circulation par le simple fait de marcher dans la rue. Avec ses longs cheveux auburn savamment décoiffés, ses lèvres pleines, ses immenses yeux verts au regard langoureux, elle était d'une beauté spectaculaire, à mi-chemin entre une pin-up ultra-sexy d'autrefois et un top model moderne. Aujourd'hui, elle portait un petit pull angora rose fluorescent et des leggings noires qui mettaient en valeur ses longues jambes, et ses élégantes bottes Carvela Scorpion.

Au lieu de continuer à ressasser ses arguments, Elise se tourna vers la nouvelle arrivante.

— Ah, te voilà, Nell. C'est très aimable à toi d'avoir enfin décidé de te joindre à nous.

L'interpellée se tourna vers elle, et ses lèvres pulpeuses esquissèrent un sourire paresseux.

— Ne commence pas, Elise. Aujourd'hui, je ne suis pas d'humeur à écouter tes sarcasmes.

Puis, elle fit face à Rory, et son sourire devint plus franc.

— Bonjour, Rory.

— Je suis heureuse de te revoir, répondit-elle, abaissant son appareil-photo juste le temps de la serrer dans ses bras.

— Nellie, tu n'as pas l'air bien réveillée, lança Tracy d'un ton acide. Viendrais-tu de quitter ton lit ?

— J'ai besoin d'arriver parfaitement reposée lorsque je sais que je vais devoir vous supporter, toi et ta jumelle maléfique, rétorqua Nell en repoussant ses longs cheveux auburn d'un geste nonchalant.

Tracy et Elise s'étouffaient de rage. Rory cessa de prendre des photos et se tourna vers Walker, toujours planté près de la porte. Dans son regard, elle lut l'inquiétude qu'elle ressentait elle-même. Elise et Tracy s'étaient toujours liguées contre Nell, et celle-ci avait toujours su leur tenir tête. Mais jusqu'où iraient-elles aujourd'hui ? Durant leur adolescence, elles en étaient parfois venues aux mains.

— S'il vous plaît, les filles, intervint Clara d'un ton las. Pourrions-nous avoir un peu de calme ? J'apprécierais que vous mettiez ces robes, afin que Millie puisse épingler les ourlets et noter les retouches éventuelles.

Nell tourna délibérément le dos à Tracy et à Elise, qui l'imitèrent. Rory réprima un soupir de soulagement.

— Est-ce un arôme de café que je sens ? s'enquit Nell auprès de Millie. Je tuerais pour une tasse de café.

— Servez-vous, répondit cette dernière. La cafetière et les tasses sont sur la table là-bas, au fond de la boutique. Et il y a aussi des muffins tout chauds.

— Je vous adore, Millie, déclara Nell de sa voix suave.

Jody, qui n'avait pas proféré un mot depuis l'arrivée de Nell, sirotait déjà son café, assise à l'écart.

— Allez enfiler vos robes, s'il vous plaît, insista Clara. Il y a trois cabines d'essayage, et elles y sont accrochées. Rory et moi avons celle du milieu. Elise et Tracy utiliseront celle de droite, Jody et Nell celle de gauche.

L'attribution préalable des cabines d'essayage avait été une excellente idée. Même si elle ne cessait de répéter à qui voulait l'entendre que ses sœurs n'étaient pas en guerre les unes contre les autres, Clara n'osait imaginer ce qui pourrait advenir si Nell se retrouvait avec Tracy ou Elise dans un espace confiné.

Elles se retirèrent dans leur cabine et revêtirent leur tenue, chacune dans un style différent, mais toutes longues et du même satin aubergine. Ensuite, elles burent du café et grignotèrent des muffins en attendant leur tour de monter sur la plate-forme afin que Millie puisse ajuster les ourlets.

Il était un peu plus de midi lorsque tout fut terminé. Il y eut quelques échanges acerbes, mais, dans l'ensemble, tout se passa bien et, vers la fin, Clara paraissait presque détendue.

Après les essayages, elle avait retenu une table pour tout le groupe au Sylvan Inn, à quelques kilomètres au sud de la ville. Tracy et Elise déclarèrent qu'elles voyageraient dans la même voiture, et Clara proposa d'emmener tous les autres dans la sienne. Mais Walker ne l'entendait pas ainsi.

— Jody et Nell peuvent y aller ensemble, et moi je vous conduirai, Clara et toi, dans mon 4x4. De cette façon, si Jody ou Nell se disputent de nouveau avec Elise et Tracy, nous aurons une porte de sortie.

— Walker, on croirait presque entendre un plan de bataille.

— C'est plus ou moins le cas, marmonna-t-il.

Après quelques délibérations, ses cousines acceptèrent le plan de Walker, et ils se mirent en route. Rory était assise à l'avant, près de Walker, et Clara avait choisi de s'installer à l'arrière du 4x4. En route, elle suggéra à Walker de déjeuner à leur table.

— De cette façon, indiqua-t-elle en riant, tu pourras jouer le rôle d'arbitre si Nell et Elise se disputent encore.

— Jamais de la vie, répondit-il avec un rire grave. Je resterai à l'écart. Tu ne sauras même pas que je suis là.

— Mais ce serait injuste, protesta Rory. Tu prends ton travail de garde du corps très à cœur, et il serait normal que tu en retires au moins un bon déjeuner.

— Je mangerai quelque chose plus tard, assura-t-il. Ne t'inquiète pas pour moi.

Elles n'insistèrent donc plus.

A l'auberge, Walker glissa quelques mots en privé à l'hôtesse — probablement pour lui expliquer qu'il n'était pas là pour déjeuner, mais juste pour assurer la protection du groupe. Puis, il prit position près d'une fenêtre décorée d'une scène de Noël, à un endroit où il avait une excellente vue sur leur table sans gêner le service. Nell la taquina un peu sur son garde du corps temporaire, et elles en rirent ensemble.

Dans la salle, des enceintes invisibles diffusaient des chants de Noël en sourdine. Une bouteille de champagne les attendait déjà sur la table dans son seau à glace. Clara remplit leurs coupes maintenant que l'ambiance était de nouveau festive et détendue, puis elle porta un toast, et tout le monde but, mais elle-même ne trempa qu'à peine ses lèvres dans le vin pétillant, avant de reposer sa coupe.

Le repas fut servi, et les convives commencèrent par se montrer polies. Mais, hélas, Tracy recommença bientôt sa litanie, insistant sur le fait qu'Elise et elle devraient être chargées seules des fleurs de la réception.

— Tracy, je t'en prie ! grogna Jody. Arrête donc ! Tout a déjà été décidé.

— Cela, c'est ce que tu penses ! répliqua Elise d'un ton sarcastique.

Puis, sans s'adresser à l'une d'elles en particulier, Nell déclara :

— Il y a des gens qui ne supportent pas de ne pas pouvoir tout organiser à leur convenance.

— Ne t'en mêle pas, Nell, contra Tracy. Cette histoire ne te concerne pas.

— Allons, les filles ! lança gentiment Clara. Parlons d'autre chose. Profitons plutôt d'un bon déjeuner en famille.

— Voyons, Clara, répondit Nell en levant les yeux au ciel. Comme si c'était possible !

— Je ne plaisante pas, marmonna Elise. Quelle grossièreté !

— Et toi, alors, ma petite Elise ? répliqua Nell d'un ton doucereux. Parce que, comme mégère, tu te poses là.

Elise lui lança un regard furieux, les dents serrées.

— Oh ! toi, espèce de…

— Arrêtez cela tout de suite ! coupa Clara en fusillant la tablée du regard.

Venant de quelqu'un qui ne perdait jamais son sang-froid, cette agressivité suffit à rétablir le silence.

Walker fit quelques pas vers la table, prêt à intervenir. Rory rencontra son regard, et secoua la tête. Ni elle ni lui n'avaient aucun contrôle sur cette situation. Il comprit le message silencieux et retourna se poster près de la fenêtre.

Et, de fait, le soudain accès de colère de Clara semblait avoir fonctionné. Elles avaient toutes repris leurs fourchettes et recommencé à manger. Toutes, sauf Clara, qui restait assise, très droite, les mains sur les genoux. Rory remarqua son extrême pâleur, son front luisant de transpiration, et elle se pencha pour lui chuchoter à l'oreille :

— Tout va bien ?

— Oui, fit Clara d'une voix mal assurée. Très bien.

C'était un mensonge évident, mais elle n'insista pas, de crainte de provoquer un nouvel éclat. Le déjeuner se poursuivit dans un silence presque total. Ce fut un repas sinistre. A tel point que, lorsque la serveuse apparut, poussant un chariot chargé des célèbres pâtisseries du Sylvan Inn, plus personne n'avait envie d'un dessert.

Tracy et Elise furent les premières à annoncer qu'elles

devaient partir. Elles remercièrent Clara et disparurent. Jody et Nell suivirent quelques minutes plus tard.

Ses deux demi-sœurs avaient à peine franchi la porte lorsque Clara se leva brusquement, une main plaquée sur la bouche, et, balbutiant des excuses, se rua vers l'alcôve conduisant aux toilettes.

— Je reviens tout de suite.

Rory demeura un instant à sa place, muette de stupéfaction. Il n'était pas facile de déstabiliser Clara mais, à cet instant, elle était visiblement si bouleversée qu'elle s'apprêtait à rendre un déjeuner pourtant excellent.

Elle se leva d'un bond et la suivit.

Elle trouva Clara dans les toilettes des dames. Elle venait visiblement de vomir, pâle comme un linge. Rory s'approcha et lui massa le dos en lui murmurant des paroles apaisantes. Soudain la porte extérieure s'ouvrit brutalement.

— Rory ?

C'était Walker. Luttant encore contre la nausée, Clara cria d'un ton furieux :

— Walker, dehors !

Rory rencontra son regard, et elle acquiesça.

— Tout va bien. Sors, s'il te plaît.

— Je serai là, si tu…

— Walker, sors ! répéta Clara d'une voix étranglée.

Walker n'insista pas et battit en retraite.

— Calme-toi, murmura Rory dès qu'il fut sorti. Il est parti. Il n'y a plus que toi et moi…

Clara fut encore secouée de quelques spasmes, puis elle poussa un profond soupir.

— Je crois que ça va mieux.

Devant le grand miroir des lavabos, elle se rinça la bouche, se passa le visage à l'eau froide, et Rory lui tendit quelques serviettes en papier pour qu'elle se sèche.

Comme elles avaient laissé leurs sacs à main à la table, Clara se recoiffa comme elle put.

Puis Rory rencontra le regard de sa cousine dans le miroir.

— Clara, qu'y a-t-il ? s'enquit-elle d'une voix douce.

— Je suis enceinte, répondit sa cousine d'une toute petite voix. J'en suis à mon quatrième mois.

— Non ! s'exclama Rory.

— Si, dit Clara avec un rire sans joie. Cela faisait un mois que je n'avais plus de nausées matinales, mais aujourd'hui c'en était vraiment trop.

Elle pressa une main contre son ventre à peine arrondi, avant d'ajouter :

— J'ai envie de tuer mes trois sœurs, et Tracy avec.

Rory s'efforçait encore d'assimiler ce qu'elle venait d'entendre. Clara… enceinte ?

— Alors tu as fait l'amour avec Ryan ?! s'exclama-t-elle.

Elle regretta ces paroles sitôt qu'elles eurent franchi ses lèvres. Clara tressaillit, puis son visage prit une expression de tristesse infinie.

— C'est seulement que tu m'as toujours dit que tu ne voyais pas Ryan de… cette façon-là, s'empressa-t-elle d'ajouter. Mais, pourquoi pas ? Personne ne peut nier que Ryan est follement sexy. Et, tous les deux, vous allez vous marier, au bout du compte. Même sans bébé, vous y auriez pensé. Parce que, quand les gens se marient, c'est en général ce qu'ils font, et…

— Rory ? l'interrompit Clara d'une voix douce.

— Euh… oui ?

— Tu ne fais qu'empirer les choses.

— Tu as raison, gémit Rory.

— Viens ici.

Clara lui entoura les épaules et elle l'attira doucement contre elle. Côte à côte, face au grand miroir, tête contre tête, elles contemplèrent leur reflet d'un regard triste. Puis Rory répéta d'un ton incrédule :

— Quatre mois ? Sérieusement ? Tu n'as même pas l'air enceinte.

— Je le sais, convint Clara en effleurant son ventre pour la seconde fois, dans ce geste si caractéristique des futures mamans. Cela ne se remarque pas encore. Je tiens sûrement cela de ma mère. Elle disait que, durant les six premiers mois, personne ne s'était aperçu qu'elle était enceinte. Puis, du jour au lendemain, elle était devenue énorme.

— Mon Dieu, Clara ! Quatre mois ? Depuis août ?

— En réalité, je ne l'ai découvert que cinq semaines plus tard, après avoir fait le premier test, reconnut Clara.

— Tu aurais dû m'appeler pour m'en informer, lui reprocha-t-elle. Qui d'autre est au courant ?

— Ryan, précisa Clara en s'écartant pour s'essuyer le visage avec une serviette en papier humide.

— Seulement Ryan ?

— Il a été merveilleux, assura Clara. Il a toujours été là pour moi, comme le véritable ami qu'il est.

« Ami », songea Rory. Clara considérait encore Ryan comme un ami. Son meilleur copain. Mais était-elle amoureuse ?

— Es-tu sûre que tout va bien, entre Ryan et toi ? s'enquit-elle en saisissant fermement sa cousine par les épaules.

— Oui, déclara Clara. Tout est parfait.

— Et le bébé ?

— Je ne m'inquiète pas du tout, je t'assure, répondit Clara en soupirant. Le bébé va bien. J'ai vu un médecin et il m'a affirmé que tout était normal.

— Oh ! ma chérie ! s'exclama Rory en étreignant sa cousine. Tu pourras toujours compter sur moi, en tout cas.

Soudain, à la limite de son champ de vision, il lui

sembla surprendre un mouvement. La dernière porte de la rangée de toilettes était fermée, et elle vit distinctement une ombre bouger dans l'interstice entre la porte et son montant. Elle abaissa son regard vers la base de la porte. Pas de jambes ni de pieds, mais elle vit l'ombre bouger de nouveau.

Quelqu'un écoutait leur conversation, sans doute perché sur un tabouret.

- 3 -

Rory relâcha Clara et posa un doigt sur ses lèvres pour lui intimer le silence. Sa cousine la dévisagea d'un air d'incompréhension. Alors Rory lui indiqua silencieusement la porte fermée.

— Vraiment ? murmura Clara d'un air navré.

— Oui, j'en ai bien peur.

Clara se dirigea à grands pas vers la porte en question et frappa quelques coups énergiques.

— Sortez, ordonna-t-elle. Nous savons que vous êtes là.

La porte s'ouvrit lentement. Rory reconnut l'une des serveuses du Sylvan Inn. A l'évidence, Clara la connaissait.

— Monique Hightower, dit-elle. Quelle surprise !

Le ton de sa voix suggérait qu'il ne s'agissait pas d'une surprise agréable. Se tournant vers Rory, elle expliqua :

— Monique et moi nous connaissons depuis le lycée.

— Bonjour, Clara, lâcha la serveuse, avec un rire embarrassé.

— Qu'as-tu entendu ?

— Rien, je t'assure.

— Menteuse.

— Bon, d'accord, convint Monique avec un nouveau petit rire embarrassé. J'ai tout entendu. Mais je te le jure, Clara, je ne le répéterai à personne. Je respecte ta vie privée.

*\
*

Walker attendait sur le parking. A quatre ou cinq mètres, Clara et Rory tenaient un conciliabule à voix basse.

En ressortant des toilettes, Clara avait réglé leur note, et Rory lui avait demandé de leur accorder quelques minutes supplémentaires pour parler en privé.

Il les voyait dans leurs manteaux d'hiver, front contre front, le nez rougi par le froid, et, même s'il n'entendait pas leurs paroles, l'intensité de leurs expressions suggérait que leur conversation n'avait rien de plaisant. Et il n'était pas sûr d'avoir envie de savoir.

Rory serra enfin Clara dans ses bras, et elle lui fit signe d'approcher. Ils montèrent dans le 4x4 et sortirent du parking.

— Pourrais-tu me déposer au café ? s'enquit Clara.

— Pas de problème.

Durant le bref trajet du retour, aucune des deux femmes ne prononça un mot. Il arrêta son véhicule devant le café de Clara pour la laisser descendre.

— Merci, Walker. N'oublie pas que Ryan et moi vous attendons ce soir, tous les deux. Ce sera comme au bon vieux temps. Enfin, presque.

— Nous viendrons, promit Rory.

— A ce soir, dit-il.

Là-dessus, Clara tourna les talons et entra dans le café. Il s'était imaginé que Rory lui expliquerait ce qui s'était passé dès qu'ils seraient seuls. Mais elle déclara simplement :

— Tu dois être affamé. Veux-tu entrer et te restaurer un peu ?

— Non, merci, répondit-il. J'attendrai d'être chez moi pour manger quelque chose.

Il se remit alors en route en direction du Bar-N. Rory demeura silencieuse durant tout le trajet, tournée vers sa vitre, apparemment perdue dans ses pensées.

Au ranch, elle monta directement dans sa chambre.

Comme il avait un peu faim, il réchauffa les restes du ragoût de la veille, et il mangea debout devant l'évier de la cuisine en contemplant les montagnes enneigées qui encadraient la petite vallée où il vivait depuis toujours. Il venait de placer son assiette dans le lave-vaisselle lorsque Rory réapparut, vêtue d'un jean, chaussée de hautes bottes de cavalière et, comme toujours, équipée de son appareil-photo.

— Quel est le programme ? s'enquit-il.

— Je n'ai jamais eu l'occasion de prendre beaucoup de photos de ce ranch, et j'aimerais réaliser quelques clichés des chevaux, des autres maisons et des bungalows — mais tu n'es pas obligé de m'accompagner.

— Je prends mon manteau et mon chapeau, et je te suis.

— Voyons, c'est inutile. Accorde-toi une pause.

— Je ne peux pas, m'dame, répondit-il, imitant l'accent traînant des cow-boys. Comme vous l'avez dit, je prends ma mission de garde du corps très au sérieux, surtout si vous souhaitez que je garde l'argent que votre mère m'a envoyé.

Ils s'équipèrent donc de tenues d'hiver, et il la suivit dehors. Veiller sur Rory n'était pas une mission franchement désagréable, il devait le reconnaître. Avec ses longs cheveux sombres, épais et luisants, ses joues roses et cette expression d'intérêt sincère qui brillait toujours dans son regard, elle était réellement ravissante.

Il l'observa tandis qu'elle mitraillait tout ce qui l'entourait : de la balustrade de bois du porche usée par les ans à un vieux harnais que quelqu'un avait accroché à un poteau de clôture.

Il savait qu'elle se plaignait parfois des contraintes de sa condition de princesse, mais elle était obligée d'admettre que son nom l'avait aidée à réussir dans le monde extrêmement compétitif de la photographie professionnelle. Comme, de plus, elle avait du talent et de la détermination, ses photos étaient aujourd'hui publiées par les plus grands magazines du monde.

Les chevaux les attendaient près de la clôture du corral. Elle le photographia en train de flatter l'encolure d'un étalon, en train d'offrir aux bêtes des pommes ridées qu'il avait apportées de la maison. Ils entrèrent dans les écuries, et il changea la paille des litières. Rory prit quelques photos, puis elle rangea son appareil et elle l'aida à terminer. Cette tâche lui était familière, car l'une de ses sœurs était propriétaire d'un haras de classe internationale, et Rory avait grandi parmi les chevaux.

Ils retournèrent à la maison un peu après 17 heures pour faire un brin de toilette. Il donnait sa pâtée à Lucky Lady lorsque Rory redescendit, vêtue d'un jean noir moulant et d'un gros pull de laine à motifs de flocons de neige.

En route vers la maison de Clara, il ne put s'empêcher de lui poser la question qui lui brûlait les lèvres :

— Alors, vas-tu enfin me raconter ce qui s'est passé, dans ce restaurant ?

Comme elle se contentait de le dévisager en silence, il se crut obligé de préciser :

— Clara s'est sentie mal et tu as passé un moment aux toilettes. Et, lorsque vous en êtes ressorties, j'ai remarqué que Monique Hightower sortait sur vos pas. Je suppose qu'elle était déjà dedans lorsque vous êtes entrées ?

— Clara a rendu son déjeuner, répondit-elle d'un ton embarrassé.

— Oui, cela, je l'avais déjà deviné.

— Il… ne s'est rien passé de plus, bredouilla-t-elle.

— D'accord. Je suppose que tu ne vas rien me dire. Sache tout de même que je le découvrirai, avec ou sans ton aide.

— C'est seulement que je ne sais pas quoi te répondre, répliqua-t-elle avec un soupir de frustration.

— Clara t'a fait jurer de garder le secret, c'est cela ? Eh

bien, je te souhaite bonne chance. Parce que, si Monique le sait, le monde entier sera bientôt au parfum. Monique est la pire commère de toute la ville.

— Oui, je suis au courant. Clara me l'a déjà expliqué. Mais… je ne sais pas si je suis censée t'en parler. Après tout, ce sont les affaires de Clara, pas les nôtres.

Il lisait une véritable souffrance dans ses beaux yeux et, prenant pitié d'elle, il décida de ne pas insister.

En tout cas pour le moment.

La maison de Clara, une bâtisse victorienne bleu pâle à encadrements bordeaux, avec un grand porche sur l'avant, était située à deux pas de son café. Ryan les accueillit à la porte. Il serra Rory dans ses bras. Mais, en échangeant une poignée de main avec Walker, il détourna le regard.

Alors, Walker n'eut plus aucun doute. Il se passait quelque chose. Et ce n'était pas très réjouissant.

Ryan attendit qu'ils aient accroché leurs manteaux, puis il les conduisit jusque dans la cuisine.

Debout devant le plan de travail, Clara découpait de la laitue dans un grand saladier. Elle les accueillit avec un sourire un peu contraint.

— Ryan, sers donc un verre de vin à Rory et une bière à Walker. J'ai pensé que, puisque nous ne sommes que tous les quatre, nous pourrions manger dans la cuisine.

Pendant que Clara terminait de cuisiner, devant le comptoir du petit déjeuner, ils parlèrent de la pluie et du beau temps, du mariage, des sœurs incontrôlables de Clara et de la mission de Walker auprès de Rory.

Puis ils s'assirent pour dîner. En surface, tout semblait normal, mais ce n'était qu'une apparence. Une ombre planait sur cette soirée. Au cours des années, ils avaient passé beaucoup de temps ensemble, tous les quatre. Ils avaient vécu beaucoup de moments heureux. Ce soir-là n'aurait pas dû être différent.

Mais Rory était trop silencieuse. Clara et Ryan s'avéraient

tendus et paraissaient avoir l'esprit ailleurs. Clara laissa Ryan lui verser un verre de vin, mais elle ne le toucha même pas. La cuisine de Clara était délicieuse, comme toujours, mais elle ne toucha pas plus à son assiette qu'à son verre. Peut-être était-elle réellement malade ?

Dans ce cas, pourquoi ne pas avoir annulé la soirée pour se reposer, alors ?

En plein milieu du repas, elle se leva brusquement, une main sur la bouche comme elle l'avait fait au restaurant, et, balbutiant des excuses, elle s'enfuit vers la salle de bains.

Ryan et Rory se levèrent à leur tour et la suivirent.

Une minute plus tard, Ryan réapparut. Seul. Il se rassit lourdement sur sa chaise, une expression inquiète dans le regard, son charmant sourire disparu.

Walker décida qu'il en avait assez. Il était ridicule de prétendre qu'il n'avait pas deviné ce qui se passait.

— Clara est enceinte, n'est-ce pas ?

Ryan reprit sa bière et avala une longue rasade avant de la reposer sur la table.

— Qu'est-ce qui a bien pu te faire penser cela ?

— Ryan, ne me raconte pas d'histoires. Elle a rendu son déjeuner dans les toilettes du restaurant, cet après-midi. Rory l'y a rejointe pour l'aider, et tout ce qu'elles ont pu se dire à ce moment-là est tombé dans les oreilles de Monique Hightower, qui était là depuis le début, certainement cachée dans l'un des WC. Si vous aviez l'intention de garder le secret à ce sujet, vous allez devoir trouver un autre plan.

Ryan marmonna quelques jurons bien sentis, puis il se résolut à contrecœur à parler.

— Nous avions décidé de garder le secret jusqu'au mariage. Clara a déjà fort à faire avec les querelles constantes de ses sœurs.

— Alors, c'est vrai ? Elle est enceinte ?

— Oui, marmonna Ryan en vidant le reste de sa bière d'un trait. Elle est enceinte.

— Et… est-ce pour cette raison que vous vous mariez ?

— Bon sang, Walker ! grogna Ryan Quelle question idiote !

— Je vais être plus clair. Est-ce la seule raison pour laquelle vous comptez vous marier ?

— Bien sûr que non, se récria Ryan.

Walker attendit que son frère lui raconte le reste, mais il resta le regard fixé sur sa bouteille, et Walker crut nécessaire d'insister :

— Est-ce aussi parce que tu es amoureux d'elle ?

— Oui, naturellement, et je l'ai toujours été.

— C'est ce que tu as toujours déclaré, en effet.

— Parce que c'est la vérité. Pourquoi toutes ces questions, d'un seul coup ?

— Tu as raison, excuse-moi. J'essayais seulement de savoir où tu en étais. Tu te maries, et c'est formidable.

Au même moment les deux femmes réapparurent à la porte de la cuisine. Ryan se leva et, s'approchant de Clara, il lui entoura les épaules de son bras.

— Ça va mieux ?

— Oui, assura-t-elle, s'efforçant de sourire.

Ils se rassirent, et Clara se tourna vers Walker.

— Je suis désolée, bredouilla-t-elle. Je me suis sentie nauséeuse toute la journée. Ce doit être un virus.

Il se contenta de la regarder droit dans les yeux.

— Inutile de mentir, Clara, lui dit Ryan. Walker a déjà tout deviné, pour le bébé.

— Je me demande pourquoi j'essaie encore de le cacher, fit Clara en soupirant. Quelle importance, au fond ?

— Moi, en tout cas, je ne le répéterai à personne, lui assura Walker. Ne te fais aucun souci à ce sujet.

— Monique s'en chargera elle-même, répliqua-t-elle avec un rire sans joie.

— Te sens-tu mieux, maintenant ?

— Oui, assura Clara en ramassant sa fourchette. Tout à coup, je meurs de faim.

Et elle ne plaisantait pas. Ils la virent tous trois dévorer le contenu de son assiette.

— Au moins, tu as retrouvé ton appétit, lança Rory.

— Toutes mes félicitations à vous deux, dit alors Walker, retrouvant ses bonnes manières.

Clara lui adressa un pâle sourire, et elle tendit une main à Ryan, qui la serra fermement dans la sienne.

Rassuré, Walker se prit à penser que tout allait bien entre son frère et Clara, et que le jeune couple et son bébé auraient une vie merveilleuse. Ryan lui servit une autre bière et remplit de nouveau le verre de vin de Rory, et la conversation reprit autour de la table. Plus de silences gênés. Ils riaient tous ensemble, comme au bon vieux temps.

Oui, tout irait bien.

Durant le trajet de retour vers le ranch, Rory resta étrangement silencieuse. La journée ayant été riche en émotions, elle était probablement épuisée.

Dès qu'ils furent rentrés, il lui souhaita une bonne nuit.

— J'ai besoin de te parler, répliqua-t-elle, posant une main sur son bras alors qu'il se tournait déjà vers l'escalier.

Il baissa les yeux vers les doigts délicats posés sur sa manche. Elle le relâcha instantanément, mais il lui sembla sentir encore la brûlure de ce contact à travers la flanelle.

Qu'est-ce qui lui prenait ?

Il était tout simplement étrange d'être seul avec elle dans cette maison — et de savoir qu'elle ne partirait pas dans une heure ou deux pour regagner sa suite à l'hôtel Haltersham. Ils allaient dormir au premier étage et, demain matin, elle serait toujours là pour prendre le petit déjeuner à sa table.

Pourquoi cette situation lui semblait-il si étrange, voire vaguement dangereuse ?

C'était idiot, ils étaient amis, et il veillait sur elle. Rien d'étrange ou de dangereux là-dedans.

— La relation de Clara et de Ryan est-elle de plus en plus bizarre, ou c'est moi qui me fais des idées ? s'enquit-elle.

Il n'avait pas vraiment envie d'aborder le sujet — pas maintenant qu'il s'était rassuré. Une discussion de ce genre pourrait faire renaître ses doutes.

Et c'était la dernière chose qu'il désirait.

— Pas de réponse ? reprit-elle en levant ses yeux bruns vers les siens. Cela ne fait rien. Bonne nuit.

Elle faisait de son mieux pour adopter un ton insouciant, mais il ne s'y trompa pas une seconde. Il ne pouvait pas la laisser partir ainsi.

Au même instant, il entendit Lonesome gémir derrière la porte et il alla ouvrir. Le chien se précipita à l'intérieur avec des démonstrations de joie délirantes. Lucky Lady entra à son tour d'un pas tranquille et se dirigea tout droit vers Rory, qui la souleva dans ses bras et enfouit le visage dans sa fourrure.

— Que dirais-tu d'une tasse de café ? proposa-t-il.

— Non, merci, répondit-elle en caressant la chatte dans ses bras. J'aimerais seulement que nous parlions.

Ils passèrent dans le salon. Rory reposa la chatte sur le tapis et prit place sur le sofa tandis qu'il allait allumer la cheminée à gaz. La chatte et le chien s'assirent côte à côte face aux flammes. Lorsqu'il vint la rejoindre, elle s'efforçait d'ôter l'une de ses hautes bottes noires.

— Attends, dit-il en se précipitant. Laisse-moi t'aider.

Il fit le tour de la table basse, empoigna la botte à deux mains et tira pour la lui ôter, puis il répéta l'opération avec la seconde botte. Elle portait des chaussettes rouge vif décorées de petits bonshommes de neige. C'était si mignon qu'il éprouva soudain un curieux besoin de saisir sa cheville et de les lui ôter aussi, pour effleurer son talon nu, caresser l'arrondi ferme de son mollet…

Plus de doute, il perdait la tête.

Elle fit disparaître les deux bottes sous la table basse, puis tapota le coussin près d'elle.

— Allez, viens t'asseoir.

A l'évidence, elle ne soupçonnait pas à quel point il désirait poser les mains sur sa peau nue. Et c'était tant mieux. Excellent. Il alla s'asseoir sur le sofa et, ramenant ses jambes sous elle, Rory se tourna vers lui.

— J'ai cru sentir de la tension entre eux, et ce n'était pas sexuel, déclara-t-elle en repoussant ses longs cheveux derrière son épaule. L'as-tu remarqué aussi ?

Il luttait contre une furieuse envie de glisser les doigts dans cette chevelure sombre, d'en sentir la texture contre sa paume, d'y enfouir le visage pour respirer leur douce fragrance, et il ne répondit pas tout de suite.

— Walker ? Tu m'écoutes ?

— Oui, tu as raison, s'empressa-t-il de répondre. Mais, vers la fin de la soirée, tout était comme avant, entre eux.

— Justement, Walker ! Avant, ils étaient amis. Nous étions amis, tous les quatre.

Il avait toutes les peines du monde à suivre cette conversation. Et sa chevelure brillante, ses douces lèvres de corail rose n'arrangeaient rien.

— Oui, c'est vrai, convint-il. Nous étions amis. Et nous le sommes toujours.

— Mais tu ne crois pas qu'il devrait y avoir plus que cela entre Clara et Ryan, aujourd'hui ?

Elle marqua une pause, comme si elle attendait une réponse de sa part. Face à son silence, elle poursuivit :

— Je comprends que l'arrivée du bébé soit une raison de se marier. Mais est-ce la bonne solution ? De nos jours, beaucoup de gens deviennent parents sans éprouver le besoin de courir se marier. Je ne peux m'empêcher de me demander pourquoi ces deux-là tiennent tant à se précipiter vers l'autel. En outre… comment dire ? Franchement, je ne parviens pas à imaginer Ryan et Clara en train de faire l'amour.

A travers l'absurde désir qui s'était emparé de son esprit, il ressentit un soupçon d'agacement. Il n'aimait pas le tour que prenait cette conversation.

— Même s'il t'est difficile de l'imaginer, cela ne signifie pas que ça ne s'est pas produit.

Elle fixa un instant les flammes dans la cheminée, avant de se retourner vers lui.

— C'est seulement que… je ne sens pas cela, entre eux.

— Que veux-tu dire ? Parce qu'ils sont amis, c'est cela ? Tu n'arrives pas à concevoir que deux amis de toujours décident soudain qu'il y a entre eux davantage que de l'amitié ?

— Franchement, non.

— Non ?

— Bon, d'accord, je peux concevoir que de vieux amis deviennent amants.

— Alors, où est le problème ?

— C'est seulement que… comment dire ? Ils ne se comportent pas de cette façon l'un envers l'autre.

— Tu compliques inutilement la situation.

— Je ne crois pas, non.

— Mais si. Clara est une femme. Ryan est un homme. Ils passent énormément de temps ensemble — du fait, justement, qu'ils sont amis. Ces choses-là arrivent. Je ne vois rien de surprenant là-dedans. Et, concernant leur mariage, Ryan est un homme d'honneur, et Clara va mettre au monde son bébé. Sans oublier qu'il n'était lui-même qu'un bébé lorsque notre vaurien de père a filé sans jamais plus donner de ses nouvelles. Ryan a toujours déclaré que son enfant n'aurait jamais à grandir sans lui. Il désire simplement faire ce qui est juste.

— Mais c'est exactement ce que j'essaie de dire. Il est possible que ce ne soit pas une bonne décision pour Clara et Ryan. Ils s'entendent à merveille en tant qu'amis. Mais comme mari et femme ? Cela, je ne le vois pas. Et tu connais le genre de vie qu'affectionne Ryan.

— Tu vas critiquer mon frère, maintenant ? gronda-t-il.

Elle tressaillit et lui lança un regard étonné. Il la fusilla du regard. Il se sentait en proie à une étrange agitation, à la fois furieux contre elle et conscient qu'il n'en avait pas le droit, qu'il avait l'esprit troublé par ses chaussettes rouges à bonshommes de neige et sa longue chevelure brillante.

— Qu'entends-tu par « le genre de vie de Ryan » ?

— Walker, ce n'est pas critiquer Ryan que de dire la vérité à son sujet, répondit-elle d'un ton prudent.

— La vérité ? répéta-t-il d'un ton ironique. A savoir que Ryan est un coureur de jupons qui ne compte plus ses conquêtes, c'est ça ?

— Tu exagères.

— C'est ce que tu pensais, Rory, tu le sais très bien.

— Ce que je voulais dire, c'est qu'il aime les femmes, mais qu'il ne s'attache pas à elles. Ryan est un homme adorable, mais c'est aussi un incorrigible séducteur. Sera-t-il réellement capable de s'installer dans un mariage ? Surtout avec Clara, qui ne semble pas follement excitée à l'idée de l'épouser ?

— Que veux-tu dire ? grogna-t-il, fronçant les sourcils. Penses-tu que Clara soit trop bien pour Ryan ?

— Je n'ai jamais dit cela ! s'écria-t-elle.

A présent, elle était aussi furieuse que lui. Lorsqu'elle était en colère, elle retrouvait ses manières de princesse, s'exprimant d'une voix nette et coupante.

— C'est pourtant ce que tu avais l'air de suggérer, répliqua-t-il en se levant d'un bond.

— Walker ! Que…

Il la fusilla de nouveau du regard, irrité de l'effet qu'avaient sur lui ses yeux brillants, sa fabuleuse chevelure brune et ses chaussettes rouges dissimulant une peau satinée.

— Je crois que j'en ai assez entendu.

— Mais…, fit-elle, visiblement abasourdie.

— Bonne nuit, l'interrompit-il.

Sur quoi, il tourna les talons et sortit à grands pas.

- 4 -

Avant même d'avoir atteint le sommet de l'escalier, Walker avait l'impression d'être le roi des idiots. Toutefois, il continua jusqu'à sa chambre, juste en face de celle de Rory, de l'autre côté du couloir.

Refermant la porte derrière lui, il passa dans la salle de bains, se déshabilla et prit une longue douche froide. Frissonnant sous le jet glacé, il s'efforça de déterminer à quel moment précis son esprit rationnel l'avait abandonné.

Mais, en réalité, il le savait : lorsqu'il avait posé le regard sur ces chaussettes à bonshommes de neige. Il s'était aussitôt senti emporté vers des régions où il n'avait jamais eu l'intention de s'aventurer. Pas avec Rory. Elle était son amie ! Et bien trop jeune pour lui. Sans oublier qu'ils venaient de deux univers totalement différents.

Etait-ce aussi ce qui s'était passé entre Clara et Ryan ? Une espèce d'éblouissement qui avait tout changé, qui les avait jetés ensemble sur un lit, avec, pour résultat, la grossesse de Clara et l'obligation pour Ryan d'assumer ses responsabilités, mettant en péril leur amitié — et, pire, leurs vies et celle d'un enfant innocent ?

Il n'était pas question de reproduire la même situation avec Rory.

Il ressortit de la douche et demeura un instant immobile, planté au milieu de la salle de bains, à réfléchir.

La présence continuelle de Rory auprès de lui était à la fois une source de joie et de confusion. De joie parce qu'il l'adorait et qu'elle était facile à vivre, toujours prête à aider sans même qu'on le lui demande, à s'adapter, et d'une bonne humeur imperturbable. Mais il n'était plus habitué à la présence permanente d'une autre personne dans sa maison. Plus depuis que Denise l'avait quitté. Et c'était une habitude qu'il ne pouvait pas se permettre de retrouver.

Rory serait repartie dans deux semaines. Elle allait rentrer chez elle juste après le mariage. Son frère Max se mariait au Montedoro, quelques jours après Ryan et Clara.

Et il se retrouverait de nouveau seul. C'était d'ailleurs ce qu'il souhaitait.

Et était-ce sa faute à elle s'il en souffrait ?

Absolument pas.

Elle appelait sans doute sa mère à cet instant, pour lui demander de lui envoyer d'urgence un vrai garde du corps, de façon à pouvoir retourner s'installer à l'hôtel Haltersham, là où personne ne la rabrouerait au motif qu'elle avait dit franchement ce qu'elle pensait.

Il laissa tomber sa serviette et ramassa son jean.

Lorsqu'il entrouvrit la porte de sa chambre pour jeter un coup d'œil dans le couloir, Lonesome attendait, assis sur le seuil. Le chien alla se coucher dans son coin favori, sur le tapis près du lit.

La porte de Rory, de l'autre côté du couloir, était fermée. Il l'avait trouvée ouverte tout à l'heure.

Ce qui signifiait qu'elle était montée dans sa chambre.

Il traversa le couloir et toqua. Puis il attendit, de plus en plus certain qu'elle devait être en train de boucler ses valises pour s'en aller le plus loin possible.

Il s'apprêtait à frapper une seconde fois lorsque la porte pivota sur ses gonds, et elle apparut devant lui dans un peignoir de bain en tissu-éponge blanc, sa magnifique chevelure attachée sommairement au sommet de sa tête.

Sa peau exhalait un parfum de vapeur et de fleurs.

— Euh…, lâcha-t-il.

Elle était trop belle et elle sentait trop bon. Il aurait dû y réfléchir à deux fois avant d'aller frapper à la porte de sa chambre en plein milieu de la nuit.

Puis ses merveilleuses lèvres s'étirèrent en un lent sourire, creusant cette fossette familière sur sa joue lisse. Ce sourire lui fit l'effet d'un coup de poing en plein plexus.

— Es-tu venu pour t'excuser de ta conduite de tout à l'heure ?

— Oui, s'obligea-t-il à répondre. Je suis désolé de m'être conduit comme un imbécile.

Sa voix avait un son rauque, mais il était sincère, et c'était le mieux qu'il puisse faire à cet instant précis, car il luttait de toutes ses forces pour ne pas tendre la main et caresser la douceur ivoirine de sa peau parfumée.

— Tu t'es montré très désagréable, en effet, dit-elle en souriant plus franchement.

— Tu as repris ta voix de princesse.

— Pardon ?

— Lorsque tu es en colère, ta diction… non, rien. Et tu aurais pu me contredire, m'assurer que ce n'était pas très grave.

— Je dis toujours ce que je pense.

Il s'adossa au montant de la porte, croisant les bras. Dans cette position, il serait moins tenté de faire une chose stupide, telle que tendre les bras pour la caresser.

— Alors, voilà, reprit-il, s'efforçant de prendre un ton dégagé. La vérité, c'est que moi aussi je suis un peu inquiet au sujet de Ryan et de Clara. Mais je ne pense pas que nous y puissions grand-chose.

— Je me réjouis de constater que je ne suis pas la

seule à douter de la sagesse de ce mariage, répondit-elle avec un sourire très doux.

— J'ai quand même remarqué à quelques reprises, ce soir, qu'ils avaient des gestes tendres l'un pour l'autre.

— Crois-tu que notre inquiétude soit inutile ?

— C'est possible.

— Oui, convint-elle, tu as peut-être raison. Et je ne souhaitais pas insulter Ryan, car je l'apprécie énormément.

— Oui, je le sais.

Souhaite-lui bonne nuit, lui chuchotait la voix de la raison. *Fais-le tout de suite, espèce d'idiot !*

— Très bien, marmonna-t-il en s'obligeant à se redresser. Heu… il ne me reste plus qu'à te souhaiter une bonne nuit.

— Oui, il se fait tard, convint-elle en riant. Et, souviens-toi, c'est demain qu'aura lieu la foire de Noël.

— Comment aurais-je pu l'oublier ?

Tous les artisans de la région et toutes les associations installeraient leurs stands à l'hôtel de ville. Le soir, les enfants des écoles proposeraient un spectacle au Cascade Theatre récemment rénové. Autrefois, il s'y rendait chaque année. Mais il avait fini par comprendre que toutes les foires de Noël ressemblaient à celle de Justice Creek.

— Je suppose que tu tiens à ce que nous y allions ?

— Oui, bien entendu !

Souhaite-lui bonne nuit, espèce d'idiot ! Tout de suite !

— Bonne nuit, Rory.

— Bonne nuit, Walker.

Elle recula et referma sa porte. Il demeura un instant figé, le sang rugissant à ses oreilles, avant de regagner sa chambre.

Rory se leva avant les premières lueurs de l'aube, se lava le visage à l'eau froide et s'habilla chaudement, puis elle descendit aider Walker et Bud Colgin aux écuries.

Une heure plus tard, alors que le soleil pointait à l'horizon, Bud rentra chez lui. Rory et Walker sellèrent deux chevaux et partirent en direction des montagnes, Lonesome trottant joyeusement derrière eux.

Ils rentrèrent à la maison, affamés, un peu après 9 heures, et Walker fit frire des œufs et du bacon pendant qu'elle préparait du café.

— La vie au ranch n'est pas déplaisante, déclara-t-elle en prenant place à la table. Lorsque je m'installerai à Justice Creek, j'achèterai peut-être moi-même une ferme.

— La princesse Aurora de Montedoro, fermière au Colorado ? plaisanta-t-il. Comptes-tu aussi élever du bétail ?

— Seulement quelques chevaux, précisa-t-elle en sirotant son café. J'ai envie d'une grande maison ancienne, avec un chien et un chat. Et aussi quelques poules.

— Et que fais-tu de ta carrière de photographe ?

— Je peux mener de front plusieurs projets à la fois, tu sais. Je crois que je pourrai trouver du temps pour mes photos tout en soignant mes chevaux et en donnant du grain à mes poulets.

— Tu ne viendras jamais t'installer à Justice Creek, répliqua-t-il en terminant son assiette sans la regarder.

— Ma sœur Genevra, qui est de un an plus âgée que moi, a épousé un aristocrate anglais, et ils vivent à Hartmore, un énorme château dans la campagne anglaise, argua-t-elle.

— Et quel rapport avec Justice Creek ?

— Genny adore Hartmore. Elle dit qu'elle s'y est tout de suite sentie chez elle la première fois que nous y sommes allées, lorsque nous étions enfants : elle a toujours su qu'elle y vivrait un jour. J'ai exactement le même sentiment avec Justice Creek.

— Les hivers sont longs et rudes, dans la région, rappela-t-il en se levant pour emporter son assiette jusqu'à l'évier. Voir tomber quelques flocons peut être amusant durant une semaine ou deux, mais attends seulement les premières vraies tempêtes de neige. Tu rêveras de retourner au Montedoro avant la fin du mois de février.

— Dans ce cas, je sauterai dans un avion et je retournerai au Montedoro pour rendre visite à ma famille.

— A t'entendre, cela a l'air simple, grommela-t-il.

— Peut-être parce que, pour moi, cela l'est. J'adore Justice Creek. Et je rêve de vivre ici depuis longtemps.

— Tu ne me l'avais jamais dit.

— Je ne te dis pas tout, répliqua-t-elle. Allons-nous encore nous disputer ?

Walker contempla fixement ses bottes. Puis ses lèvres esquissèrent un sourire.

— Je crois que c'est toi qui as raison, convint-il.

— Tout va bien alors, déclara-t-elle en se levant pour l'aider à remettre de l'ordre dans la cuisine.

Ils venaient de terminer, lorsqu'il revint à la charge.

— Songes-tu réellement à t'installer ici ?

— Oui. Tu vas devoir t'habituer à cette idée.

— Je vais m'y efforcer, je te le promets.

— Quelque chose te chiffonne, Walker ?

— Non, rien du tout.

Elle ne le crut pas un instant. Mais elle n'insista pas.

Walker conduisit Rory en ville un peu avant midi. Il s'était conduit comme un idiot au petit déjeuner, et il s'était promis de ne plus recommencer, de ne pas laisser le soudain désir qu'il éprouvait pour elle venir tout gâcher. Il saurait se contrôler. Plus question de se disputer avec elle pour des vétilles qui ne l'avaient jamais dérangé auparavant.

L'idée qu'elle vienne s'installer à Justice Creek ne le gênait pas du tout. Il veillerait à ce que leurs rapports restent détendus et amicaux, et tout irait bien.

Chaque année, juste après Thanksgiving, la chambre de

commerce de Justice Creek décorait somptueusement le centre de la ville. Les guirlandes de lumières multicolores restaient allumées jour et nuit jusqu'au lendemain du jour de l'an, créant une ambiance festive et un peu magique. Des haut-parleurs diffusaient de la musique de Noël. Les gens déambulaient d'un stand à l'autre, les bras chargés de gourmandises et de cadeaux.

En descendant Centre Street avec lui, Rory prit beaucoup de photos et insista pour entrer dans tous les magasins. Elle semblait heureuse de se promener dans cette foule en fête. Et, même s'il avait vu ces foires se répéter depuis son enfance, la seule présence de Rory à ses côtés éclairait cet événement d'un jour nouveau.

Lorsqu'ils eurent visité toutes les boutiques de la rue, ils entrèrent dans l'hôtel de ville, où une foule compacte défilait devant les stands des artisans, des associations et des restaurateurs. Rory prit d'autres photos et acheta une quantité invraisemblable d'objets artisanaux.

Lorsqu'elle commença à se sentir fatiguée, ils retournèrent au 4x4 pour y poser leurs paquets.

— Que dirais-tu d'une bière bien fraîche ? proposa-t-il.

— Excellente idée.

Ils entrèrent au pub McKellan's, où la foule était aussi compacte qu'à l'hôtel de ville. Par chance, ils trouvèrent deux tabourets libres devant le comptoir d'acajou, et ils commandèrent des hamburgers et des bières pression. Ryan était là, qui leur adressa un salut amical avant de continuer à s'occuper de ses clients.

— Quand vas-tu installer ton sapin de Noël ? s'enquit-elle en sirotant sa première gorgée.

— Qu'est-ce qui te fait penser que j'en ai l'intention ?

— Je m'en doutais ! s'écria-t-elle. Tu détestes Noël !

— C'est faux, protesta-t-il d'un ton embarrassé. J'installerai peut-être un sapin.

— Tu le feras ! J'y veillerai personnellement.

— Alors, tout ce fatras de Noël que tu as acheté…

— Oui, c'est pour toi. Tu as le droit de me remercier. Tu as bien quelques guirlandes, quelque part au grenier ?

— Denise ne s'intéressait pas beaucoup à Noël, et j'ai donné toutes les décorations de maman à Ryan, lorsqu'il a ouvert son établissement. Il les utilise chaque année.

— Eh bien, en ressortant d'ici, répondit-elle avec un sourire lumineux, nous irons au centre commercial acheter des guirlandes lumineuses et tout le reste. Sapin naturel ou artificiel ?

— Ah, parce que j'ai le droit de choisir ? ironisa-t-il.

— Pas de mauvais esprit, s'il te plaît.

— Pardon, Votre Altesse, répondit-il en riant. Plutôt sapin naturel, s'il vous plaît.

— Excellent. Voilà nos hamburgers qui arrivent. Dépêche-toi de manger. Nous avons du pain sur la planche.

Et tout fut fait comme elle le désirait. Pendant leurs courses, ils rencontrèrent deux de ses cousins, Carter Bravo, le fils aîné de Willow, et Jamie Bravo, le fils cadet de Sondra, et elle s'arrêta un instant pour bavarder avec eux. Puis elle fit l'emplette d'une foule de choses inutiles : des kilomètres de guirlandes lumineuses, des bonshommes de neige en céramique, des angelots de verre soufflé, et quatre bas de laine à accrocher dans la cheminée — pour lui, pour elle, pour Lucky Lady et pour Lonesome.

Il était 17 heures lorsqu'elle décréta qu'il était temps de rentrer au ranch.

— Veux-tu dire que nous sommes dispensés du spectacle de Noël des enfants des écoles ?

— Nous irons peut-être l'année prochaine.

— Dommage, ironisa-t-il. Je mourais d'envie d'y assister.

— N'insistez pas, cher monsieur, ou je pourrais bien

changer d'avis. Mais, d'abord, je dois aller voir Clara. Son café ferme à 16 heures, et elle devrait être à la maison.

Rory appela Clara, qui l'informa qu'elle n'avait pas encore terminé son service. Ils se rendirent alors dans son café, et Walker prit un expresso au comptoir tandis que les deux femmes s'entretenaient à voix basse dans l'office.

— Elle affirme qu'elle est très heureuse, indiqua Rory d'un ton dubitatif alors qu'ils reprenaient la route du ranch. Mais je m'inquiète. Elle a l'air épuisée. Je lui ai demandé de m'appeler si elle avait besoin de quoi que ce soit.

— Elle s'en sortira, déclara-t-il, espérant que ce soit vrai.

En arrivant au ranch, ils transportèrent le bric-à-brac de Noël à l'intérieur de la maison, près de la fenêtre du salon, là où elle avait décidé d'installer le sapin. Puis, ils se changèrent et sortirent s'occuper des chevaux.

Alva leur avait laissé un poulet rôti et des pommes de terre dans le four. A leur retour des écuries, ils dînèrent, et Rory parla avec animation du sapin qu'ils allaient abattre dans la forêt, le lendemain matin.

Tandis qu'elle babillait ainsi entre deux bouchées, il l'observait sans rien dire, se remémorant l'été de sa première visite au Colorado.

Tout juste âgée de dix-huit ans, elle était ravie de rencontrer enfin les Bravo de Justice Creek, la famille de son père, de faire de longues randonnées dans les montagnes Rocheuses, de prendre des photos de l'Ouest sauvage. Le souvenir de ses yeux bruns pailletés d'or et de son merveilleux sourire était resté gravé dans sa mémoire.

A l'époque, avant que l'un de ses frères n'ait été enlevé au Moyen-Orient, sa famille n'était pas aussi préoccupée par les questions de sécurité, et Rory avait été autorisée à voyager seule. Elle allait partout en jean et en T-shirt avec son petit sac à dos. Si on ne l'avait pas informé de son statut, il ne s'en serait jamais douté. Elle avait l'air d'une adolescente américaine classique : une jeune fille fort sympathique, pas prétentieuse pour deux sous.

Et elle était toujours la même, simple et cordiale. Sauf qu'elle n'était plus du tout une enfant.

Après avoir débarrassé la table, ils regardèrent un film à la télévision, une comédie pas très drôle. Ils étaient assis côte à côte sur le sofa et, plus d'une fois, il fut tenté de tendre le bras derrière ses épaules pour la serrer contre lui. Mais il résista à cette envie, se demandant ce qui ne tournait pas rond chez lui. Il n'aurait été que trop facile de s'habituer à l'avoir ainsi près de lui chaque jour. Même s'il s'était moqué du bric-à-brac de Noël qu'elle avait acheté, il se surprenait à se sentir aussi excité qu'elle.

Rory avait le don de transformer un jour ordinaire en fête.

Il avait réellement besoin de prendre un peu de recul par rapport à la situation. Ils étaient amis, et pas autre chose. Il ne se passerait rien entre eux.

Absolument rien. Et tant pis pour les chaussettes rouges à bonshommes de neige.

Le film était terminé. Le générique défilait sur l'écran, mais il aurait été bien en peine de résumer l'intrigue.

Il ramassa la télécommande et éteignit la télévision.

Elle lui souhaita une bonne nuit et monta se coucher.

Il demeura assis, le chien couché à ses pieds, à se demander pourquoi il lui était impossible de cesser de la désirer. Il était tenté de suivre la subtile trace de son parfum jusqu'à sa chambre, de frapper à sa porte et de la serrer dans ses bras pour la dévorer de baisers et l'emporter jusqu'au lit, où il la garderait jusqu'au matin.

Ou même un peu plus longtemps.

Il se leva, éteignit, puis monta à l'étage, Lonesome sur ses talons, pour filer dans sa propre chambre, où l'attendait une longue douche froide.

* *

Le lendemain matin, au petit déjeuner, elle lui déclara qu'elle avait une idée.

Il la dévisagea. Allait-elle lui demander de faire l'amour avec elle ? Et, si oui, comment pourrait-il refuser ?

— Tu fais une drôle de tête, reprit-elle. Tu as mal dormi ?

— Je suis resté éveillé une bonne partie de la nuit, admit-il après un moment de réflexion. Je réfléchissais.

— A quoi ?

— Je ne m'en souviens plus très bien, éluda-t-il.

— Tu as l'air… différent, insista-t-elle en sirotant son café. Comme si tu couvais une grippe.

— Je suis seulement un peu fatigué, c'est tout, mentit-il, peu disposé à lui avouer la vérité.

Avec un mélange d'inquiétude et de jubilation, il la vit se lever et faire le tour de la table. Elle s'approcha de lui et posa une main fraîche et douce sur son front.

— Tu n'as pas de fièvre.

Si, hélas. Le merveilleux arrondi de sa poitrine se trouvait à hauteur de ses yeux. Il brûlait de fièvre. Elle exhalait une odeur de café et de toast, avec une note subtile de fleurs et d'épices. Et il luttait de toutes ses forces pour ne pas enfouir le visage entre ces seins fabuleux.

— Je te l'avais dit. Je me sens très bien.

Elle soupira et retourna s'asseoir.

Au prix d'un énorme effort de volonté, il s'abstint de la suivre. Ramassant sa fourchette, il se concentra sur ses œufs aux saucisses.

Le silence devenant pesant, il voulut alimenter la conversation. Autrement, elle reviendrait à la charge et s'inquiéterait de nouveau pour sa santé.

— Alors ? dit-il, risquant un regard dans sa direction. Toujours partante pour abattre ce sapin dans la forêt ?

Elle alla se servir une seconde tasse de café. Son jean

moulant blanchi par les lavages mettait ses rondeurs en valeur. Mais elle lui tendit bientôt le pot de café, et il releva précipitamment les yeux, espérant qu'elle ne l'avait pas surpris en train de détailler ses charmes.

— Encore un peu de café ?

— Euh… non, merci. Une tasse me suffira.

Elle reposa le pot et revint s'asseoir en face de lui.

— Mon idée était d'organiser une fête, déclara-t-elle. Une petite fête pour la décoration du sapin.

L'esprit encore embrumé par le désir et deux nuits sans sommeil, il lui fallut un instant pour assimiler ses paroles.

— Une fête ? répéta-t-il. Ici, à la maison ?

— Oui, dit-elle avec un sourire rayonnant.

— Je n'organise jamais de fêtes. Tu le sais.

— Oui, Walker, répliqua-t-elle en soupirant. Je le sais. Tu es un solitaire, une espèce d'ours. Nous le savons tous.

Il la fusilla du regard, se sentant revivre. S'il se mettait en colère contre elle, il pourrait oublier durant un bref instant à quel point il avait envie de la voir nue dans son lit.

— Es-tu en train de te moquer de moi ?

— Un petit peu, je suppose, reconnut-elle.

Ses yeux de bronze liquide fixés sur lui pétillaient de bonne humeur, le soumettant à la torture. Puis la lueur d'humour disparut. Le regard redevint sérieux, plein de douceur et d'espoir. Etrangement, l'effet s'avéra tout aussi érotique qu'avec ses sourires et taquineries.

— Je pensais que ce serait amusant, poursuivit-elle. Nous pourrions inviter Clara et Ryan et tous ceux que tu souhaiterais inviter. Nous boirions du cidre et du chocolat chaud, et nous décorerions le sapin et le reste de la maison pour les fêtes de Noël. Que dirais-tu de jeudi soir ? Souviens-toi que nous sommes invités samedi soir au pub de Ryan.

Clara et Ryan avaient décidé d'organiser une unique fête pour enterrer leur vie de célibataires. La soirée aurait lieu le samedi soir suivant au McKellan's. Toutes les cousines de Rory seraient là, ainsi qu'une foule d'autres gens.

Il la dévisagea et comprit qu'il ferait tout ce qu'elle lui demanderait, y compris marcher sur des charbons ardents. Cela avait toujours été le cas, en fait.

Mais, auparavant, il l'aurait fait parce qu'elle était son amie. Aujourd'hui, parce qu'un brasier intérieur le dévorait.

Comment en était-il arrivé là ? Il ne comprenait pas. Eprouver de tels sentiments était dangereux pour lui. N'avait-il pas appris la leçon avec Denise ?

Pas question de revivre un tel enfer.

— Alors ? insista-t-elle en souriant. Qu'en penses-tu ?

— A t'entendre, ce sera formidable, répondit-il sans conviction.

— Est-ce oui, alors ? Pouvons-nous organiser une fête ?

— Bien sûr, Rory, concéda-t-il en soupirant. Si tu y tiens.

5

Le petit déjeuner à peine terminé, Rory appela Clara.

S'efforçant de dissiper la brume de désir qui lui obscurcissait l'esprit, Walker débarrassa la table pendant qu'elle parlait avec sa cousine.

Lorsqu'il se retourna vers elle, Rory était plantée face à la fenêtre, une expression pensive sur son ravissant visage.

— Qu'y a-t-il ? Clara ne peut pas venir à ta fête ?

Elle se retourna et, d'un simple regard, elle ralluma son désir. *Ressaisis-toi, idiot !*

— D'abord, c'est *votre* fête, monsieur le grincheux, le taquina-t-elle. Et Clara va venir, bien sûr. Elle pense que c'est une excellente idée. Elle m'a demandé d'inviter ses trois sœurs, et Tracy aussi.

Il s'adossa au plan de travail, les bras croisés, et secoua lentement la tête.

— Pourquoi cela a-t-il l'air de t'étonner ? Comment pourrais-tu organiser une fête sans inviter tes cousines ?

— Tu les as vues ensemble vendredi dernier, répliqua-t-elle en retournant s'asseoir d'un air découragé. Nous aurons de la chance si elles ne s'entretuent pas.

— Elles vont devoir apprendre à s'entendre, si possible avant le mariage.

— Oui, je sais que tu as raison.

Elle tourna de nouveau le regard vers la fenêtre. Et il frémit de désir. Mais il résista. Ce qu'il ressentait finirait par s'estomper avec le temps. Un sourire étira soudain ces lèvres merveilleuses qu'il n'embrasserait jamais.

— Très bien, alors. Je vais appeler la famille. Quant à toi, tu peux appeler Ryan. Qui d'autre ?

Il cita quelques amis et s'en fut les appeler de son bureau tandis qu'elle passait ses appels.

Plus tard, ils firent une promenade à cheval. Cette chevauchée au grand air tombait à point nommé pour calmer ses ardeurs alors qu'ils galopaient sous le ciel immense du Colorado.

De retour au ranch, il l'informa qu'il avait quelques travaux à finir dans l'un des gîtes. Les touristes étant rares à cette époque de l'année, il en profitait pour exécuter les travaux de maintenance.

Elle l'accompagna jusqu'à la maison inoccupée de l'autre côté de la cour. L'eau était coupée pour éviter le gel des canalisations, mais il alluma les radiateurs électriques et une température agréable régna bientôt dans la maison.

Pour le moment, tout allait bien. Il n'était pas difficile de contrôler son désir insensé lorsqu'elle était devant son ordinateur tandis qu'il remplaçait le carrelage de la salle de bains, de l'autre côté du couloir.

A l'heure du dîner, il en vint même à se féliciter pour sa force de volonté. Il tiendrait jusqu'au mariage et remplirait sa mission de garde du corps, sans jamais poser une main sur elle. Un jour, une heure, une minute à la fois. C'était ainsi qu'un homme sain d'esprit luttait contre la tentation.

Et il résista héroïquement, durant le lundi, puis le mardi. Le mercredi matin, il emprunta le vieux pick-up de son oncle, et ils partirent en forêt, à la recherche du sapin idéal. Ils abattirent un spécimen magnifique qu'ils dressèrent sur son socle devant la grande baie vitrée du salon. Toute la maison embaumait.

Ils téléchargèrent des heures de musique sur l'ordinateur, et elle insista pour qu'ils achètent des enceintes stéréo convenables. De retour au ranch, elle alla trouver Alva pour qu'elle l'aide à préparer du sucre candi et des pâtisseries. Tout le reste de la journée, un parfum de chocolat, de bonheur et de gâteaux de Noël flotta dans la maison.

Il ne devait pas s'habituer à elle. A sa présence constante à ses côtés. A cette façon qu'elle avait de remplir la maison de son rire, de la délicieuse odeur des pâtisseries.

Mais… c'était Noël, après tout. Et il commençait à apprécier la situation, l'esprit de Noël, le fait qu'il organisait enfin une fête chez lui. Il s'en abstenait depuis des années. Depuis les fêtes d'anniversaire que sa mère organisait pour Ryan et pour lui lorsqu'ils étaient enfants.

Il était désormais prêt à revivre cette expérience — inviter des amis chez lui et passer une bonne soirée.

A 21 heures, le jeudi soir, toute la famille Bravo, leurs conjoints et leurs amis se pressaient dans la maison. Des parfums de Noël flottaient dans l'air. Il y avait de délicieux gâteaux, des bonbons de sucre candi, des préparations salées et du pop-corn. Les convives buvaient du chocolat chaud, du cidre et des boissons plus fortes.

Tout se passait plutôt bien. Ils avaient déjà accroché les guirlandes lumineuses sur le sapin et commencé à installer les autres décorations. A vrai dire, les hommes ne faisaient pas grand-chose, à part boire de la bière et discuter en petits groupes, de travail et de sport, laissant les femmes s'occuper du reste. Mais tout le monde semblait bien s'amuser, et c'était le but recherché.

Walker se sentait heureux, et même un peu sentimental. D'ordinaire, ce n'était pas sa tasse de thé, mais voir tous ces gens chez lui dans une ambiance de Noël le réjouissait, alors qu'il avait ignoré les fêtes de fin d'année pendant longtemps. Grâce à Rory, il avait un vrai sapin de Noël dans son salon. Et, chaque fois qu'il posait son regard sur elle, dans son pull rouge, son jean et ses hautes bottes noires, il éprouvait une merveilleuse sensation de bonheur.

Ce soir, pour une raison mystérieuse, le désir insensé qu'il ressentait pour elle ne lui posait pas de problème. Il se sentait heureux, tout simplement, qu'elle soit là, chez lui, dans ce pull écarlate, avec sa longue chevelure tombant en cascade sur ses épaules, un sourire rayonnant aux lèvres.

Même ses cousines paraissaient gagnées par l'esprit de Noël. Elles ne se disputaient plus.

Vers 22 h 30 cependant, Tracy et Elise s'en prirent à Jody, afin de déterminer une nouvelle fois qui serait chargé des fleurs de la réception. Rory intervint aussitôt, et elles se calmèrent.

Ryan avait apporté de la vodka et de la liqueur de café pour préparer des cocktails. Tracy et Elise commencèrent à boire. Et Nell aussi. Ryan tenant un pub, il savait repérer les personnes qui avaient trop bu et ne plus les servir.

Mais il dut manquer de vigilance concernant Nell car, vers minuit, elle repoussa les deux hommes qui flirtaient avec elle et marcha tout droit vers Clara, qui décorait le tour de la cheminée avec l'aide de Rory.

— Clara, annonça-t-elle en s'emparant de sa main, j'ai quelque chose à te dire…

— Oui ? répondit l'intéressée avec un sourire prudent.

— Je veux te dire que je t'aime. Je t'aime énormément. Tu es une personne adorable. Et je suis heureuse que tu sois ma sœur — ou, en tout cas, ma demi-sœur.

— Moi aussi, je m'en réjouis, répondit Clara, laissant son sourire s'épanouir.

— J'étais là-bas, près du sapin, à écouter ces deux jeunes hommes me raconter qu'ils étaient des types formidables, mais je pensais seulement à ma famille. Et j'avais les larmes aux yeux. Je pensais que c'était formidable que tu nous aies choisies pour être tes demoiselles d'honneur, Jody et moi — et même ces deux sorcières, qui me rendent folle, mais qui sont tout de même mes sœurs. Nous sommes une famille, n'est-ce pas ? Nous devons apprendre à nous entendre.

Clara la dévisagea d'un air ébahi. Puis, elle acquiesça.

— Tu as raison, Nell. Nous sommes une famille, et nous ne devons pas l'oublier. C'est un trésor qu'il faut chérir.

— C'est tellement vrai ! s'exclama Nell avec un gros soupir. Je t'adore, Clara ! Je t'aime tellement…

Là-dessus, elle se rua sur sa demi-sœur et la serra dans ses bras.

— Euh… moi aussi je t'aime beaucoup, Nell, assura Clara en lui rendant son étreinte

Nell la saisit par les épaules et s'écarta un peu pour la fixer d'un regard intense durant dix bonnes secondes, puis elle essuya ses larmes et annonça d'une voix ferme :

— Oui, nous nous aimons ! Et ne te laisse pas abattre par les ragots immondes que Monique Hightower répand partout en ville. Tu seras une maman formidable !

Tous les invités s'étaient tus. Même la musique de Noël était en pause. Ryan se fraya un chemin à travers la foule pour accourir aux côtés de Clara.

Rory essaya d'intervenir.

— Nell, que dirais-tu d'une tasse de café ?

Cette dernière l'ignora.

— Tu sais ce que je veux te dire, n'est-ce pas ? poursuivit-elle en s'emparant de nouveau de la main de Clara. Dis-moi que tu le sais.

Avec un ensemble parfait, Tracy et Elise se ruèrent en grondant vers Clara et Nell. Rory s'interposa.

— Vous deux, ne vous en mêlez pas.

Ses deux cousines la dévisagèrent d'un regard furieux, mais elles s'arrêtèrent net. De son côté, Clara ne semblait pas vraiment embarrassée par les propos de Nell.

— Oui, Nell, répondit-elle d'une voix douce. Je sais exactement ce que tu veux dire. Et je t'en remercie.

— Tout va bien, ici ? s'enquit Ryan en arrivant.

— Oui, bien sûr, Ryan, assura Clara. Aucun problème.

Nell essuya d'un revers de main les larmes et le mascara qui coulaient sur ses joues et se tourna vers Ryan, avant de déclarer d'un air de défi :

— Ryan, tu es un type formidable.

— Euh... merci.

— Mais combien de fois as-tu demandé à Clara de t'épouser ?

— Heu...

— Plusieurs fois, n'ai-je pas raison ?

— A vrai dire, Nell, je ne crois pas que cela soit ton...

Nell leva une main pour lui intimer le silence, puis elle se tourna de nouveau vers Clara.

— Comme je te le disais, je t'adore, Clara. Et je voudrais que tu sois sûre de ce que tu fais. Tu n'es pas obligée de te marier avec lui juste parce que tu es enceinte. Considère le cas de ma mère, par exemple. Tout le monde disait des choses affreuses sur elle : « croqueuse de diamants », « briseuse de ménages », et pire encore. Et papa ne pouvait pas l'épouser, parce qu'il était déjà marié avec ta mère. Pourquoi la mienne n'a-t-elle pas eu le bon sens de le quitter, ou tout du moins pratiqué la contraception ? Bien sûr, elle refuse de s'expliquer. Willow Mooney-Bravo a continué à mettre au monde les bébés de papa les uns après les autres, à peu près au même rythme que ta mère à l'autre bout de la ville. Cela n'a aucun sens. Et ta mère, alors, pourquoi est-elle restée avec lui ?

— Ecoute, Nell, répondit Clara, fronçant les sourcils. Je crois...

— Non, cela ne fait rien, coupa Nell en lui tapotant l'épaule. Cela n'a pas d'importance.

— Mais...

— Où en étais-je ? Ah, oui, je m'en souviens. Maman nous a eus tous les cinq bien avant d'épouser notre cher papa. Et regarde-nous ! Nous nous sommes tous très bien adaptés, même Jody. Naturellement, nous avons eu un peu plus de problèmes que les autres à l'école, quelques bagarres pour calmer ceux qui se moquaient de nous. Mais cela n'a fait que nous rendre plus forts.

Pour une raison inconnue, cette idée la fit éclater de rire si fort qu'elle tituba sur ses bottes à talons hauts.

Clara, qui gérait la situation avec un flegme exemplaire, la prit par le bras et la fit gentiment asseoir près de la cheminée.

— Plus de cocktails pour toi, ma petite Nell.

Celle-ci riait toujours aux larmes, et Clara dut lui entourer les épaules de son bras pour l'empêcher de basculer sur le côté.

— Oh ! s'exclama Nell. Avez-vous remarqué que cette pièce s'est mise à tourbillonner à toute vitesse ?

Elise choisit ce moment précis pour faire son numéro.

— Ça dépasse toutes les bornes, lâcha-t-elle, en venant se planter face à Nell. Tu es écœurante !

— Elise, tais-toi ! intervint Clara d'un ton sévère.

Posant sa tête sur l'épaule de Clara, Nell soupira.

— Ferme-la, ma petite Elise, veux-tu ?

— Ne l'écoute pas, Elise ! lança Tracy, surgissant soudain de l'autre côté de Rory. Elle est incontrôlable, comme d'habitude.

Jody, qui était assise sur le sofa, se leva alors d'un bond.

— Pourquoi ne laissez-vous pas cette pauvre Nell tranquille, toutes les deux ?

Elise étouffait de rage. Se détournant, Tracy et elle pivotèrent vers Jody pour en découdre. Mais Nell les devança.

— Ferme-la, toi aussi, Jody. Je n'ai pas besoin que tu me défendes. Il est dix ans trop tard pour cela. Où étais-tu quand papa a épousé maman et que nous avons dû aller vivre chez lui ? M'as-tu défendue à ce moment-là ?

— A l'époque, répliqua Jody d'une voix étranglée, j'avais beaucoup de problèmes moi-même, et…

— Ne te cherche pas d'excuses, l'interrompit Nell. Toi et moi savons très bien ce que tu as fait. Tu as baissé la tête, et tu as déménagé de cette maison à la première occasion, en me laissant toute seule, pour que ces gens me torturent.

Sur ces mots, elle se leva en vacillant un peu, avant de lancer :

— J'ai appris à me défendre toute seule, merci beaucoup. Ne va surtout pas imaginer que j'ai besoin de ton soutien.

Sur quoi, elle tourna les talons et sortit de la pièce.

On n'entendait plus que la musique de Noël et le bruit décroissant de ses pas.

— Je crois qu'elle monte au premier, indiqua Rory.

— Je vais m'assurer qu'elle va bien, annonça Clara en se levant à son tour.

Alors qu'elle sortait à grands pas pour aller rejoindre Nell, Tracy se tourna vers Elise.

— Je crois que nous devrions y aller aussi, suggéra-t-elle.

Elise acquiesça, et elles suivirent Clara.

Jody se retrouva toute seule. Etouffant un sanglot, elle se précipita à la suite de Tracy et d'Elise.

Walker s'approcha de son frère et lui tapota l'épaule.

— Ça va, mon vieux ?

— Je tiens le coup.

— Quelquefois, c'est tout ce qu'on peut faire. Une bière ?

— Bonne idée.

Ils prirent chacun une bière. Rory mit la musique plus fort, et l'ambiance redevint festive tandis que les sœurs Bravo réglaient leurs problèmes à l'étage.

Elles redescendirent une heure plus tard, beaucoup plus calmes. A la demande discrète de Clara, Rory les emmena dans la cuisine et leur prépara du chocolat chaud, et elles restèrent un moment à parler sans qu'aucun autre éclat ne vienne troubler la fête.

Assis près du feu avec Ryan, sa bière à la main, Walker les observait. Il vit soudain Elise tapoter l'épaule de Nell. Et celle-ci éclater de rire à l'un des propos de Jody.

— Ne dirait-on pas qu'elles ont fait la paix ? lui chuchota Ryan à l'oreille. Qu'en penses-tu ?

— C'est peut-être un miracle de Noël, suggéra-t-il.

— Buvons aux miracles, approuva Ryan en levant sa bière.

Debout près de l'escalier, à présent somptueusement décoré de guirlandes lumineuses, Rory observait Walker qui verrouillait la porte après le départ du dernier invité.

— Une tasse de chocolat chaud ? proposa-t-elle.

— Excellente idée. Je vais arrêter la musique.

Pendant qu'elle s'affairait dans la cuisine, il fit le tour du salon, éteignant toutes les lumières à l'exception de celles du sapin. Rory réapparut, deux tasses fumantes à la main, et ils s'assirent près de la cheminée.

— Délicieux, déclara-t-il en sirotant sa première gorgée.

Il s'était fait une moustache de mousse, et elle ne put s'empêcher de s'imaginer en train d'y poser ses lèvres. Mais leur relation n'était pas de cette nature. Elle devait se contenter d'apprécier son amitié comme elle l'avait toujours fait par le passé, et ne pas se laisser entraîner par son imagination et ses désirs secrets.

Ces jours derniers, quelque chose troublait Walker. Elle l'avait surpris qui l'observait en silence, l'air pensif. Mais elle ne lui en avait pas demandé la raison. S'il avait envie de l'en informer, il le ferait de lui-même.

Ce soir, toutefois, il avait l'air détendu, et même heureux.

Ce qui était tout de même un peu étonnant, étant donné le comportement pénible des sœurs Bravo.

— Cette fête était une excellente idée, déclara-t-il. J'ai passé une soirée très agréable.

— Même lorsque mes insupportables cousines ont commencé à se disputer ?

— Oui, assura-t-il avec un rire grave qui la fit frissonner. Même à ce moment-là.

— Vraiment ? Je craignais que tu ne me pardonnes jamais de t'avoir entraîné dans une telle situation.

— Pas du tout ! Je me suis vraiment beaucoup amusé. Sais-tu ce qui s'est passé ensuite, au premier étage ?

— Clara me l'a raconté. Tu veux connaître les détails ?

— Cela m'intéresse, en effet.

Comme elle sirotait son chocolat en silence, il ne put s'empêcher d'insister :

— Allez, dis-moi tout ! S'il te plaît ?

— D'après Clara, elles ont d'abord pleuré. Ensuite, Nell a énuméré toutes les horreurs qu'Elise et Tracy lui avaient fait subir lorsqu'elles avaient vécu ensemble, après le décès de Sondra et le mariage de Willow avec Frank Bravo.

— Quelles horreurs ?

— Un jour, par exemple, Tracy et Elise ont entraîné Nell dans la cave sous un faux prétexte, et elles l'ont attachée à un pilier. Ensuite, Tracy lui a chuchoté que la cave était infestée d'araignées géantes, et elles l'ont laissée toute seule dans le noir durant des heures.

— Je vois.

— Puis Nell a fini par avouer qu'elle aussi s'était rendue coupable de quelques méchancetés, et elles toutes pleuré de nouveau. Ensuite, Jody a demandé pardon à Nell de ne pas avoir été là pour elle. Tracy et Elise ont alors dit qu'elles étaient désolées pour toutes les horreurs qu'elles avaient fait subir à Nell. Et celle-ci a reconnu qu'elle avait sa part de responsabilité dans leurs mauvaises relations. Pour finir, elles sont tombées dans les bras les unes des autres et se sont juré de rester solidaires comme de vraies sœurs, à l'avenir.

— Impressionnant, fit-il. On dirait que Clara a réussi à réconcilier ses sœurs et à les convaincre d'oublier les vieilles querelles.

Ses yeux bleus rivés aux siens étaient pleins de douceur, et elle se sentit étrangement réconfortée. Depuis quelques jours, il s'était montré distant avec elle. Mais, à cet instant, tout était oublié.

— Et c'était un vrai bonheur de voir cette vieille maison pleine de lumière, de musique et de gens qui s'amusaient.

— Certains ne se sont pas très bien conduits, rappela-t-elle. Et il y a eu davantage de hurlements que de rires.

— Au bout du compte, je crois que les rires ont gagné la partie. Qu'importent les quelques moments de tension ? Nous avons passé une bonne soirée, et maintenant la maison est illuminée pour Noël.

— Alors tu admets que cela t'a plu ?

— Oui, bien sûr, énormément.

Tout à coup, elle sentit que sa vue se brouillait. Elle avait craint qu'il ne lui en veuille d'avoir organisé une fête dans sa maison. Mais ce n'était visiblement pas le cas, loin de là.

— Parfait alors, conclut-elle d'une voix émue.

Elle se rendit compte qu'elle le fixait d'un air d'adoration, et baissa précipitamment les yeux vers sa tasse, tandis qu'il reprenait :

— Cela a été… vraiment agréable de t'avoir ici.

— Ah ? fit-elle, s'efforçant d'adopter un ton amical alors qu'elle brûlait de le dévorer de baisers.

— Oui. Grâce à toi, j'ai commencé à comprendre…

Le reste de sa phrase mourut sur ses lèvres, et il se tourna pour contempler le sapin en silence.

Désireuse d'entendre la suite, elle posa la main sur

son avant-bras. Sous ses doigts, sa peau était tiède, et elle sentit des muscles durs rouler juste sous la surface.

Elle retira sa main et toussota pour s'éclaircir la voix.

— Oui ? insista-t-elle. Qu'as-tu compris ?

Il baissa les yeux vers sa tasse et demeura un long moment silencieux. Puis, comme s'il avait entendu ses supplications muettes, il releva le regard et lui adressa le plus merveilleux et le plus triste des sourires.

— Tu m'as aidé à comprendre qu'après la défection de Denise je m'étais enfermé dans la solitude. J'ai arrêté d'aller vers les gens. Et, lorsque tu partiras, j'ai décidé de m'efforcer de devenir plus sociable.

Lorsqu'elle partirait...

A vrai dire, elle n'avait plus du tout envie de partir. Plus jamais. Elle désirait rester ici même, au Bar-N, avec lui. Et, à cet instant précis, elle était sur le point d'éclater en sanglots.

Elle devait se ressaisir. Walker avait sa vie, et elle la sienne. Ils étaient les meilleurs amis du monde. Un point, c'est tout.

— Très bien, répondit-elle simplement. Je m'en réjouis.

Et, sans trop savoir comment, elle réussit à paraître enjouée et sincère.

S'était-il trahi ? La chose venait de se produire une nouvelle fois, lorsque Walker avait relevé les yeux vers Rory. Une sorte de choc d'une incroyable intensité qui l'avait secoué jusqu'au tréfonds de son être. Qui avait éveillé en lui l'irrésistible envie de laisser tomber sa tasse pour la serrer dans ses bras.

Elle était si belle, avec sa chevelure brillante dans la lumière des flammes, ses yeux plus dorés que bruns. Et sa bouche si douce, si généreuse...

Que ressentirait-il s'il l'embrassait ? Comment réagirait-elle s'il osait le faire ? Aurait-il droit à une gifle ?

Ou lui rendrait-elle son baiser ?

Non, il se berçait d'illusions. Elle était jeune et belle. Et princesse. Il lui suffirait de lever le petit doigt pour avoir n'importe quel homme à ses pieds. Pourquoi se contenterait-elle de son vieux copain Walker et d'une vie au Bar-N ?

D'ailleurs, depuis sa mésaventure avec Denise, lui non plus n'était pas intéressé par les serments éternels.

Mais il donnerait cher pour une nuit avec elle…

Il la désirait à en mourir. Au point qu'il était tenté d'oublier ses responsabilités de garde du corps et d'ami. Il s'était même surpris à se demander si elle se contenterait d'une aventure d'une nuit. Mais cela n'apaiserait pas sa soif.

Ce qu'il leur fallait, c'était une belle histoire de Noël.

Il s'imaginait déjà avec elle dans son lit, et sur le sofa, sur la table de la cuisine, sur le tapis près de la cheminée…

Et sur toute autre surface disponible.

C'était ce qu'il désirait : devenir son amant durant les neuf jours qui restaient avant que Ryan épouse Clara et que Rory le quitte pour retourner au Montedoro.

Mais jamais elle n'accepterait. Les baisers brûlants, les étreintes passionnées dans tous les recoins de la maison n'entraient pas dans le cadre de leurs rapports, même si, à une occasion, cinq ans plus tôt, peu de temps après la défection de Denise, Rory avait effectivement flirté avec lui.

Fixant sans les voir les illuminations du sapin, il se souvint.

C'était en août…

Ils campaient avec Ryan et Clara dans le parc national, près des cascades de Ice Castle Falls, un site touristique local très apprécié. Un matin, avant le petit déjeuner, ils avaient quitté Ryan et Clara pour grimper seuls jusqu'au sommet. Ils étaient restés un moment sur l'arête au-dessus des chutes, à contempler le spectacle des trombes d'eau qui se précipitaient sur les rochers au pied de la falaise dans des jaillissements d'écume. Rory avait pris des photos, puis rangé son appareil, et ils avaient amorcé la descente vers leur camp, sur un chemin escarpé qui les rapprochait de plus en plus des chutes. Ils furent bientôt trempés.

Tout ruisselants d'eau, riant à gorge déployée, ils s'étaient arrêtés sur une corniche rocheuse. De ce promontoire, la vue sur les chutes était à couper le souffle. Il avait oublié ce qu'il lui avait dit à ce moment-là, mais il se souvenait qu'il s'était tourné vers elle.

Des gouttes d'eau brillaient sur son ravissant visage, et ses cheveux humides collaient à ses joues. Et il y avait cette expression dans ses yeux. Si douce, si pleine d'espoir…

Face à ce regard, il se souvenait d'avoir eu l'impression qu'un étau lui comprimait la poitrine.

« Oh ! Walker… » Elle avait murmuré son nom, d'une voix si douce qu'il l'avait à peine entendue au-dessus du rugissement des chutes.

Puis elle s'était tournée face à lui, avait posé les mains sur ses épaules et, tout à coup, elle était tombée dans ses bras. Il l'avait rattrapée en la serrant contre lui, et son corps mince et ferme sous ses doigts lui était apparu comme une promesse de ce qui aurait pu être.

Elle avait levé ses lèvres vers lui, paupières closes…

Et, durant un instant infinitésimal, le temps avait cessé d'exister, et lui manqué de prendre ce qu'elle lui offrait.

Mais l'instant s'était envolé. Elle avait dû sentir sa résistance, deviner qu'il cherchait à la repousser gentiment.

Et elle avait rouvert les yeux.

— Rory, avait-il murmuré avec regret, je…

— Mauvaise idée, n'est-ce pas ?

Il avait bredouillé un ridicule petit discours. Prétendant qu'il était tenté, mais qu'il ne voulait pas ruiner leur amitié. Elle ne l'avait pas cru. Elle s'était écartée de lui, et il l'avait relâchée.

Les paroles qu'elle avait prononcées alors étaient restées gravées dans sa mémoire :

— Oui, d'accord, je comprends. Tu es mon ami, un bon copain. Et tu peux draper cette vérité dans une excuse polie, mais la vérité, c'est que je ne te plais pas assez.

— Rory, je…

— Ne dis rien, d'accord ? Ce n'est pas grave.

— Mais je veux que tu saches combien tu es précieuse à mes yeux, et…

— Non, l'avait-elle coupé en posant doucement un doigt sur ses lèvres. J'ai compris. N'en parlons plus.

Et, sur ces mots, elle avait tourné les talons et repris sa descente vers leur camp.

— Walker ?

Sortant brusquement de sa rêverie, il se tourna vers elle. Elle était assise à côté de lui. Il était 3 heures du matin et, dehors, il avait recommencé à neiger.

— Oui ?

— Tu avais l'air à des années-lumière d'ici.

— Désolé. Je réfléchissais.

— A quel sujet ?

Il chercha ses mots, hésitant entre un pieux mensonge et la dangereuse vérité. Mais il n'eut pas à faire ce choix.

— Cela ne fait rien, dit-elle en lui prenant sa tasse des mains. Il se fait tard. Il est l'heure d'aller dormir.

Il la suivit des yeux tandis qu'elle rapportait les tasses jusqu'à l'évier, regrettant déjà de ne pas lui avoir avoué à quel point il la désirait. Qu'il brûlait de sentir son corps sous le sien, de l'entendre murmurer son nom lorsqu'il lui ferait l'amour. Il pensait à toutes ces choses impossibles, et à la jeune fille qu'elle était cinq ans plus tôt.

Et à la femme qu'elle était devenue.

Elle avait raison. Il n'aurait jamais dû accepter d'être

son garde du corps. Une semaine de constante proximité avait détruit toutes ses défenses, et il ne pensait plus qu'à elle, le jour et la nuit.

S'il avait le moindre bon sens, il arrêterait tout immédiatement. Il lui conseillerait d'appeler sa mère afin qu'elle lui envoie un militaire pour la protéger.

Mais il n'en ferait rien, car la souffrance qu'il endurait était trop exquise.

Elle l'avait conquis. Marqué au fer. Il avait besoin de sa présence auprès de lui, de la contempler en rêvant de ce qui pourrait être s'il osait lui avouer ses sentiments, et si, par miracle, elle acceptait.

Les règles qu'il avait lui-même établies entre eux fondaient comme neige au soleil. Et cela lui était égal. Il avait seulement besoin de passer ces quelques jours avec elle, même s'il ne franchissait jamais la ligne rouge.

Lorsqu'elle revint le rejoindre, il éteignait le feu.

— Bonne nuit, murmura-t-elle.

— Bonne nuit, Rory.

Il attendit qu'elle ait disparu dans le couloir avant d'éteindre le reste des lumières.

Rory avait besoin de parler à une personne de confiance.

Et, en arrivant dans sa chambre, elle appela donc sa sœur Genevra, en Angleterre. Là-bas, il était un peu après 10 heures du matin. Genny répondit à la seconde sonnerie.

— Ah, c'est toi, Rory ! N'es-tu pas à Justice Creek ?

— Si. Je me suis installée au ranch Bar-N. Mère a engagé Walker pour me servir d'ange gardien.

— Quelle heure est-il, là-bas ?

— Plus de 3 heures du matin.

— Ne devrais-tu pas être au lit ?

— On croirait entendre une très vieille dame.

— Oh ! je t'en prie ! J'ai seulement un an de plus que toi.

— Etais-tu occupée ?

— Non, pas du tout, assura Genny. Quoi de neuf ?

Rory avait presque peur de le dire, car elle avait la vague sensation que, si elle exprimait ses sentiments à voix haute, toute la situation lui apparaîtrait comme le fruit de son imagination débridée.

Et, d'ailleurs, comment décrire ce qu'elle ressentait ? A l'instant précis où il avait relevé les yeux de sa tasse de chocolat, elle avait su.

Soudain, toutes les pièces du puzzle étaient rassemblées. Elle comprenait : son attitude réservée, le sentiment constant qu'il lui dissimulait un secret...

Oui, elle avait vu ! Elle avait lu dans ses yeux.

Elle connaissait ce regard. Après tout, n'avait-elle pas passé des années à dissimuler ce genre de regards lorsque c'étaient les siens ? Elle était bien placée pour les reconnaître.

Dans ce regard, il y avait de la passion et de l'espoir. Et, aussi, de la peur.

La peur de céder à la tentation. De s'abandonner.

La peur d'être très probablement repoussé et de détruire une merveilleuse amitié.

— Rory ? Tu es encore en ligne ?

— Oui, je suis là, répondit-elle.

Puis elle se jeta à l'eau.

— Je crois que Walker a failli m'embrasser, ce soir.

— Sérieusement ? s'exclama Genny.

— Oui. Il se conduisait d'une façon étrange depuis quelques jours. Il évitait mon regard, restait le regard perdu dans l'espace, se montrait très réservé. Mais ce soir il me regardait d'une façon différente. Je l'ai senti. Et j'ai tout compris.

— As-tu envie qu'il t'embrasse ?

— Oui, très envie.

— Je pensais que vous deux étiez seulement amis.

— Oui, moi aussi, répondit-elle en soupirant. Mais, après ce soir, il se pourrait que la situation évolue.

— Et ensuite, quoi ?

— Genny, s'il te plaît, un jour à la fois. Si je réfléchis à ce qui se passera plus tard, j'aurai sûrement trop peur pour franchir le pas. Je préfère attendre de voir où tout ceci va nous mener… Je te trouve bien silencieuse, tout à coup. A quoi penses-tu ?

— A vrai dire, je songeais à Rafe et à moi. Lui et moi étions seulement des amis, nous aussi.

— Oui, je sais. Et depuis ton cinquième anniversaire.

— C'est vrai. Et la première fois que je l'ai embrassé…

— Oui ? fit Rory, retenant son souffle.

— Ça a été une révélation.

— C'est merveilleux !

— Mais je ne devrais pas t'encourager à m'imiter. C'est dangereux, tu sais. Tu pourrais perdre ce qui vous unit aujourd'hui. Cela a failli se produire, pour Rafe et moi.

— Mais cela ne s'est pas produit. Vous êtes heureux ensemble, aujourd'hui, je le vois bien.

— Oui, je le reconnais. Et je remercie le ciel pour chaque instant que je passe à ses côtés.

— Et t'arrive-t-il de regretter d'avoir pris le risque de partager ce premier baiser avec lui ?

— Jamais. Pas même au printemps dernier, lorsque notre relation est devenue orageuse. Pas une seule fois.

— Je savais que tu dirais cela.

Genny demeura silencieuse un instant, avant d'ajouter :

— Quand comptes-tu lui parler de tes sentiments ?

— T'ai-je déjà raconté que j'ai failli l'embrasser moi-même une fois, il y a des années de cela ?

— Non, tu ne m'as rien dit.

— Il m'a repoussée. Il m'a dit qu'il était tenté, mais que j'étais trop jeune et que j'avais toute la vie devant moi, que j'étais une princesse et lui un type ordinaire qui n'avait même pas su faire fonctionner son mariage. Et aussi qu'il ne ferait rien qui risque de menacer notre amitié.

— Aïe ! fit Genny.

— Oui, c'était horrible. Ça m'a traumatisée.

— Je te crois sans peine.

— Mais, à présent, c'est son tour de souffrir. Je sais que c'est mesquin de ma part, toutefois je ne suis pas mécontente qu'il en soit ainsi.

— Ne le fais pas trop souffrir.

— Non, sois tranquille.

— Que comptes-tu faire ?

— Rien. Je pense qu'il est grand temps qu'il fasse le premier pas.

6

Walker ne dormit pas mieux que la nuit précédente.

Aux premières lueurs du jour, lorsqu'il se leva pour aller soigner les chevaux, Rory l'attendait déjà au rez-de-chaussée, vêtue d'un jean, de bottes de travail et d'un gros pull, si fraîche et reposée qu'il fut tenté de la serrer dans ses bras et de la… déballer comme un cadeau de Noël.

Le plus beau cadeau de Noël de tous les temps. Rory, nue dans ses bras, un sourire sensuel aux lèvres. Dès qu'il l'aurait déshabillée, il l'emporterait jusqu'au lit qu'il venait de quitter.

— J'ai pensé que tu ne te lèverais jamais, lança-t-elle avec un sourire qui fit apparaître ses merveilleuses fossettes sur ses joues.

Ce sourire eut pour effet d'aviver encore son désir. Elle allait le tuer.

— Il fait assez froid, dehors. Pourquoi ne resterais-tu pas bien au chaud à l'intérieur à préparer du café ?

— Pas question, répliqua-t-elle en décrochant une veste fourrée du portemanteau de l'entrée. Au travail !

Ils sortirent dans la semi-obscurité de l'aube. Il ne neigeait plus, et la fine couche de cristaux glacés craquait sous les semelles de leurs bottes alors qu'ils traversaient la cour.

— Que dirais-tu d'un galop, juste avant le petit déjeuner ? suggéra-t-elle lorsqu'ils eurent terminé leur travail aux écuries.

Ils sellèrent leurs montures. Le soleil venait tout juste

de se lever lorsqu'ils partirent au trot en direction des collines qui dominaient le Bar-N, pour emprunter une piste qu'il connaissait. Une demi-heure plus tard ils arrivèrent à Lookout Point, un belvédère d'où l'on avait une vue spectaculaire sur le Bar-N.

Comme toujours, Rory avait emporté son appareil-photo. Ils mirent pied à terre et, après avoir changé d'objectif, elle le suivit jusqu'au bord de l'escarpement. Alva et Bud se chauffaient toujours au bois, et un filet de fumée montait de leur cheminée. Les pins, la terre et les toits des maisons étaient recouverts d'une couche scintillante de neige fraîche. Elle prit plusieurs photos, puis, abaissant son appareil, elle se contenta d'admirer le paysage.

— Quel magnifique panorama ! s'exclama-t-elle, en exhalant un nuage de vapeur. Tu as beaucoup de chance de vivre ici, Walker.

Lui aussi se sentait plein d'admiration, mais son regard n'était pas fixé sur la vallée.

— Alors, ton séjour ici n'a pas été trop désagréable ?

Elle lui offrit un sourire éblouissant, et son cœur se serra. Mais la souffrance était exquise. Plus il la contemplait, plus il se sentait vivant, et terrifié à l'idée de foncer droit vers la catastrophe.

— J'en ai adoré chaque seconde, crois-moi.

Il brûlait d'envie de l'attirer à lui, de la sentir sursauter de surprise, puis fondre dans ses bras.

— Je me réjouis que tu sois ici, répondit-il simplement.

— C'est vrai ?

Sa voix était merveilleusement douce, son ton plein d'espoir, et il se sentit aussitôt ramené à ce lointain matin d'août à Ice Castle Falls.

— Oui, murmura-t-il.

Un corbeau croassa au-dessus de leurs têtes. Les yeux de Rory avaient en cet instant une étonnante teinte bronze. Il vit ce regard descendre de ses yeux vers sa bouche.

Et, lorsqu'elle releva ses yeux d'ambre vers les siens, il comprit le message : elle l'avait percé à jour.

— Tu sais, n'est-ce pas ? murmura-t-il, le cœur battant.

Il la vit hésiter. Puis elle acquiesça. Sa bouche tremblait un peu. C'était presque un sourire, mais pas tout à fait.

— Quand l'as-tu su ? s'enquit-il d'un ton rude.

Elle hésita. Le temps d'une seconde, il crut qu'elle allait refuser de répondre. Puis, elle déclara :

— Hier soir, après la fête, lorsque nous buvions cette dernière tasse de chocolat devant la cheminée.

— Suis-je aussi transparent ?

— Non, mais tu te comportes de façon étrange depuis quelques jours, et j'ai fini par le deviner.

— Fais-moi la même réponse que je t'ai faite il y a cinq ans, supplia-t-il en posant une main sur son bras. Dis-moi de tout oublier. Dis-moi que c'est une mauvaise idée.

— Dis-le toi-même, répliqua-t-elle en se dégageant doucement. Et, maintenant, si nous rentrions pour prendre le petit déjeuner ?

Il ôta son stetson et resta à la contempler en silence pendant qu'elle rangeait son appareil-photo et remontait à cheval, douloureusement tenté de l'arracher à sa selle pour la serrer dans ses bras et l'embrasser à en perdre le souffle.

Elle tapota l'encolure du hongre et se pencha pour murmurer quelque chose à l'oreille de l'animal, et il ne put s'empêcher de songer que ce cheval avait bien de la chance.

— Alors ? lança-t-elle. Tu viens ?

Marmonnant un juron, il se recoiffa de son chapeau et remonta en selle.

Durant le reste de cette journée, elle le traita comme les autres jours, avec douceur et gentillesse. Son sourire était amical, et elle resta muette sur les quelques minutes de vérité à Lookout Point. Elle l'aida à préparer le petit déjeuner, travailla une heure ou deux sur son ordinateur, puis l'accompagna en ville pour quelques courses au supermarché et à la quincaillerie.

Il devenait fou, à se dire qu'il la désirait si fort et qu'elle le savait. Sans trop savoir comment, il traversa pourtant cette journée.

Ils rentrèrent au ranch. Alva avait laissé des côtes de porc et du riz au curry dans le four. Ils prirent place à table.

Assise en face de lui, elle releva les yeux, et leurs regards se rencontrèrent. C'en fut trop. Il ne pouvait plus essayer d'ignorer le désir brûlant et la confusion qui livraient bataille dans son esprit.

— Ai-je tout gâché ?

— Tu devrais cesser de te torturer, répondit-elle en posant sa fourchette. Tu n'as rien gâché du tout. Quoi qu'il puisse arriver, tout ira bien.

— Comment peux-tu en être sûre ?

— A vrai dire, je ne suis sûre de rien, reconnut-elle en riant. Mais j'ai été élevée dans une famille heureuse, où tout s'arrangeait toujours à la fin. Alors, c'est exactement ce que je me dis. Tout finira par s'arranger.

— Ma propre famille n'était pas aussi heureuse. Mon père nous a abandonnés alors que Ryan n'était qu'un bébé.

— Je sais, répondit-elle d'une voix douce. Et ta mère a passé le reste de sa vie à attendre son retour.

— Elle l'aimait tant ! Elle ne s'en est jamais remise. C'était comme un mal qui la rongeait. Je me suis toujours juré que je ne donnerais pas mon cœur à quelqu'un qui ne pourrait que me faire souffrir.

— Il y a tout de même eu Denise, qui a juré de t'aimer toujours, puis qui t'a froidement abandonné.

— Tu comprendras donc que je n'aie pas un point de vue aussi optimiste que le tien.

— Ce n'est pas vrai, protesta-t-elle en volant à sa défense. La plupart du temps, tu as un caractère très positif.

— Pas dans ce domaine. Pas lorsqu'il s'agit de…

L'amour. Le mot était là, à la fois menace et promesse. Mais il ne le prononça pas.

— Je ne veux pas te perdre, conclut-il simplement. Je ne veux pas perdre ce que nous avons.

— Moi non plus, je ne veux pas te perdre, répéta-t-elle après un instant de réflexion. Mais, tu sais, les rapports entre les gens évoluent avec le temps, on ne peut pas l'empêcher. Nous deviendrons peut-être… plus proches. Ou nous nous éloignerons l'un de l'autre. Mais tu ne peux pas préserver notre amitié simplement en niant ce que tu ressens.

— Et toi, que ressens-tu ?

Elle se contenta de le dévisager durant un très long moment, avant de déclarer enfin :

— Ce n'est pas juste.

Elle avait raison. Il l'avait repoussée, autrefois. Et c'était lui qui avait rouvert ce débat.

C'était donc à lui de se déclarer. Ou de renoncer définitivement.

— Alors ? insista-t-elle d'une voix douce.

— Oui ?

— Mange ta côte de porc avant qu'elle refroidisse.

La nuit précédente avait été longue, et ils étaient invités samedi soir à la soirée au pub de Ryan. Ils avaient donc décidé de se coucher de bonne heure. Il éteignit la cheminée et les lumières.

Elle monta l'escalier derrière lui et le suivit, s'arrêtant sur le seuil de sa chambre. Il se retourna pour lui souhaiter bonne nuit et tout à coup, à sa grande stupéfaction, elle lui tendit sa main.

Il la saisit aussitôt, sans se donner le temps de se convaincre qu'il commettait une erreur. Et, lorsqu'il serra ses doigts frais et délicats entre les siens, le désir qui couvait au fond de lui se transforma en incendie rugissant.

— Rory, pourquoi ?

Elle se blottit contre lui. Son parfum familier de rose et d'orange avec une note suave d'épices vint lui caresser les narines. Il avait toujours adoré cette odeur. Mais ce soir elle l'envoûtait, lui faisait tourner la tête. Rory libéra sa main.

La fin de ce contact l'emplit d'un douloureux sentiment de perte.

Puis, elle leva ses lèvres adorables vers les siennes.

On ne lui avait pas fait une offre aussi tentante depuis très longtemps. Et pourtant il avait le sentiment que c'était mal.

— Je suis censé te protéger, murmura-t-il. Pas te voler des baisers avant d'aller dormir.

— Parce que tu es mon garde du corps, soupira-t-elle.

— Exactement.

— N'ai-je pas essayé de t'avertir que devenir mon garde du corps n'était pas une bonne idée ?

Oranges. Epices. Quel goût aurait sa bouche s'il l'embrassait ? Le désir le consumait.

— Oui, je crois que tu l'as fait.

— Tu aurais dû m'écouter.

— Peut-être. Mais maintenant il est trop tard.

— Tu crois ?

Elle leva une main pour la poser à plat sur son torse, et son cœur se mit à battre à grands coups désordonnés. Elle devait le sentir s'affoler sous ses doigts.

Elle serra alors sa chemise dans son poing et elle l'attira à elle, levant sa bouche vers la sienne.

C'en était trop. Réprimant un gémissement, il avala d'un baiser ces lèvres offertes.

Elles étaient douces comme des pétales de rose. Elle exhala un soupir, et il l'embrassa avec lenteur et précaution. Il en découvrait enfin le goût, après toutes ces années. C'était peut-être leur dernier baiser, et il entendait bien le savourer. La savourer.

Elle lui offrait seulement sa bouche. Le poing serré sur sa chemise demeura entre eux comme une barrière, et elle ne blottit pas son corps contre le sien.

Il acceptait ces termes, les approuvait même. Il était important pour lui qu'ils n'aillent pas plus loin.

Mais c'était une torture.

Ses lèvres entrouvertes sous les siennes avaient la douceur du sucre, la tendresse d'un soupir. Lorsqu'il entreprit de mordiller sa lèvre inférieure, elle gémit, alors il posa plus fermement la bouche sur la sienne et l'embrassa avec passion.

Elle répondit aussitôt à son baiser. Sa bouche avait un goût merveilleux, et il s'entendit gémir à son tour. Il sentait que sa résistance faiblissait ; il était sur le point de perdre pour de bon le contrôle de ses réactions.

Mais elle relâcha sa chemise et recula d'un pas.

Il brûlait de la serrer de nouveau dans ses bras. Cependant il ne pouvait oublier ses obligations, la promesse qu'il avait faite à sa mère de la protéger. Veiller sur elle et l'emporter dans son lit étaient deux choses totalement différentes, et il doutait que la princesse Adrienne apprécie la seconde.

Alors il se contenta de murmurer :

— Bonne nuit, Rory.

— Bonne nuit, répondit-elle dans un souffle.

Elle recula, et la porte de sa chambre se referma doucement sur elle. Ses yeux de bronze restèrent rivés aux siens jusqu'à ce qu'elle ait disparu.

Et il se retrouva seul dans le couloir.

Tout seul.

∗
∗ ∗

Sitôt que la porte se fut refermée, Rory s'y adossa en soupirant.

Assez. Certes, il avait été amusant de le tourmenter un peu. Après avoir dû refouler son propre désir durant tant d'années, il avait été très tentant de lui rendre la monnaie de sa pièce.

Mais Walker prenait ses engagements très au sérieux. Il ne voulait pas la désirer, tout du moins pas maintenant, alors qu'il avait pour mission de la protéger.

Et, le connaissant, il ne voulait pas la désirer du tout. Ils devraient d'abord dépasser certains problèmes, mais ne pourraient pas commencer à les aborder tant qu'il serait son garde du corps.

Elle allait devoir corriger cette situation. Et tout de suite. Sitôt qu'il ferait jour au Montedoro.

Elle prit un bain, puis se mit au lit dès qu'elle eut laissé entrer Lucky Lady. La chatte pelotonnée contre elle, elle lut la moitié d'un roman policier pour tuer le temps.

A 1 heure du matin — 9 heures au Montedoro —, elle téléphona à sa mère.

Adrienne Bravo-Calabretti, princesse régnante du Montedoro, répondit à la première sonnerie.

— Aurora, ma chérie, quel plaisir de t'entendre !

— Bonjour, mère.

Il y eut un silence sur la ligne, puis Adrienne s'enquit d'un ton prudent :

— N'est-il pas très tard, là-bas ?

— Seulement 1 heure du matin.

— Tout va bien ?

— Choisir Walker pour assurer ma sécurité n'était pas une bonne idée, déclara-t-elle sans détour.

— Ah ? Et pourquoi donc ?

— Mère, s'il vous plaît. Croyez-moi sur parole.

— Es-tu en colère contre moi, ma chérie ? s'enquit Adrienne après un instant de silence.

— Je suppose que oui. Un petit peu.

— Quel est le problème ?

— Mère, vous le savez bien !

Ses parents n'avaient rencontré Walker qu'une seule fois, quatre ans plus tôt, lorsqu'ils étaient venus en visite à Justice Creek, principalement pour inspecter le lieu où Rory semblait désirer passer autant de temps.

— J'aime beaucoup ton ami Walker, répliqua Adrienne après un instant de silence. Ne prend-il pas bien soin de toi ?

— Bien sûr que si, répondit-elle, réprimant un soupir de frustration. Il ne me quitte pas d'une semelle. C'est l'homme le plus responsable que j'aie jamais connu.

— Alors quel est le problème ?

— Je n'ai pas envie d'en parler. C'est personnel.

Cette réponse plongea sa mère dans un très long silence. Puis, elle déclara enfin :

— Comme il te plaira. Je vais demander à Marcus de t'envoyer un remplaçant.

Marcus Desmarais était le mari de Rhia, la sœur aînée de Rory, et il commandait l'unité militaire d'élite d'où étaient tirés les membres de la garde rapprochée de la famille.

— Pas de remplaçant, répliqua Rory.

— Ma chérie, nous avons déjà parlé de ce sujet, et…

— Oui, mais vous ne m'avez pas écoutée. Je vous promets que, si je me rends dans un pays dangereux, je me ferai accompagner par un garde du corps. Mais Justice Creek n'est pas l'Afghanistan. Inutile de me protéger, je vous assure. J'ai besoin de ma liberté, mère. Je vous supplie de me l'accorder.

— Très bien, répondit sa mère après un nouveau silence.

Rory crut avoir mal entendu.

— Alors, vous êtes d'accord ? Pas de garde du corps ?

— Oui, c'est bien ce que j'ai dit, déclara Adrienne en soupirant. Tu es une personne très obstinée, ma chérie.

— Croyez-vous ? répondit Rory en riant.

— Mais tu es mon bébé. Ma petite dernière. Je t'aime, Aurora Eugenia.

— Mère, moi aussi, je vous adore !

Samedi matin, Walker descendit de sa chambre une heure plus tôt qu'à son habitude. Il espérait grappiller un peu de temps pour lui seul avant que Rory ne descende occuper son univers tout entier.

Il eut de la chance. Elle n'était pas encore levée. Ses responsabilités de garde du corps lui interdisaient normalement de quitter la maison sans elle, mais il avait besoin de grand air, d'effacer sa fragrance de sa mémoire, de faire le vide dans son esprit et dans son cœur.

Alors il s'habilla chaudement et sortit, Lonesome trottinant sur ses talons. Il se rendit droit aux écuries et entreprit de soigner les chevaux. Puis, ressortant dans la cour et levant la tête vers le ciel étoilé, il emplit ses poumons de l'air froid de la nuit.

Il ne restait plus qu'une semaine jusqu'au mariage. Et, le lendemain, Rory s'en irait.

Il était aux prises avec un dilemme insoluble. Elle le rendait fou, et il valait mieux qu'elle s'en aille, mais il ignorait comment il allait pouvoir vivre sans elle.

Piégé dans un cercle infernal, il en venait à se mépriser lui-même d'être incapable de démêler ses sentiments.

La vérité, c'était qu'au fond de lui-même il était exactement comme sa mère. Darla Noonan-McKellan avait passé sa vie entière à aimer un homme qui l'avait abandonnée sans le moindre regret. Et lui-même n'avait jamais su aimer une femme avec modération. Il aimait comme on saute d'une falaise, renonçant à tout contrôle.

Il était temps de rentrer. De se retrouver face à Rory et de faire de son mieux pour traverser cette journée. Et la journée suivante. Un jour à la fois.

La lumière du porche était allumée, alors qu'il l'avait éteinte en partant. Elle devait s'être levée pour l'attendre. Soudain, son cœur battait comme s'il venait de courir un marathon.

Du calme, mon vieux. Respire à fond.

Il monta les marches du perron et entra dans la maison. Lonesome le dépassa, courant tout droit à la cuisine pour retrouver son bol de croquettes. Elle était assise sur la dernière marche de l'escalier, ses longs cheveux sombres attachés en queue-de-cheval, vêtue d'un jean et d'une chemise de flanelle, et chaussée de bottes de travail, tel le fantasme de la femme idéale dans l'esprit d'un cow-boy : belle, ardente, et prête à partir au travail.

— Je me demandais où tu étais passé, lança-t-elle en se levant, téléphone à la main. Une seconde, mère.

— Que se passe-t-il ? s'enquit-il, fronçant les sourcils.

— Ma mère souhaite te parler, répondit-elle en lui tendant l'appareil.

Il sentit son cœur se serrer. Il avait le pressentiment d'être tombé dans un piège, mais qu'y pouvait-il ? Il prit le téléphone des mains de Rory.

— Oui, Votre Altesse ?

— Bonjour, Walker, lui répondit la voix précise et cultivée d'Adrienne. Ma fille m'informe que vous avez accompli un travail merveilleux en tant que garde du corps.

— Eh bien, heu… merci, Votre Altesse.

— Mais elle m'a aussi convaincue : elle a besoin de son indépendance. Il est temps que je cesse de la surprotéger.

— Ah ? fit-il, incapable d'une réponse plus intelligente.

— Je vous relève donc de tous vos devoirs à compter de ce jour. Rory souhaite avoir l'opportunité de se débrouiller toute seule, et je vais la lui accorder.

Cela signifiait-il qu'elle allait quitter sa maison ? Oui, bien entendu. Si elle n'avait plus besoin de lui, Rory partirait s'installer à l'hôtel Haltersham, où elle profiterait du service d'étage et du spa. Elle pourrait louer son propre véhicule et se déplacer à sa guise sans qu'il ne la suive partout.

Sentant sa gorge se serrer, il se détourna pour qu'elle ne voie pas son expression avant qu'il ait retrouvé le contrôle de ses émotions.

— Walker ? ajouta la mère de Rory.

— Oui, Votre Altesse ?

— Vous conserverez le chèque que je vous ai envoyé. Considérez que c'est un ordre.

— Entendu, Votre Altesse. Très bien.

— Joyeux Noël, Walker.

— Merci, Votre Altesse. Joyeux Noël à vous aussi.

— J'espère que nous aurons bientôt le plaisir de vous recevoir au Montedoro.

Il n'imaginait pas ce qui pourrait bien l'inciter à se rendre au Montedoro, mais il s'entendit répondre :

— Oui, Votre Altesse. Un jour, bientôt. J'en serais ravi.

Il se tourna de nouveau vers Rory pour lui rendre son téléphone, mais il évita soigneusement son regard. Elle le prit, conclut leur conversation et coupa la communication. Ils se dévisagèrent durant de longues secondes. Puis il se mit à bouger. Il se débarrassa de sa lourde veste d'hiver, l'accrocha au portemanteau, puis, assis sur la première marche de l'escalier, il ôta ses bottes sales et alla les poser sur le perron.

Lorsqu'il referma la porte et se retourna, elle était toujours plantée au même endroit, au pied de l'escalier, son téléphone serré dans la main.

Il décida d'aller droit au but.

— Alors, as-tu préparé tes bagages ? Es-tu prête pour le grand départ ?

— Tu es en colère contre moi, constata-t-elle.

— Je suppose que tu comptes partir t'installer au Haltersham ?

— L'un de nous devait faire quelque chose, Walker. Tu deviens fou, et tu me rends folle, moi aussi.

— Que veux-tu de moi ? gronda-t-il.

— Je voudrais que tu reconnaisses que notre arrangement ne fonctionnait pas, et que tu cesses de m'en vouloir d'y avoir mis un terme.

Elle tendit sa main délicate et la posa sur sa manche. Il brûlait de la serrer dans ses bras et de ne jamais plus la laisser partir. Au lieu de cela, il recula d'un pas, hors de sa portée.

— Walker, ce n'est pas très raisonnable, lança-t-elle d'un ton de reproche.

Mais il n'avait pas besoin de sa gentillesse.

— Veux-tu prendre un petit déjeuner avant de partir ? proposa-t-il d'un ton bourru.

— Et les chevaux ?

— Je m'en suis déjà occupé. Petit déjeuner ?

— Oui, bien sûr.

Rory sentait la colère la gagner, elle aussi.

Mais elle refusait d'y céder. Elle rempocha son téléphone et le suivit dans la cuisine. Il nourrit le chien et le chat, puis ils mirent la table du petit déjeuner sans échanger un mot.

Ils s'assirent l'un en face de l'autre et avalèrent leurs toasts dans un silence pesant. Ils ne s'attardèrent pas à table. Elle vida d'un trait sa tasse de café et se leva pour porter son assiette jusqu'à l'évier.

— Laisse, dit-il en se levant derrière elle. Je vais débarrasser. Va plutôt préparer tes affaires.

Alors elle en eut assez. Posant son assiette, elle fit volte-face.

— Je comprends que tu sois agacé, déclara-t-elle. Mais, depuis quelques jours, tu n'es plus toi-même.

Elle attendit une réponse, mais il se contenta de la dévisager en silence, les yeux mi-clos.

— Très bien, soupira-t-elle. J'aurais probablement dû t'informer que j'allais essayer une nouvelle fois de convaincre ma mère que je n'ai pas besoin d'un garde du corps. Je te demande pardon.

Il resta simplement planté là, son assiette et sa tasse à la main, une expression glacée sur son visage. Elle fit une nouvelle tentative.

— Considère le bon côté de la situation. Désormais, si tu as envie de m'embrasser, rien ne t'arrête. Plus le moindre conflit d'intérêts, en tout cas dans ce domaine.

— Vas-y, répéta-t-il. Fais tes bagages.

— Walker, tu commences sérieusement à me fatiguer.

Mais il resta planté là, à attendre qu'elle s'en aille.

Alors, tant pis pour lui. Puisqu'il insistait, elle allait lui donner exactement ce qu'il attendait.

Walker se sentait comme le dernier des imbéciles. Et il persévéra dans l'erreur en chargeant les bagages de Rory dans le 4x4 et en la conduisant en ville.

Il s'arrêta devant la marquise monumentale de l'hôtel Haltersham. Derrière le grand bâtiment blanc au toit rouge, on apercevait le somptueux spectacle des cimes enneigées des montagnes. Un porteur apparut comme par magie, poussant un chariot à bagages en cuivre poli.

— Votre Altesse, dit-il en lui ouvrant la portière, je me réjouis de vous revoir chez nous.

— Bonjour, Jacob. Comment allez-vous ?

Elle lui glissa quelques billets, et le porteur s'empressa

de sortir ses valises du coffre. Walker ne pouvait pas se résoudre à la laisser partir ainsi.

— Si tu as besoin de quoi que ce soit, n'hésite pas à m'appeler, marmonna-t-il.

Elle se figea, mais refusa de tourner son visage vers lui.

— Merci de m'avoir amenée. A ce soir.

Il était encore furieux contre elle, même s'il savait que c'était pour des raisons absurdes.

Alors, il resta assis derrière son volant tandis qu'elle refermait la portière. Il la suivit des yeux pendant qu'elle gravissait le large escalier de l'entrée, fasciné par le balancement de ses hanches, les reflets bronze que le pâle soleil de l'hiver accrochait dans sa chevelure. Lorsque le porteur eut terminé de charger ses bagages sur le chariot, elle avait déjà disparu derrière les grandes portes de verre.

Il fit gronder son moteur et repartit.

7

Les formalités à la réception terminées, Rory appela le concierge sitôt qu'elle fut installée dans sa suite. On lui loua un joli petit 4x4, qui l'attendrait dans le parking de l'hôtel Avant midi, elle disposait d'un logement et d'un véhicule.

Au Haltersham, elle était toujours bien traitée.

Bien mieux que chez une certaine autre personne.

Ce qui s'était passé entre Walker et elle continuait à la déprimer. Jamais, au cours de toutes ces années, il ne s'était comporté comme il l'avait fait ce matin.

Elle travailla un moment sur son ordinateur et, vers 13 heures, elle décida d'aller déjeuner au restaurant de Clara, espérant que cela lui rendrait un peu de sa bonne humeur.

Clara avait ouvert le Library Café cinq ans plus tôt, et l'établissement était devenu une véritable institution à Justice Creek. D'un style tout simple, sans aucune fioriture, c'était un lieu très confortable avec des murs crème couverts de tableaux d'artistes locaux, de grandes baies vitrées ouvrant sur les montagnes. Au centre, un escalier en colimaçon de fer forgé donnait accès à une seconde salle à l'étage.

L'un des murs était entièrement garni de rayonnages en acajou chargés de livres et accessibles aux deux niveaux. Ici, on pouvait lire tout en mangeant ou rapporter chez soi le livre qui avait retenu son attention. Personne ne contrôlait la circulation des ouvrages. Les gens prenaient les livres et les rapportaient lorsqu'ils les avaient lus. Comme les clients faisaient régulièrement don au café de cartons de livres, les rayonnages étaient toujours pleins à craquer.

Côté restauration, Clara servait du bœuf bio et du poulet fermier que lui fournissait le ranch Rising Sun du Wyoming, propriété de trois cousins Bravo. L'agneau et le porc étaient également bio, et provenaient des fermes de la région. Clara servait de la bière artisanale et des vins du nord-ouest, et le café avait aussi son propre chef pâtissier, Martine Brown, que de nombreux gourmets considéraient comme un génie.

Le samedi, à l'heure du déjeuner, la salle était bondée mais, toutes les serveuses connaissant Rory, on lui trouva rapidement une table dans un joli coin très confortable.

Clara qui vint prendre sa commande en personne déposa un baiser sur sa joue.

— Bacon, laitue et tomate sur pain grillé ?

— Tu lis dans mes pensées.

— Et comme boisson ?

— De l'eau, c'est tout.

— Parfait. Je serai de retour dans une minute. Au fait, où est ton garde du corps préféré ?

— Ne me pose pas la question.

— Oh oh ! s'exclama Clara en fronçant les sourcils.

— Je suis installée au Haltersham depuis ce matin.

— Quoi ? s'étonna Clara en la serrant de nouveau dans ses bras. Tu dois tout me raconter. Nous devons parler…

— Va. Je sais que tu es débordée.

Clara repartit s'occuper de ses clients. Rory déjeuna tranquillement et flâna dans les rayonnages en attendant qu'elle ait terminé son travail. A 16 heures, une fois le dernier client parti, Clara verrouilla la porte, et elles allèrent chez elle, à un pâté de maisons du restaurant.

— Tu dois être épuisée, et il reste encore la fête de ce

soir, dit Rory, qui se sentait un peu coupable. Je devrais m'en aller et te laisser te reposer.

— Je ne retourne travailler que demain après-midi, répliqua Clara. Renee, ma meilleure serveuse, fera l'ouverture à ma place, demain matin.

— Franchement, comment te sens-tu, Clara ?

— Beaucoup mieux, assura-t-elle. Comment ai-je pu penser que garder le secret au sujet du bébé était une bonne idée ? A présent que tout le monde sait, je me sens soulagée.

Clara paraissait en effet plus détendue, mais Rory se posait toujours quelques questions au sujet de son prochain mariage. Elle avait le sentiment que, dans son ivresse, Nell avait mis le doigt sur un vrai problème, jeudi soir.

A un moment, Ryan et Clara avaient fini au lit ensemble, puis, découvrant sa grossesse, ils avaient opté pour la solution classique. Mais ce n'était pas forcément la bonne.

Rory s'efforçait encore de trouver une façon élégante d'aborder le sujet, lorsque sa cousine reprit :

— Parle-moi. Qu'y a-t-il entre Walker et toi ?

Elle en avait très, très envie et, sans se faire prier, elle lui fit un récit succinct de la situation, sans omettre de parler du soudain intérêt que Walker manifestait à son égard et de son appel à sa mère, ce matin même, pour la convaincre qu'elle n'avait plus besoin de garde du corps.

— Bon sang ! s'écria Clara. Dois-je comprendre que l'idée d'une relation avec lui ne t'intéresse pas du tout ?

— Si, bien sûr, reconnut-elle en soupirant. J'ai un gros béguin pour lui depuis l'âge de dix-huit ans.

— Dans ce cas pourquoi t'être installée au Haltersham ?

— Clara, il ne se serait jamais permis de me faire la cour tant qu'il était responsable de ma sécurité. J'ai voulu lui rendre sa liberté, je suppose. Faire tomber la barrière qui l'empêchait de se déclarer. Je désirais seulement qu'il nous donne une chance d'être ensemble.

— Et ton plan a eu exactement l'effet contraire.

— Hélas, oui. J'ai seulement réussi à le mettre en colère. Son orgueil, peut-être ? Je me demande ce qu'il pense de moi, maintenant.

— Laisse-lui un jour ou deux. Il se calmera.

— Je l'espère de tout cœur. Je ne l'ai jamais vu ainsi.

— Il sera ce soir au pub, non ? Et toi aussi. Essaie de lui parler, de t'expliquer avec lui.

— J'ai déjà essayé, ce matin. A plusieurs reprises.

— C'est vraiment étrange. Walker est généralement l'homme le plus raisonnable qui soit.

— Pas ces derniers temps. Pas avec moi, en tout cas.

— C'est bien dommage, mais cela pourrait aussi être un bon signe.

— Un bon signe ? s'étonna Rory.

— Cela pourrait signifier qu'il est fou de toi, à tel point qu'il n'arrive plus à réfléchir correctement.

— Je crains plutôt qu'il ne m'adresse jamais plus la parole, répliqua Rory d'un ton désespéré.

— Dans ce cas, oublie les discours, en tout cas ce soir. Habille-toi pour la séduction. Fais confiance à ton charme.

— Si je n'ai pas d'autre choix, répondit Rory avec un manque total d'enthousiasme.

— Tu vas porter une tenue sexy, insista Clara.

— Est-ce un ordre ?

— Bien entendu. Il s'agit d'un enterrement de vie de jeune fille, après tout. Je veux voir toutes mes demoiselles d'honneur en jupe courte et talons aiguilles.

— Attends une seconde ! Dois-je comprendre que tu imposes un code vestimentaire pour cette soirée ?

— Exactement.

— Mais, Clara, ce n'est pas juste !

— Qui t'a dit que la vie était toujours juste ? Oseras-tu prétendre que tu ne possèdes pas une minijupe et des hauts talons, dans ta garde-robe ?

— Si, bien sûr.

— Alors, porte-les. S'il refuse encore de te parler, tu auras au moins la satisfaction de le rendre fou de désir.

— Tu ne m'as pas écoutée. Cette approche ne m'a pas vraiment réussi, ces temps-ci. En ce moment, je préférerais qu'il consente juste à me parler.

— Désolée, ma chérie, répondit Clara en soupirant. Quelquefois, une femme doit se contenter de ce qui est possible.

La soirée au pub McKellan's commença à 21 heures, dans la salle du premier étage. Ryan l'accueillit au sommet de l'escalier et la serra dans ses bras.

— Que pensez-vous de la décoration ? demanda-t-il en balayant la salle d'un large geste du bras.

— Elle est parfaite, assura-t-elle.

Ryan se tourna pour accueillir d'autres invités, et Rory ne put s'empêcher de penser que ladite décoration suggérait plutôt une soirée du nouvel an, avec ses douzaines de guirlandes scintillantes accrochées un peu partout, ses lasers de fête et le champagne dans des seaux à glace. Une foule compacte se pressait déjà dans la pièce, où un DJ enchaînait les airs de Noël sur un rythme rock'n'roll.

Clara émergea de la foule pour lui tendre une flûte de champagne, et elle lui chuchota à l'oreille :

— J'adore ton petit haut de bronze scintillant. Et ta jupe est à peine décente, ce qui est réellement inouï de ta part. Ces escarpins… ce sont des Valentino, n'est-ce pas ? Ils sont parfaits. Il ne saura jamais ce qui lui est arrivé. Il aura l'impression d'avoir été happé par un train.

— Est-il déjà arrivé ? murmura Rory, le cœur battant.

— Pas encore.

— Mais il va venir, c'est certain ?

— C'est dans son intérêt.

Ryan réapparut au même instant aux côtés de Clara, qui lui adressa un étrange petit sourire, un peu contraint. Ryan esquissa à peine un sourire en retour.

— Au fait, Rory, où est mon frère ?

N'ayant pas très envie de se lancer dans une longue explication, elle se contenta de hausser les épaules.

— Je n'en ai pas la moindre idée.

— Mais je ne comprends pas, insista-t-il. Il n'était pas censé être votre garde du corps ?.

— Rory vient de te dire qu'elle ignorait où il était, lança Clara d'un ton sévère.

— Mais, protesta Ryan, j'essayais seulement…

— Viens, coupa Clara en le prenant par la main. Le DJ joue notre chanson. Allons danser.

Et, sans attendre sa réponse, elle l'entraîna au centre de la foule, là où il ne serait plus en mesure de poser d'autres questions à Rory.

Elle les suivit du regard, partagée entre son inquiétude pour l'avenir de leur relation et la sombre certitude que Walker et elle n'en avaient aucun.

Mais au même instant, moulée dans une robe écarlate sans bretelles, Nell fondit sur elle pour la serrer dans ses bras.

— Seigneur ! s'exclama-t-elle. Tu es vraiment fabuleuse. Si tu n'étais pas ma cousine, je te ferais des propositions malhonnêtes.

— Tu es extrêmement sexy toi-même, assura Rory, souriant malgré elle.

— Je fais de mon mieux, convint Nell d'un air modeste.

— Rory ! s'exclamèrent ses autres cousines en venant s'attrouper autour d'elle.

S'ensuivirent d'affectueuses embrassades. Toutes ses cousines semblaient énormément s'amuser et, mieux encore, leurs rapports étaient devenus cordiaux.

Elles avaient adopté le code vestimentaire imposé par

Clara, portant des minijupes, de petits hauts de fête très osés et des escarpins créés spécialement pour rendre les hommes fous de désir. Elles l'entraînèrent vers le somptueux buffet au centre duquel trônait un gâteau en forme de corset décoré de rubans.

Rory picora quelques friandises, dansa un peu et essaya de ne pas s'attrister de l'absence de Walker à l'enterrement de la vie de garçon de son propre frère, dans le but de l'éviter, elle.

A 23 heures, le Père Noël fit son entrée avec un sonore « Ho ! Ho ! Ho ! » Il portait un gigantesque sac vert à l'épaule. Il y eut des sifflets et des applaudissements, et la foule s'écarta pour le laisser passer.

Le Père Noël grimpa alors sur le bar et entreprit de sortir des cadeaux de son grand sac pour les jeter dans la foule. Tout le monde riait aux larmes en déchirant les emballages et en découvrant des boas de plumes ou des strings très sexy en sucre candi.

Lorsque le sac du Père Noël fut vide, il le jeta par-dessus son épaule, et le barman le rattrapa au vol. Puis le DJ joua un morceau clairement destiné à une séance de strip-tease. Et toute la foule éclata en acclamations.

Le Père Noël ne les déçut pas. Il ne portait plus que ses grandes bottes noires et un string de satin lorsque la Mère Noël fit son apparition, arborant une perruque blanche et de fines lunettes cerclées d'or ; elle était vêtue d'une affreuse robe verte informe et de bottines de grand-mère.

Deux volontaires s'empressèrent de l'aider à monter sur le bar. Et tout le monde — Père Noël y compris — applaudit et cria des encouragements tandis que la Mère Noël se dépouillait de ses atours — à l'exception de ses bottes, d'un string vert et de son soutien-gorge rouge. Sous cette horrible robe verte, elle avait un corps magnifique.

— Les strings en sucre candi sont délicieux, constata

la voix inoubliable qu'elle avait espéré entendre toute la soirée.

Il se tenait juste à côté d'elle. Son cœur fit un bond dans sa poitrine, et elle lui ordonna de se calmer, avant de se tourner vers Walker.

— Alors, tu consens de nouveau à me parler ?

Son regard brûlant vint se river au sien, et il murmura d'une voix rauque, si bas qu'elle seule pouvait l'entendre :

— Comment fais-tu pour être aussi belle ?

Il posa le paquet de figurines en sucre sur la table la plus proche et la prit par la main. L'étreinte de ces grands doigts vigoureux fit courir un délicieux frisson sur sa peau.

— Viens, ajouta-t-il. Cherchons un endroit plus tranquille.

Comment aurait-elle pu refuser ?

Il l'entraîna à travers la foule en direction de l'escalier. La salle du rez-de-chaussée était tout aussi bondée, mais c'étaient les clients habituels du samedi soir.

— Où allons-nous ? grogna-t-elle, traînant un peu des pieds pour le punir de la façon dont il l'avait traitée ce matin.

— Par là.

Cette réponse ne la renseignait pas beaucoup. Il l'entraîna sous une arche au bout du comptoir, puis jusqu'aux portes battantes, à l'autre extrémité du couloir.

Ils entrèrent dans la cuisine, où les cuisiniers les saluèrent au passage.

Walker poussa bientôt une nouvelle porte, et elle vit qu'ils se trouvaient dans la réserve. Ils dépassèrent sans ralentir les étagères métalliques chargées de provisions et s'arrêtèrent enfin devant la porte du bureau de Ryan. Fermée à clé.

— Ne bouge pas d'ici, ordonna-t-il. Je suis sérieux, Rory. N'essaie pas de t'enfuir.

Et, sur ces mots, il rebroussa chemin.

Rory s'adossa à la porte, se demandant combien de temps elle allait devoir attendre. Mais Walker réapparut une minute plus tard, brandissant une clé. Se redressant pour s'écarter de la porte, elle se trouva si proche de lui qu'elle sentit la chaleur émanant de son corps et une subtile fragrance de savon et d'after-shave.

Elle aurait dû garder à l'esprit qu'il était furieux contre elle. Mais, en le voyant à ses côtés dans ce pantalon noir, cette chemise également noire et ses magnifiques bottes texanes, son cœur débordait d'allégresse.

Il déverrouilla la porte et lui fit signe d'entrer. Elle sentit son pouls s'affoler de nouveau.

Le bureau de Ryan n'avait aucune prétention à l'élégance. Une grande table de travail en chêne massif, une ou deux armoires à dossiers, trois chaises, un sofa et un caoutchouc assez mal en point dans un pot près de l'unique fenêtre. Walker entra à son tour et referma la porte derrière lui.

Elle recula jusqu'à la table de travail avant de lui faire face.

— Très bien, lâcha-t-elle. Nous voilà dans un endroit tranquille. Alors vas-y, parle.

Il n'en fit rien. Durant quelques interminables secondes, il se contenta de la dévisager. Lorsqu'il prit enfin la parole, sa voix n'était qu'un murmure rauque.

— Ces escarpins pourraient damner un saint. Et cette jupe… cette jupe minuscule qui a le même éclat que tes yeux ? C'est cruel de ta part, Rory. Très cruel.

Elle se sentit rougir de plaisir, mais elle se composa une expression sévère afin qu'il pense que ses flatteries ne le mèneraient nulle part.

— Tu n'as qu'à t'en prendre à Clara, c'est elle qui a exigé cette tenue. Dis-moi plutôt si tu comptes me présenter des excuses pour la façon dont tu m'as traitée ce matin.

Il fixa un instant ses bottes d'un air embarrassé.

— Tu me fais perdre la raison, marmonna-t-il.

Cet aveu l'emplissait d'un merveilleux sentiment de triomphe, mais elle le fit taire. Il y avait davantage en jeu que la satisfaction de son ego féminin.

— Alors maintenant tu me désires et, d'une certaine façon, ce serait ma faute ?

— Je n'ai pas dit cela.

— Un peu, si, répliqua-t-elle en se perchant sur le coin de la table de travail.

Il lui adressa un regard incandescent, puis il baissa de nouveau les yeux vers ses bottes. Dans le silence de la pièce, la musique syncopée à l'étage semblait augmenter de volume.

— Tout était clair dans mon esprit, expliqua-t-il enfin. J'allais essayer d'arriver jusqu'au mariage sans que cette situation ne devienne incontrôlable. Ensuite, tu serais rentrée chez toi, et moi… je ne sais pas. J'aurais tourné la page et continué ma vie, je suppose. Sans que toi ou moi n'ayons à souffrir. Mais tu as bouleversé les règles du jeu. Tu as appelé ta mère pour la convaincre que tu n'avais plus besoin de garde du corps.

— Je pensais que tu serais heureux de ne plus m'avoir constamment dans ta maison, dans une chambre voisine de la tienne. N'es-tu pas heureux que j'aie contribué à diminuer… la tentation ?

— Tu ne comprends pas, c'est ça ?

— N'est-ce pas ce que je viens tout juste de te dire ?

— Et, à présent, tu attends probablement que je te donne une explication, fit-il d'un ton las.

— En effet.

Il la dévisagea, fronçant les sourcils, avant de déclarer :

— Voilà que tu reprends ce ton de princesse. Comme si tu régnais sur le monde entier.

— Je refuse de t'écouter plus longtemps, répliqua-t-elle, piquée au vif. Ecarte-toi de la porte, s'il te plaît.

— Reste, murmura-t-il d'un air contrit. S'il te plaît.

— Walker, gémit-elle. Pourquoi resterais-je ?

— Ce n'est pas facile à expliquer, marmonna-t-il. Je ne sais pas vraiment par où commencer.

Elle le dévisagea en silence, attendant la suite.

— Lorsque j'ai commencé à te voir différemment, à te désirer, reprit-il enfin, ta présence constante à mes côtés est devenue une véritable torture.

— Alors, je te pose de nouveau la question : pourquoi ne pas te réjouir que je sois allée m'installer au Haltersham ?

— Parce que je ne voulais pas que tu partes ! s'écria-t-il, exaspéré.

Il marqua une pause, comme s'il cherchait à reprendre le contrôle de ses émotions.

— Parce que c'était une torture, reprit-il d'une voix radoucie, mais aussi un bonheur. Un bonheur immense. Toi et moi, ensemble, le jour et la nuit. J'étais seul dans mon lit, bien sûr, mais je savais que tu étais là, de l'autre côté du couloir. Il m'était donné de t'avoir près de moi, de te voir sourire, de galoper en ta compagnie après avoir soigné les chevaux, de m'asseoir en face de toi au dîner, de regarder un film avec toi assis sur le sofa, juste tous les deux. Je mourais de ne pas pouvoir poser mes mains sur toi. Mais c'était aussi ma récompense. Pitoyable, non ?

— Pas du tout, répondit-elle avec sincérité.

— Moi, cela me semble assez navrant, grogna-t-il.

Elle croisa les jambes, et ses sandales de dentelle et de strass scintillèrent dans la lumière. Elle vit une flamme brûlante s'allumer dans son regard d'azur.

— Alors, tu me dis que tu ne souhaitais pas que je parte, que tu aimais m'avoir près de toi au ranch, même si c'était difficile pour toi. Que tu étais satisfait de pouvoir simplement profiter de ma compagnie sans transgresser les règles des convenances ?

— C'est exactement ce que j'ai dit, reconnut-il en soupirant.

— Mais vois-tu, Walker, ce que tu me décris, c'est ce que nous avons toujours été. De simples amis, qui gardent toujours une certaine distance physique. Mais avec ce nouveau courant d'excitation entre nous...

— Oui ? l'encouragea-t-il, retenant son souffle.

— Pour moi, ça n'est pas suffisant.

Il riva de nouveau son regard au sien.

— Pour moi non plus, avoua-t-il d'une voix rauque.

— Dans ce cas, gémit-elle, pourquoi nous disputons-nous ?

— Si nous allions plus loin, cela finirait mal.

— Comment peux-tu en être sûr ?

— Réveille-toi, Rory. Tu es une princesse. Et moi je n'ai rien d'un prince.

— Pas de cela avec moi, répliqua-t-elle d'un ton sévère. Ma mère règne sur un pays, certes, mais je ne suis pas ma mère. Mon titre de princesse ne me pose aucun problème.

— C'est un problème pour moi.

— Ce n'est qu'une raison artificielle à laquelle tu t'es toujours raccroché, tout comme à nos onze ans d'écart. De faux arguments pour t'éviter de franchir le pas avec moi.

— Rory, tu es *importante* à mes yeux. Et nous avons un lien spécial. Je ne veux pas risquer de le détruire.

— Walker, tu l'as dit toi-même. Tout a changé entre nous. Dans ce sens, ce que nous avions n'existe déjà plus.

— Ne dis pas cela.

— Que je ne dise pas la vérité ? Je suis désolée, mais il n'y a aucun moyen de revenir en arrière. De toute façon, je ne veux pas.

— Tu es plus brave que moi, murmura-t-il d'une voix rauque. Tu l'as toujours été.

— Crois-tu que je ne sois pas terrifiée à l'idée de perdre ce que nous avons ? Tu te trompes. C'est seulement que je ne vois aucun moyen de revenir en arrière.

Parce que tu le désires depuis le jour où tu as posé les yeux sur lui.

Mais elle n'eut pas le courage de lui faire cet aveu.

Il lui apparaissait à présent que, durant toutes les années de leur amitié, elle avait passé une grande partie de son temps à le désirer, à essayer d'ignorer ce désir, mais celui-ci n'avait pas disparu du tout. Elle avait seulement réussi à le nier pendant quelque temps.

Si elle était aussi brave qu'il semblait le croire, elle lui avouerait immédiatement qu'elle le désirait depuis sept ans. Mais elle n'était pas courageuse à ce point, ni prête à lui concéder un tel pouvoir sur elle.

Il la fixait avec une attention passionnée, à présent. Un loup affamé concentré sur sa proie. Combien de temps avait-elle attendu qu'il la contemple enfin de cette façon, sans jamais se l'avouer à elle-même ?

Trop longtemps.

Elle adorait ce regard brûlant de désir. Ses yeux d'azur la suppliaient de traverser l'espace entre eux et de venir à lui.

Son cœur à elle lui criait de s'exécuter. Mais, tôt ou tard, il allait devoir lui-même accomplir ce geste. Il devait venir à elle et prendre cette décision tout seul.

Il le savait, lui aussi.

— Tu ne vas pas venir vers moi, n'est-ce pas ?

Elle secoua la tête en silence.

— Tu veux m'obliger à le faire moi-même.

— Non, répondit-elle. C'est toi qui choisiras de le faire.

Ou de ne pas le faire.

Elle fit taire aussitôt la petite voix dans sa tête. L'heure n'était plus aux doutes.

Il la désirait, et elle lui avait clairement fait comprendre qu'elle était consentante. C'était à lui de faire le premier pas.

Il prononça quelques mots, si bas qu'elle n'en comprit pas le sens, lourds de désir et de danger.

Puis il quitta enfin l'appui de la porte. Et il marcha droit sur elle.

8

Walker se rapprocha d'elle.

Comment aurait-il pu s'en empêcher ? Et pourquoi le voudrait-il ?

Il existait bien de nombreuses raisons, mais il était trop tard pour les analyser. A cet instant précis, une seule idée occupait son esprit : il allait goûter au nectar de sa bouche. Pour la deuxième fois.

En trois enjambées, il fut près d'elle, respirant avec délices sa fragrance d'orange et d'épices, et il recueillit son adorable visage entre ses mains.

— Ce qui se passe entre nous est terrible, murmura-t-il.

— Si terrible que c'en est délicieux, répondit-elle, son regard de bronze rivé au sien.

Il inclina la tête pour effleurer délicatement ses lèvres d'un baiser. Son cerveau nageait dans le brouillard, et son corps n'était plus que souffrance. Il avait envie de la dévorer de baisers et…

Mais il s'obligea à prendre son temps, à savourer ce deuxième baiser. Elle soupira, entrouvrit ses lèvres. Ebloui, comme frappé par la foudre, il s'imprégna de son essence féminine.

Rory. Devenue femme. Ici, entre ses bras tremblants.

— Walker…

Son souffle divin lui caressait les lèvres. Ses cheveux de soie, d'ombre et de lumière, avaient une douceur exquise sous ses doigts. Il laissa glisser ses mains plus bas, découvrant le velours de sa peau, mémorisant chaque courbe, de la colonne de son cou à ses jolies épaules, ses bras, avant d'entremêler ses doigts aux siens.

— Walker, murmura-t-elle de nouveau.

La note tremblante qu'il entendit dans sa voix balaya ses dernières hésitations et transforma le feu qui couvait en lui en incendie. Il la saisit par les épaules pour l'attirer enfin tout contre lui et l'embrasser passionnément.

Son corps épousait le sien. Cambrant les reins pour venir à sa rencontre, elle noua ses bras nus autour de son cou, et murmura une nouvelle fois son nom :

— Walker…

Et c'était plus qu'un simple prénom. Dans ce soupir, il croyait presque entendre une supplication.

Il la connaissait si bien ! Sa beauté, sa force, son appétit pour la vie et toutes ses expériences. Sa franchise. Son ardeur au travail. Le son de sa voix, la forme de sa bouche. Son cœur généreux, toujours prêt à donner.

Mais de cette façon ? Comme une femme qu'il désirait et serrait dans ses bras ? Non.

Il obligea ses mains impatientes à ralentir, effleurant son dos mince jusqu'au creux de la taille. Elle se blottit plus étroitement contre lui, soulevant ses hanches pour se presser contre sa douloureuse érection.

Un gémissement monta du fond de sa gorge. Recueillant de nouveau son visage entre ses mains, il pressa le front contre le sien, s'efforçant de contrôler sa respiration et son désir.

— Si nous continuons ainsi, le bureau de Ryan va nous servir de chambre, murmura-t-il.

— Je suis tout à fait consentante, répondit-elle d'une voix sensuelle. Mais pas exactement préparée pour une telle éventualité.

Il n'avait pas apporté non plus de quoi les protéger, faute d'avoir anticipé leur « réconciliation ».

Et puis ce n'était pas ce qu'il voulait. Pas sur le bureau éraflé de son frère. Pas pour leur première fois.

— Rory...

— Walker...

— Pas ici, déclara-t-il, posant sa joue râpeuse contre la sienne, s'autorisant à se perdre encore un instant dans sa merveilleuse fragrance et la douceur de sa peau. On ne peut pas faire ça ici...

— Non, tu as raison, reconnut-elle en soupirant.

Au même instant, quelqu'un frappa à la porte.

— Walker ? Tu es là ?

C'était la voix de Ryan.

— Nous voilà pris la main dans le pot de confiture, chuchota-t-il.

Elle pouffa de rire, et ce fut elle qui répondit :

— Oui, Ryan, nous sommes ici.

— Pourquoi la porte est-elle verrouillée ?

— Dois-je le laisser entrer ? chuchota Walker en la fixant droit dans les yeux.

— Eh bien... après tout, c'est son bureau, non ?

Ryan secoua vigoureusement la poignée une nouvelle fois.

— Allez, vous deux, ouvrez !

— Il n'a pas l'intention de s'en aller, constata-t-elle.

Il hocha la tête d'un air sombre et la relâcha à contre-cœur pour aller ouvrir.

— Qu'est-ce qu'il y a ? grogna-t-il

— Que se passe-t-il ici ? s'enquit Ryan d'un ton soupçonneux.

— Si je te le disais, tu ne me croirais pas.

— Tout va bien ? insista son frère, l'ignorant pour se tourner vers Rory.

— Pas de problème, assura-t-elle de sa voix troublante.

— Je me demandais si tu allais te montrer, expliqua

Ryan en se tournant de nouveau vers Walker. Mais à peine arrivé tu as aussitôt disparu.

— Je suis ici. Prêt à faire la fête jusqu'au bout de la nuit.

— Toi ? répliqua Ryan avec un rire de dérision. Je le croirai lorsque je l'aurai vu.

Rory s'approcha, prit le bras de Walker et se pressa contre lui d'une façon plutôt intime. Ryan les considéra d'un regard ébahi.

— J'ai envie de danser, déclara-t-elle en levant ses yeux vers les siens, affichant un tel sourire de connivence qu'il eut une envie folle de l'embrasser de nouveau.

Ryan continua à les dévisager un instant d'un air incrédule, puis il retrouva sa voix.

— Très bien, marmonna-t-il enfin. La nuit est encore jeune. Remontons là-haut et amusons-nous.

Rory n'oublierait jamais cette soirée. Quoi qu'il puisse advenir entre Walker et elle, la fête qu'avaient organisée Clara et Ryan au pub McKellan's pour l'enterrement de leur vie de célibataires resterait gravée dans sa mémoire. Ce n'était pas la première fois qu'elle dansait avec Walker, loin de là. Mais c'était la première fois que danser avec lui éveillait une telle sensation en elle. Un moment follement sexy, intime, chargé de promesses.

Les gens les dévisageaient, la plupart avec un ébahissement égal à celui de Ryan, étonnés de voir deux vieux amis découvrir soudain une nouvelle dimension à leur amitié. Elle ne doutait pas une seconde que les rumeurs allaient bon train, comme lorsque Clara et Ryan avaient annoncé leur intention de se marier.

Mais, entre Walker et elle, les choses étaient bien différentes. Il y avait peu de risques pour que quelqu'un présent ici ce soir doute une seule seconde que leur relation soit de cet ordre-là. Puisqu'elle l'était sans l'ombre d'une hésitation. Elle était exactement de cet ordre-là.

Ils jouèrent un moment au billard dans l'arrière-salle. Puis, ils dansèrent encore.

Ryan avait accroché du gui au-dessus des portes. Tout en dansant un slow, Walker l'entraîna vers l'un des brins suspendus, puis il inclina la tête et l'embrassa.

Ce fut un long baiser d'une incroyable douceur, qu'elle n'oublierait pas de sitôt, lui non plus.

— Rentre avec moi, ce soir, murmura-t-il contre ses lèvres.

— J'ai cru que tu ne me le proposerais jamais, répondit-elle, nouant les bras autour de son cou.

— Mais je dois d'abord parler avec Ryan, précisa-t-il d'un ton mélancolique.

— Oui, bien sûr. Fais ton devoir de garçon d'honneur.

Il partit à la recherche de son frère, et elle alla rejoindre ses cousines, qui bavardaient ensemble. Sans se disputer, pour aussi incroyable que cela fût.

— Ryan m'inquiète, déclara Walker, une heure plus tard, en l'entraînant jusqu'à une petite table, à l'écart de la foule. Il fait seulement semblant de s'amuser.

— Il te l'a dit lui-même ?

— Il n'a pas eu à le faire. J'avais six ans quand il est né, et il m'arrivait de changer ses couches. Je connais ses humeurs, lorsque quelque chose le chagrine, je le sens.

— Lui as-tu demandé ce qui n'allait pas ?

— Oui. Et il a tout nié en bloc. Il assure qu'il a beaucoup de chance et qu'il est le plus heureux des hommes.

Elle mentionna la tension qu'elle avait sentie entre Clara et Ryan, un peu plus tôt dans la soirée, et elle promit d'essayer de parler avec sa cousine dès le lendemain.

— Je pourrai peut-être la convaincre de s'ouvrir un peu.

— Et, ensuite, quoi ? répondit-il d'un air sombre.

— Comment le saurais-je ?

Il se pencha jusqu'à ce que leurs fronts se touchent presque, puis il murmura :

— Dans cette pénombre, tes yeux ont l'air presque noirs.

— N'essaie pas de changer de sujet, le tança-t-elle, effleurant sa joue d'une caresse.

— Alors, dis-moi, murmura-t-il, glissant les doigts dans sa chevelure pour lui caresser la nuque. Que comptes-tu faire, ce soir, au sujet de Clara et Ryan ?

Parcourue d'un délicieux frisson, elle plongea le regard au fond du sien. Une seule idée occupait son esprit : bientôt, elle rentrerait avec lui au Bar-N. Dans sa maison. Et, enfin, dans son lit.

— Que pourrais-je faire pour eux, ce soir ? répondit-elle dans un souffle.

— Rien, convint-il en riant.

Et, là-dessus, il l'attira contre lui pour l'embrasser.

Et il n'y eut plus qu'eux deux, échangeant des baisers dans leur petit univers, avant de retourner danser.

La soirée se termina enfin vers 3 heures du matin.

A ce stade, son besoin de se retrouver seule avec lui était devenu presque douloureux.

— Je vais te suivre jusqu'au Bar-N dans ma voiture.

Elle enfila un long manteau de velours noir par-dessus sa tenue de soirée affriolante, s'installa au volant de son 4x4 de location.

Ils gravirent ensemble les marches du porche, puis s'arrêtèrent dans le vestibule pour échanger un long baiser. Assis côte à côte, Lonesome et Lucky Lady les observaient, attendant patiemment que les humains terminent leurs démonstrations pour pouvoir retourner dormir.

Walker l'aida alors à ôter son manteau et alla l'accrocher avec le sien près de la porte.

— Désires-tu quelque chose ? Un café, peut-être ?

— Je désire bien quelque chose, mais pas du café.

— Parfait, approuva-t-il d'une voix un peu rauque.

Ils montèrent l'escalier étroitement enlacés. Pour la toute première fois, elle n'eut pas à lui souhaiter bonne nuit et à se retourner vers l'autre porte en arrivant au bout du couloir.

Dans sa chambre, il alluma une lampe à variateur qui éclaira la pièce d'une douce lumière tamisée. Lucky Lady bondit sur le confortable fauteuil près de la fenêtre, et Lonesome se coucha sur le tapis au pied du lit. Walker la prit dans ses bras, mais elle le repoussa gentiment

— C'est la première fois que j'entre dans ta chambre, murmura-t-elle. Laisse-moi l'examiner un instant.

Elle promena le regard autour de la grande pièce toute simple, aux meubles anciens, rustique et confortable à la fois, où trônait un grand lit.

— La salle de bains est là-bas, précisa-t-il en indiquant une porte. Et elle communique avec le dressing.

— Ta chambre est exactement telle que je l'avais imaginée, déclara-t-elle en souriant. Très jolie.

— Ce n'est qu'une chambre. C'est toi qui es très belle.

— Je n'arrive pas à croire que je suis réellement ici avec toi, murmura-t-elle d'une voix tremblante.

Il la serra de nouveau contre son grand corps et, lui prenant le visage entre ses mains, il déposa un baiser sur son front.

— Doutes-tu encore ?

— Non, assura-t-elle, perdue dans l'azur de ses yeux.

Walker lui posa alors ses mains vigoureuses sur la taille et la souleva. Sans hésiter, elle noua les jambes autour de ses hanches et l'embrassa tandis qu'il l'emportait vers le lit.

Lorsqu'il la déposa sur les draps, elle le relâcha pour s'appuyer sur les coudes, et ils restèrent ainsi, à se contempler mutuellement quelques délicieuses secondes.

Puis, il inclina la tête, et ses lèvres expertes tracèrent un chemin de baisers sur sa gorge, entre ses seins, et plus bas.

Sa bouche brûlante descendit sous la minuscule jupe, qui était remontée presque jusqu'à ses hanches, pour venir se poser à l'intérieur de sa cuisse, la faisant frissonner et gémir de plaisir par anticipation. Lorsqu'il atteignit sa cheville, il cessa de l'embrasser pour lui ôter ses sandales et les laisser tomber sur le tapis l'une après l'autre.

Bouillant d'impatience, elle n'allait pas rester passive à attendre qu'il l'ait déballée comme un bonbon. Elle se redressa malgré ses protestations et, s'agenouillant, elle entreprit de déboutonner sa chemise.

S'ensuivit un tourbillon haletant de membres emmêlés, de soupirs et de baisers, de caresses sensuelles, de vêtements volant en tous sens, jusqu'à ce qu'ils soient tous deux entièrement nus.

Au terme de ces instants de folie, ils restèrent l'un en face de l'autre à se boire des yeux. Walker était magnifique, tout en muscles durs, ciselés par le travail du ranch. La fine toison presque dorée au centre de son torse descendait en une ligne étroite jusqu'à la preuve incontestable de sa virilité.

Ses yeux avaient pris une teinte indigo sous l'effet du désir.

— Joyeux Noël à nous deux, murmura-t-elle.

Il tendit sa main qu'elle prit, et, toujours à genoux, elle se rapprocha pour se blottir avec délices entre ses bras, pressant les seins contre son torse dur, peau contre peau.

Il l'embrassa. Un lent, un interminable baiser, puis il l'allongea sur les draps et se coucha à côté d'elle, parcourant son corps de ses mains agiles, découvrant tous ses secrets. Elle lui rendit ses caresses, consignant dans sa mémoire chaque détail de ce corps athlétique, brûlant, masculin.

Il couvrit de baisers chaque centimètre carré de peau, s'attardant sur ses seins, lui mordillant le ventre, explorant son nombril d'une langue gourmande avant de descendre plus bas.

Il s'attarda très longtemps, embrassant, butinant, exerçant la magie de sa bouche sur sa féminité incandescente, offerte, impatiente.

Un orgasme éblouissant explosa en elle. Puis, un second.

Elle flottait dans un éden de sensations. Tout son corps semblait pétiller, mais elle désirait déjà davantage. Elle le désirait tout entier en elle.

Sur-le-champ.

Glissant une main entre leurs deux corps, elle serra les doigts autour de son sexe dressé.

— Si tu fais cela, je ne réponds plus de moi, gémit-il, levant ses yeux d'azur vers les siens.

— Dans ce cas, ne me fais plus attendre.

Sur quoi, elle posa les mains sur ses larges épaules et l'attira à elle, se délectant de la sensation de ses muscles fermes sous ses doigts. Alors, avec un gémissement rauque, il la recouvrit de son corps et elle leva les jambes pour les nouer autour de sa taille.

Il la pénétra, lentement, inexorablement, ses yeux brillants fixés au fond des siens.

C'était une sensation parfaite. Elle avait toujours su qu'il en serait ainsi. Tellement parfaite qu'elle pouvait presque lui pardonner d'avoir tant tardé à les amener à cet instant. Qu'elle en oubliait presque qu'elle avait abandonné tout espoir.

Ce soir, pourtant, cette issue lui semblait inévitable, aussi claire que la route vers une destination familière. Depuis le jour de sa naissance, elle était destinée à vivre cet instant, ici, dans cette chambre, avec cet homme spécial.

Son corps semblait déjà le connaître, il l'accueillait avec délices après l'avoir si longtemps attendu.

Elle pensait à toutes ces choses à la fois. Puis elle ne pensa plus à rien.

Et il ne resta plus que la sensation de leurs corps unis, de cette douce possession, de ces bras autour d'elle, forts et protecteurs. De leurs deux souffles mêlés.

Un orgasme monumental monta en elle. Levant ses hanches à sa rencontre, elle s'entendit crier.

Lui la serra plus fort et bascula à son tour dans cet océan de délices en gémissant son nom.

9

Blottis l'un contre l'autre, ils dormirent un peu. Le lit était grand et confortable et, entre ses bras vigoureux, Rory se sentait comme chez elle.

Elle ouvrit les yeux en entendant le réveil. Walker se glissait déjà hors du lit.

— Chut ! fit-il alors qu'elle s'apprêtait à protester. Je vais seulement soigner les chevaux. Je reviens tout de suite.

— Je viens t'aider.

— Dans cette minijupe et ces escarpins affriolants ?

— Les chevaux ne s'en plaindront pas, j'en suis certaine.

— Garde-moi le lit bien chaud, répondit-il en remontant les couvertures jusqu'à son menton. Je ne serai pas long.

Sur quoi il disparut.

Elle se réveilla encore, très brièvement, lorsqu'il vint la rejoindre sous les draps. Elle frissonna lorsqu'il la serra dans ses bras, mais cela ne dura qu'une seconde. Il déposa un baiser sur l'arrondi de son épaule, puis effleura ses cheveux d'une caresse.

— Rendors-toi, murmura-t-il.

Ce qu'elle fit.

Lorsqu'elle se réveilla de nouveau, il était debout près du lit, dans une robe de chambre de flanelle vert et rouge.

— Je sens un délicieux arôme de café, lança-t-elle, clignant des yeux dans la lumière du jour.

— Madame est servie, répondit-il, indiquant le plateau posé sur la table de nuit.

— Suis-je au paradis ? dit-elle en s'asseyant dans le lit.

— Seulement dans ma chambre.

Il lui tendait une tasse qu'elle prit pour siroter une première gorgée. Le breuvage était délicieux. Presque autant que sa façon de la regarder, la magie de la nuit passée qui brillait dans son regard.

— Je crois que j'aime être ici, déclara-t-elle. Dans ton lit.

— Voilà qui me plaît beaucoup, répondit-il en souriant.

Elle jeta un coup d'œil au réveil et sursauta.

— Il est déjà midi ? Vraiment ?

— Nous ne nous sommes endormis qu'à 5 heures, rappela-t-il, haussant les épaules.

— Et toi, tu étais debout une heure plus tard. As-tu dormi un peu ?

— Ne t'inquiète pas, Rory, répondit-il, tirant un fauteuil près du lit. Je me sens très bien.

Il ramassa sa propre tasse et posa ses pieds nus sur le lit, près d'elle, avant d'ajouter :

— Très bien. Alors, aujourd'hui même, tu vas quitter cet hôtel et revenir t'installer ici.

Ce n'était pas une question. Et cela la ravit.

— D'accord, répondit-elle simplement.

— Parfait. Tu es encore ici pour une semaine. Je veux que nous restions ensemble jusqu'à ton départ.

Elle serra la tasse plus fort, brûlant de suggérer que leur histoire ne devrait pas obligatoirement se terminer ainsi. Il pourrait l'accompagner au Montedoro pour le mariage de Max et les célébrations de Noël. Elle désirait qu'il vienne.

Mais non. Ils n'étaient ensemble, vraiment ensemble que depuis la nuit passée. Elle devait lui accorder quelques jours de répit avant de le présenter à sa famille.

— Tu plisses le front, fit-il. Pourquoi ?

— Je réfléchissais, c'est tout.

— A quel sujet ?

— Rien d'important, éluda-t-elle.

— Comme tu voudras, répliqua-t-il en sirotant son café.

Il resta à la fixer, le pied appuyé contre sa cuisse, comme s'il contemplait un trésor. Alors elle tapota le drap près d'elle.

— Je me sens très seule dans ce lit, sans toi…

— Si je m'allonge, je risque de ne plus jamais me lever, répondit-il. Or le travail m'appelle.

— C'est dimanche, rappela-t-elle, reposant sa tasse sur le plateau. Et le dimanche est un jour de repos.

Le sourire dont elle avait accompagné ces mots eut visiblement raison de sa résistance. Il se leva et dénoua la ceinture de son peignoir, qui glissa à ses pieds.

— Rory, gémit-il, tu es en train de me tuer.

— Ne t'inquiète pas, murmura-t-elle, lui offrant un nouveau sourire alors qu'il la prenait dans ses bras. Nous ferons vite…

Naturellement, ce ne fut pas du tout le cas. Ils firent l'amour très longtemps, et ce fut fabuleux.

Vers 14 heures, ils se rendirent dans la cuisine pour se préparer un énorme petit déjeuner de pancakes, saucisses et œufs frits. Après quoi, ils prirent une douche, chacun dans sa salle de bains pour éviter la tentation.

Elle renfila ses vêtements de la veille et le découvrit sur le palier.

— Je vais t'accompagner en ville, déclara-t-il, posant les lèvres au creux de son cou.

— Et ton travail, alors ? contra-t-elle.

— Mon travail attendra.

— Non, répondit-elle en se retournant pour prendre son visage entre ses mains. Va plutôt travailler. Je me débrouillerai très bien, ne t'inquiète pas.

— Je suppose que tu vas t'arrêter chez Clara ?

— Tout juste. J'aimerais passer un peu de temps avec elle si elle est à la maison. Je serai de retour vers 18 heures.

Il l'embrassa, un long baiser d'une douceur exquise. Puis, visiblement à contrecœur, il la laissa partir.

A l'hôtel Haltersham, Rory troqua ses vêtements de la veille contre un jean, un pull de laine très douce et des bottes bien chaudes. Ensuite, elle fit ses bagages. A 16 h 30, tout était chargé dans son 4x4 de location. Elle appela alors Clara, qui lui dit qu'elle l'attendait.

Clara lui servit une tasse de café et se versa un verre de jus de pomme.

— Laisse-moi deviner, lança-t-elle une fois qu'elles furent installées. Tu es partie avec Walker, hier soir…

— Oui, c'est vrai, reconnut Rory avec un grand sourire. Et je viens tout juste de déménager du Haltersham.

— Dois-je comprendre que tu retournes au ranch ?

— En effet. Et je compte y rester jusqu'après le mariage. Je suppose que les rumeurs vont déjà bon train ?

— Après la soirée d'hier ? Oui, c'est sûr et certain.

— Et que disent les gens ? s'enquit Rory malgré elle.

— Que vous faites des étincelles lorsque vous êtes ensemble, et qu'ils ne s'en seraient jamais doutés, après toutes ces années.

— Et sais-tu ce que j'en dis, moi ? répliqua Rory avec un sourire coquin.

— Qu'il était grand temps ? suggéra sa cousine, qui la connaissait parfaitement.

Elles éclatèrent de rire, puis, Rory avoua :

— J'avais commencé à craindre que cela n'arrive jamais.

— En tout cas, l'amour te réussit. Tu es resplendissante.

L'amour. L'énormité de ce simple mot lui causa un choc, et elle se sentit obligée de préciser :

— Je n'appellerais pas cela exactement de l'amour. Nous venons à peine… enfin, qui peut dire où cela nous mènera ?

— Cela ne fait rien, lui assura Clara en s'emparant de sa main. Oublions le mot « amour » pour l'instant. Le fait est que je ne t'ai jamais vue aussi rayonnante. Tu as une lumière dans ton regard, qui dit que tu as un homme dans ta vie, et que cette relation te comble de bonheur.

— C'est vrai, je me sens heureuse. Je suis folle de Walker. Et, aujourd'hui, il m'a enfin avoué que c'était réciproque.

— Ma chérie…

La voix de Clara se fêla et ses yeux se mirent à briller de larmes. Rory se leva d'un bond et fit le tour de la table.

— Clara, qu'y a-t-il ? Que s'est-il passé ?

— Rien, assura sa cousine en essuyant ses joues d'un revers de main impatient. Tu as l'air si heureuse d'aimer un homme qui t'aime, et… non, rien. Je suis une idiote.

Rory lui tendit un mouchoir en papier. Clara se moucha et lui fit signe de retourner s'asseoir. Rory obéit, mais une question lui brûlait les lèvres.

— Est-ce à cause de Ryan et de toi ? J'ai cru sentir qu'il y avait une certaine tension entre vous, hier soir.

De nouvelles larmes montèrent aux paupières de Clara mais, comme il fallait s'y attendre, elle choisit le déni :

— Non ! Bien sûr que non ! Ryan et moi n'avons jamais été aussi proches. Notre couple est solide comme le roc.

— Clara, allons ! Tu peux tout me dire, tu le sais.

Clara la dévisagea, une main sur sa bouche, comme si elle voulait retenir des paroles dangereuses prêtes à lui échapper. Puis, elle détourna le regard.

— Je suis désolée, marmonna-t-elle avec un soupir. Les hormones de grossesse me rendent très émotive, c'est tout.

— Clara, je t'adore. Mais je ne te crois pas une seconde.

— Eh bien, tu devrais, répliqua Clara en reniflant. Ce n'est qu'une question d'hormones et, s'il te plaît, ne dis pas à Walker que je me suis mise à pleurer devant toi aujourd'hui. Rends-moi service, motus et bouche cousue.

— Je ne dirai pas un mot, promit Rory. Mais, si tu as envie d'en parler, un jour…

— Rory, combien de fois devrai-je te le répéter ? Je suis heureuse pour toi et je suis à fleur de peau. Rien de grave.

Walker l'attendait, assis sous le porche de sa maison en compagnie de Lonesome et de Lucky Lady, lorsque Rory rentra au ranch, ce soir-là. Son cœur se gonfla d'émotion, et elle se sentit soudain si légère qu'elle aurait pu flotter dans l'air.

Il se leva pour venir à sa rencontre, le chien sur ses talons. Lorsqu'il prit ses mains dans les siennes, un merveilleux frisson la parcourut, comme si une nuée de papillons avait pris son envol dans son ventre.

— J'ai cru que tu ne rentrerais jamais, murmura-t-il en la serrant dans ses bras. Le dîner est dans le four. Mais, d'abord, portons tous tes bagages à l'intérieur.

A 19 heures, ses affaires étant dans la suite du premier étage, ils s'assirent à table pour déguster le délicieux dîner qu'Alva leur avait préparé.

— Alors, que t'a raconté Clara ? s'enquit-il.

Elle brûlait de tout lui répéter, mais elle avait fait une promesse à sa cousine. Alors, elle dit la vérité, mais pas totalement.

— Pas grand-chose, répondit-elle. Elle prétend qu'elle est heureuse, et que Ryan et elle forment un couple très solide.

Walker, qui portait sa fourchette à sa bouche, interrompit son geste pour la dévisager.

— Et… tu l'as crue ?

— Quelle importance ? C'est son histoire, et elle m'a fait comprendre que je dois m'en contenter.

— Je n'aime pas du tout ça.

— Moi non plus, avoua-t-elle tristement. Mais que pouvons-nous y faire ?

— Probablement rien, convint-il en fronçant les sourcils.

Ils mangèrent en silence durant un moment. Elle s'inquiétait pour Clara et Ryan, et Walker probablement autant qu'elle. Puis, soudain, il déclara :

— Ryan m'avait mis en garde, pour Denise. Le savais-tu ?

— Non, bien sûr que non. Tu ne parles jamais de Denise.

— Ce que je veux dire, c'est que j'ai dû tirer moi-même les conclusions de mon erreur. Il en va peut-être de même avec Clara et lui : ce n'est pas obligatoirement une erreur, mais un problème qu'ils vont devoir résoudre seuls.

Elle avait très envie d'en apprendre davantage au sujet de Denise. Alors, elle se lança, à tout hasard.

— Que t'avait dit Ryan, concernant Denise ?

Et, à son immense surprise, il répondit :

— Qu'elle ne resterait pas. Ryan pensait qu'elle avait les néons de la grande ville dans le sang, et qu'elle retournerait rapidement à Miami. Ryan disait que vivre au ranch avec moi était une nouveauté pour elle, mais qu'elle ne tarderait pas à s'en lasser.

— Il n'était pas tendre, déclara-t-elle.

— Quelquefois, la vérité est dure à entendre, répondit Walker avec un rire sans joie. Mais le fait est que je ne l'ai pas cru. Je l'ai crue, elle. Elle avait juré qu'elle m'aimerait. Alors j'ai rétorqué à Ryan qu'il était jaloux parce que j'avais trouvé ce dont tout homme rêve. Il m'a répondu que j'étais un idiot, et j'ai répliqué qu'il était trop lâche pour trouver une femme qui l'aime et fonder un foyer. Qu'il avait peur d'être abandonné comme notre cher papa a abandonné notre mère.

— Et ensuite ? Que s'est-il passé ?

— Il m'a décoché un coup de poing dans le nez, et je le lui ai rendu. Après quoi, nous avons convenu que

126

chacun avait droit à ses opinions. Mais je suppose que tout cela ne t'intéresse pas vraiment.

— Si, au contraire. Je sais qu'entre nous tout a changé depuis hier soir, mais je suis toujours ton amie, et je le resterai toujours, quoi qu'il arrive.

— C'est ce que tu dis maintenant.

— Parce que c'est vrai. Quoi qu'il puisse se produire, même si, pour une raison ou pour une autre, je devais ne jamais plus te revoir, je serais toujours ton amie. Je veux entendre tout ce que tu voudras bien me confier à ton sujet.

Il baissa les yeux vers son assiette, avant de marmonner :

— Je me suis réellement conduit comme un idiot.

— Non, murmura-t-elle. Tu te trompes. Tu l'aimais. Même si cela n'a pas fonctionné pour vous deux, l'amour est une chose merveilleuse. Songe combien la vie serait triste et grise sans lui.

— C'est le point de vue d'une princesse élevée dans une grande famille heureuse.

— Ce que je suis, et je ne le nierai pas.

— Mais la vie ne fonctionne pas toujours ainsi, Rory. La vie n'est pas forcément un conte de fées romantique.

Elle posa sa fourchette et murmura d'une voix douce :

— Où va notre histoire, Walker ? Le sais-tu ?

Il la dévisagea un moment en silence, avant de répondre d'un ton hésitant :

— Cette nuit, ce matin, c'était comme un rêve. Un moment magique. Toi et moi. Je n'aurais jamais imaginé que ce serait ainsi entre nous. Aussi passionné. Aussi doux.

— Agréable ? suggéra-t-elle, le cœur plein d'espoir.

— Plus qu'agréable, convint-il d'une voix un peu rauque.

— Pour moi aussi, Walker, murmura-t-elle en se penchant vers lui. Pour moi aussi, c'est magique.

— Nous ne pouvons pas…

Il s'interrompit, avant de conclure d'un ton bourru et tendre à la fois :

— Je pense que nous devrions garder la tête froide.

— La tête froide ? répéta-t-elle en riant. Mais c'est justement ça qui est merveilleux ! Nous avons totalement perdu la raison, et nous adorons.

Walker contempla un instant le visage rayonnant en face de lui, regrettant déjà de lui avoir parlé de Denise.

L'évocation de son ex-épouse lui rappelait brutalement que les choses n'étaient pas toujours telles qu'on les avait rêvées. Entre Rory et lui était né un lien spécial, et ils avaient une semaine devant eux, s'il ne gâchait pas tout.

Une semaine à voir son ravissant visage en face de lui à chaque repas, à tenir son corps merveilleux dans ses bras toutes les nuits, à entendre ses rires et ses soupirs. Une semaine de paradis.

Pourquoi ne pas profiter de chaque minute ?

Bien sûr, il y aurait un prix à payer. Un prix élevé. La vie était ainsi. Mais, pour une semaine avec elle, il paierait ce prix et, lorsque viendrait le temps de régler l'addition, il essaierait de se souvenir de ces instants et de payer ce prix le cœur léger.

— Comment fais-tu pour me persuader que nous avons raison de commettre une folie ? lança-t-il.

— Parce que c'est vrai, insista-t-elle. Et je suis très heureuse que nous l'ayons fait.

Elle leva son verre d'eau très haut, avant d'ajouter :

— Buvons à l'instant présent.

— A l'instant présent, Rory, répondit-il, faisant tinter son verre contre le sien.

Le reste de la soirée fut absolument parfait.

Après le dîner, ils prirent place sur le sofa, éclairés par les lumières du sapin de Noël. Walker regarda la télévision et elle travailla un peu sur son ordinateur portable à classer ses photos, puis elle se connecta pour se renseigner sur les sentiers de randonnée de la région et sur la météo.

Quand elle rangea enfin son ordinateur, il éteignit la télévision et ils s'embrassèrent, premier baiser qui fut suivi de beaucoup d'autres, de plus en plus longs, de plus en plus passionnés. Il songea à plusieurs reprises qu'ils devraient monter dans la chambre, mais, sans trop savoir comment, ils se retrouvèrent nus sur le tapis devant le feu.

N'y tenant plus, il la souleva dans ses bras et se dirigea à grands pas vers l'escalier. Comment aurait-il pu résister ? L'emportant, la couvrant de baisers, il grimpa les marches presque au pas de course.

Dans la chambre, il s'arrêta devant le lit et la reposa délicatement sur les draps sans cesser de l'embrasser.

— Allonge-toi près de moi, murmura-t-elle.

A cet instant, elle était si belle, avec sa chevelure de bronze flottant sur ses épaules, ses lèvres gonflées par les baisers, ses seins aux pointes durcies qui n'attendaient que sa bouche, qu'il fut obligé d'obéir.

— Allonge-toi sur le dos, ordonna-t-elle.

A cet instant, elle aurait pu lui demander de sauter du toit, il n'aurait pas hésité. Il s'allongea sur le lit, et elle referma doucement les doigts autour de son érection, puis elle le prit dans sa bouche.

C'était une sensation si délicieuse qu'il faillit perdre instantanément tout contrôle de lui-même. Mais, sans trop savoir comment, il résista tandis qu'elle l'enveloppait de sa bouche.

Elle avait tout à fait raison, il ne servait à rien de réfléchir à ce qui pourrait advenir. L'instant présent était tout ce qui comptait, et celui-ci était fabuleux. Chaque minute avec Rory était un don du ciel.

Elle interrompit soudain ses caresses, et il leva un regard ébloui vers elle, totalement en son pouvoir, au bord de l'explosion. Puis, ses yeux sombres fixés au fond des siens, elle se redressa et le chevaucha. Et, ses mains posées à plat sur son torse, elle se laissa très lentement redescendre sur lui.

Ses longs cheveux, doux comme la soie, chatouillèrent sa gorge lorsqu'elle se pencha pour l'embrasser. Ce fut un baiser brûlant, interminable. Elle gémit contre sa bouche, et il s'entendit gémir à son tour tandis qu'elle entamait un lent mouvement de va-et-vient, les paupières closes, la tête rejetée en arrière. Quelques instants plus tard, elle cria de plaisir.

Il agrippa ses hanches à deux mains pour la serrer contre lui, sentir les palpitations de son sexe brûlant autour de lui.

Elle murmura quelques mots à mi-voix, trop bas pour qu'il puisse les comprendre, puis il se laissa rouler sur le côté, l'entraînant avec lui afin de se repositionner au-dessus d'elle sans quitter son corps, puis il s'immobilisa. Et il attendit.

Lorsqu'elle les rouvrit, ses yeux magnifiques brillaient de joie et d'émerveillement.

— Walker ! murmura-t-elle dans un soupir. Joyeux Noël…

Il ouvrit la bouche pour répondre, mais ne put produire qu'un gémissement. Quel homme aurait pu former des mots à un moment comme celui-ci ? Il vacillait au bord de l'explosion finale. Il n'existait plus rien au monde hormis sa féminité liquide et brûlante autour de lui, ces yeux merveilleux levés vers lui qui l'invitaient à se perdre en elle.

Puis, elle leva les bras et s'agrippa à ses épaules.

— Oui, Walker, maintenant.

Ces mots le libérèrent, et il laissa son corps prendre le contrôle. Elle répondit à chacun de ses puissants coups de reins, levant les hanches à sa rencontre, et, dans un éblouissement final, il bascula à son tour dans un abîme infini.

Puis elle le serra très fort contre elle, nouant bras et jambes autour de lui, et murmura des mots très doux tandis que les dernières vagues de son orgasme s'éloignaient pour faire place à une bienheureuse béatitude.

Comme toujours, le réveil sonna avant l'aube.

Il tendit un bras pour faire cesser le bruit, puis, dans un geste né d'une longue habitude, il repoussa les couvertures.

— Attends, murmura la femme près de lui.

— Les chevaux…

— Oui, je sais, dit-elle d'une voix caressante. Mais, s'il te plaît, parle-moi. Juste une minute, d'accord ?

Il alluma la lampe et se retourna vers elle. Même avec ses yeux gonflés de sommeil et ses cheveux en désordre, elle était incroyablement belle. Le plus beau cadeau de Noël qu'il ait jamais reçu de toute sa vie.

— Et de quoi parlerons-nous ? s'enquit-il.

— J'ai une idée.

— D'abord, les chevaux. Et, ensuite, du café.

— Non, sérieusement, insista-t-elle en riant. J'étais là, allongée dans le noir, et je réfléchissais…

— Avant les chevaux et le café ? Cela ne se fait pas.

— Ecoute-moi, s'il te plaît.

Il serra son corps mince contre lui, songeant qu'il n'existait rien au monde comme cette sensation. Rory, nue dans ses bras, avant les premières lueurs du jour.

— Vas-y, dit-il. Je t'écoute.

— Aujourd'hui, expliqua-t-elle, déposant un baiser sur la saillie de son épaule, si tu pouvais laisser de côté ton travail dans les bungalows, j'aimerais que nous montions ensemble jusqu'à Ice Castle Falls. Nous pourrions partir juste après le petit déjeuner. A pied, tout simplement, en emportant un pique-nique. J'ai étudié l'itinéraire en ligne, hier soir.

— Ah, vraiment ?

— Oui, dit-elle en effleurant son bras d'une caresse. Il y a un départ de sentier tout près du ranch.

Il le connaissait. Ce fameux été, cinq ans plus tôt, ils avaient campé non loin de là, au sommet de la montagne, et ils étaient descendus vers les chutes par l'autre versant. Ice Castle Falls. Là où elle avait failli l'embrasser.

— Ce ne serait qu'une promenade d'une douzaine de kilomètres, retour compris, ajouta-t-elle.

— Oui, convint-il. Je connais les lieux.

— Je m'en doutais, répondit-elle en levant ses beaux yeux vers lui. Nous pourrions être rentrés en début d'après-midi.

Elle aussi pensait à ce matin d'été. Il le lisait dans ses yeux.

— Pourquoi Ice Castle Falls ? voulut-il savoir.

— Il n'a pas encore beaucoup neigé, et la montée ne devrait pas poser trop de difficultés. En outre, les chutes devraient être gelées et beaucoup plus spectaculaires sans le manteau neigeux. J'ai envie de prendre quelques photos.

— Alors, c'est donc cela ? Tu as simplement envie de prendre des photos ?

Elle se blottit plus étroitement contre lui, et avoua d'une voix timide :

— Et peut-être aussi de me créer de nouveaux souvenirs.

— Je l'avais deviné, reconnut-il en s'efforçant de ne pas sourire.

— Epargne-moi ce regard d'autosatisfaction, veux-tu ?

— Tu as repris ta voix de princesse, ironisa-t-il en mordillant son oreille nacrée. Tu sais, ce jour-là, aux chutes, j'avais très envie de t'embrasser, moi aussi.

Sa bouche de corail se mit à trembler, et elle enfouit le visage sous son menton

— Apparemment, pas assez pour le faire.

— Attends ! protesta-t-il.

Elle cessa de se cacher et affronta son regard.

— Je sais que tu as énormément de travail, mais…

— Le travail peut attendre, murmura-t-il. Quels que soient tes désirs, si c'est en mon pouvoir, je les exaucerai.

Le téléphone de Rory sonna alors qu'ils préparaient le petit déjeuner. Le numéro affiché à l'écran était celui de sa sœur Genny.

— Réponds, dit Walker. Je gère la cuisine.

— T'es-tu connectée, aujourd'hui ? s'enquit aussitôt Genny.

Ayant grandi dans la famille Bravo-Calabretti, Rory avait appris très tôt à redouter ce genre de questions.

— Mon Dieu ! gémit-elle. Est-ce si mauvais que ça ?

Elle alla aussitôt chercher son ordinateur. Genny lui cita quelques noms de blogs à scandale.

— Tu as l'air fabuleuse sur presque toutes ces photos, ajouta-t-elle. J'adore tes sandales Valentino avec toute cette dentelle et ce strass.

Les sandales Valentino. Cela signifiait que quelqu'un avait pris ces photos samedi soir, durant la soirée au pub McKellan's. Elle se connecta sur le premier site. Les gros titres étaient d'une banalité affligeante : « Les nuits folles de Son Altesse et du cow-boy ». Suivait une série de clichés les montrant, Walker et elle. Dansant. Jouant au billard. S'embrassant à pleine bouche dans un coin de la salle.

— Mère les a-t-elle déjà vues ? s'enquit-elle, la gorge serrée.

— Mère voit tout.

C'était vrai, hélas. La secrétaire personnelle de la souveraine avait un assistant dont le seul travail consistait à détecter les articles de tabloïds nécessitant une intervention du Palais.

Walker se détourna des fourneaux pour lui lancer un regard interrogateur. Elle lui sourit en s'efforçant d'afficher un air détendu.

Il défendait jalousement sa vie privée. L'année précédente, il s'était fâché lorsque des paparazzi avaient surgi de nulle part pour prendre des photos d'eux alors qu'ils étaient attablés dans le café de Clara.

Il serait bien plus mécontent lorsqu'il apprendrait que des photos d'eux en train de s'embrasser passionnément circulaient sur Internet.

- 10 -

Intrigué par cette longue conversation devant l'ordinateur, Walker baissa le feu sous la poêle du bacon et s'approcha. Rory tourna l'écran vers lui pour lui montrer les photos.

— La bonne nouvelle, poursuivait Genny, c'est que Walker et toi semblez être passés au niveau supérieur.

— Et la mauvaise, c'est que le monde entier est au courant.

Walker, à l'évidence, en avait vu assez. Il fit pivoter l'ordinateur face à elle et retourna devant ses fourneaux.

— Ce n'est vraiment pas si terrible, déclara Genny. Mais j'ai jugé qu'il valait mieux te le signaler.

— Merci, répondit Rory. Au moins, je l'entends de la bouche d'une personne qui m'aime.

Elles bavardèrent encore une ou deux minutes supplémentaires. Puis Rory raccrocha et éteignit l'ordinateur. Le café était prêt, et elle remplit leurs deux tasses.

Ils finirent de préparer le petit déjeuner dans un silence un peu inquiétant. Allait-il vouloir rompre avec elle, à présent qu'il avait eu un aperçu de ce que serait leur vie, continuellement exposée à la curiosité du public ?

Ce lourd silence persista lorsqu'ils s'assirent à table. Elle poussait distraitement ses œufs au bacon du bout de sa fourchette, s'efforçant de trouver les mots pour le convaincre que ce n'était pas si grave. Il suffisait de garder une attitude positive, de continuer à vivre et de ne pas se laisser abattre par ces petits inconvénients. Enfin, le moins possible.

— Ecoute, si tu veux rompre avec moi, à cause de tout cela, je comprendrai, déclara-t-il soudain.

Elle faillit s'étouffer avec les œufs qu'elle venait de porter à sa bouche.

— Essaies-tu de me dire que tu veux rompre avec moi ?

— Bien sûr que non ! rétorqua-t-il d'un ton indigné.

Elle recommença à respirer.

— En es-tu certain ?

— Naturellement. Ces sournois de paparazzi ne pourront pas détruire ce que nous avons, toi et moi. Pas en ce qui me concerne. Mais tu n'as toujours pas répondu à ma question.

— Walker, non ! Bien sûr non ! Je n'ai pas du tout envie de rompre avec toi.

— Dorénavant, je vais ouvrir l'œil, promit-il d'un ton radouci. Et, si je surprends l'un de ces sales types en train de nous espionner, il peut dire adieu à son appareil-photo.

— J'en prends bonne note, mais je sais par expérience qu'il est préférable de prétendre qu'ils ne sont pas là. De passer devant eux sans leur accorder un regard.

— J'essaierai, mais je ne peux rien te promettre.

Elle le contempla à travers la table, soulagée au-delà des mots qu'il n'ait pas l'intention de rompre avec elle.

— Alors… tout va bien, entre nous ?

— Bien sûr, répondit-il d'une voix douce, et même tendre. Viens, Rory. Les cascades de Ice Castle Falls nous attendent.

Elle flottait sur un nuage de bonheur lorsque son téléphone sonna. C'était sa mère.

— Bonjour, mère. Je suppose que vous êtes déjà au courant pour ces photos dans les journaux ?

— Bonjour, ma chérie. Oui, je les ai vues, en effet.

136

Sa mère marqua une pause, avant d'ajouter d'un ton inquiet :

— Tout va bien ?

— Oui, bien sûr, assura-t-elle.

De l'autre côté de la table, Walker paraissait de nouveau tendu. Elle lui adressa un grand sourire pour le rassurer.

— Walker et moi allons très bien, je vous remercie.

— Tu es retournée t'installer au ranch, alors ?

— Oui, en effet. C'est un lieu magnifique. Il fait froid, l'air est pur et transparent, et je remarque que vous prenez très bien la nouvelle.

— Pourquoi pas ? Je suis une femme raisonnablement intelligente, ma chérie. Souviens-toi que j'ai un pays à gouverner. Certes, il s'agit d'un très petit pays, mais…

— Je vous en supplie, mère, dites-le !

Comme toujours, Son Altesse Sérénissime Adrienne fit preuve d'un parfait sang-froid.

— Ton père était un peu contrarié, convint-elle. Les pères sont ainsi, même au XXIe siècle. Mais j'ai réussi à le calmer. Et surtout, ma chérie, je suis très heureuse que tu aies enfin obtenu ce que ton cœur avait toujours désiré.

Ce que son cœur avait toujours désiré…

Rory demeura silencieuse un instant, assimilant le sens de cette remarque. Cela ne pouvait signifier qu'une seule chose.

— Et moi qui croyais avoir pris soin de ne jamais laisser transparaître mes sentiments, fit-elle en soupirant.

— Ma chérie, je suis ta mère, rappela Adrienne, comme si cela suffisait à tout expliquer.

Elle y réfléchit une seconde. Si Adrienne savait qu'elle était amoureuse de Walker, pourquoi l'avoir engagé comme garde du corps ? Jusqu'à cet instant précis, il ne lui était jamais venu à l'esprit qu'en chargeant Walker de veiller sur elle sa mère avait peut-être d'autres projets en tête que sa simple sécurité.

— Nous en reparlerons à mon retour au Montedoro, répondit-elle.

— Oui, ma chérie, j'en suis certaine. Et c'est toujours un grand plaisir pour moi de pouvoir te parler avec franchise.

— Mère, je dois vraiment raccrocher, s'excusa Rory. Nous prenons notre petit déjeuner.

— Je comprends. Amuse-toi bien, ma chérie. Profite de chaque minute. La vie est brève, et ses meilleurs moments doivent être savourés.

— Merci.

— Salue Walker de ma part.

— Oui, je n'y manquerai pas.

Sur quoi, elle raccrocha et se tourna vers Walker.

— Ma mère t'envoie ses salutations.

— Elle n'a donc pas réclamé ma tête ?

— Absolument pas. Ma mère est une femme civilisée qui respecte la vie privée de ses enfants majeurs.

— Mais ton père, lui, veut me voir pendu, c'est cela ?

— Bien sûr que non, protesta-t-elle en croquant une tranche de bacon. Mon père a la plus haute opinion de toi.

Cette remarque lui valut un long regard scrutateur. A l'évidence, Walker n'en avait pas fini avec ses questions.

— Tu as déclaré à ta mère que tu croyais avoir pris soin de dissimuler tes sentiments. Que voulais-tu dire par là ?

— C'est seulement que ma mère croit toujours être au courant de tout.

— Et de quel sujet devez-vous reparler, à ton retour ?

— C'est très vilain d'écouter les conversations privées.

— Lorsqu'on a besoin de parler en privé, on quitte la pièce, répliqua-t-il. Tu le sais, n'est-ce pas ?

— Tu as raison, répondit-elle, peu désireuse de lui avouer que, pendant des années, elle avait rêvé qu'il la regarde un jour de la façon dont il la regardait à cet instant.

Et, ensuite, lui expliquerait-elle tranquillement que sa

mère avait sans doute joué les entremetteuses en l'enga-
geant comme garde du corps ?

Peut-être plus tard, s'ils s'entendaient toujours aussi bien.

Ou peut-être jamais. Seul le temps le dirait.

— Elle n'est pas furieuse, alors, au sujet de ces photos ?

— Non, Walker. Pas du tout.

— J'avoue que je ne comprends pas pourquoi.

Elle se leva pour remplir de nouveau leurs tasses, et
elle reposa le pot sur la plaque chauffante avant de revenir
s'asseoir en face de lui.

— Ma mère a vécu toute sa vie sous les projecteurs
des médias. Cette notoriété aurait pu la rendre égocen-
trique, ou lui faire oublier ce qui comptait vraiment dans
la vie. Eh bien, pas du tout. Elle a appris à garder un
certain recul. A se concentrer sur l'essentiel dans toutes
les situations. Elle se laisse rarement émouvoir par ce
qui se raconte à notre sujet dans la presse et sur Internet
mais, lorsqu'un article lui paraît réellement offensant,
elle prend les mesures appropriées. La plupart du temps,
toutefois, elle refuse d'accorder aux esprits mesquins le
moindre pouvoir sur elle. Et elle encourage le reste de la
famille à agir de même.

— Tu l'accuses pourtant souvent de te rendre folle,
lança-t-il en souriant.

— C'est vrai. Elle est trop protectrice, avec moi plus
encore qu'avec mes autres frères et sœurs parce que je suis
son bébé. Mais, la vérité, c'est que je l'admire énormément.

Walker n'était pas idiot. Il se doutait qu'Adrienne en
avait dit bien davantage mais, à voir la réaction de Rory, il
supposa que ce n'était rien de grave. Alors il laissa passer.

Ils terminèrent leur petit déjeuner, remplirent des sacs
à dos de randonnée avec tout ce qu'il leur faudrait pour
une journée, et ils s'habillèrent chaudement.

C'était une matinée claire et glacée. Lonesome geignait et trépignait d'impatience, et Walker fut tenté de l'emmener avec eux, mais il y renonça parce que les sentiers du parc national étaient interdits aux animaux domestiques.

Ils s'arrêtèrent brièvement chez les Colgin pour les informer du but de leur randonnée et de l'heure probable de leur retour, puis ils traversèrent de vastes prés entrecoupés de bosquets. Rory sortit son appareil-photo, changea l'objectif et mitrailla les falaises qui les entouraient.

Le sentier était facile. Çà et là, quelques plaques de neige scintillaient dans le soleil hivernal. Ils aperçurent un grand élan mâle qui broutait dans l'ombre d'un pin. L'animal s'enfuit à leur approche, mais Rory eut le temps de prendre plusieurs photos.

A une bifurcation du sentier, ils entrèrent sur le domaine du parc national, et le terrain devint plus escarpé. Ils pénétrèrent alors dans une épaisse forêt d'imposants pins ponderosa, qui grimpait à flanc de montagne. A présent, il faisait plus froid, et la neige au sol était plus épaisse. Ils devaient rester attentifs pour ne pas glisser sur les plaques de verglas. Rory rangea son appareil-photo pour se concentrer sur leur progression.

Puis les pins firent place aux peupliers blancs, dépouillés de leur feuillage par l'hiver. Une trentaine de centimètres de neige recouvrait le sol et, dans cette lumière, le spectacle était magnifique.

— Je suis sûr que tu auras envie de prendre quelques photos ici, déclara-t-il en se tournant vers Rory.

— C'est vrai, convint-elle avec enthousiasme. J'adore les ombres de ces arbres sur la blancheur de la neige.

Alors, il attendit qu'elle ait pris d'autres clichés. Et il sourit lorsqu'elle eut la chance de saisir la fuite d'un renard, zigzaguant entre les troncs blancs des peupliers, laissant derrière lui les traces délicates de ses pattes dans la neige.

Elle abaissa son appareil et tourna son regard dans la direction où l'animal avait disparu.

— Qu'y a-t-il, là-bas ? s'enquit-elle, indiquant une tache rouge à peine visible entre les arbres. On dirait un toit…

— C'est une cabane située à l'extrême limite des terres du Bar-N, expliqua-t-il. Mon grand-père l'a bâtie, et Ryan et moi l'utilisons encore quelquefois pour la chasse, ou pour profiter d'un peu de solitude. Ce n'est qu'un abri rustique, sans électricité ni eau courante.

— J'ai envie de la voir, dit-elle en souriant. On pourrait y faire un petit détour ?

— Tout à l'heure, en redescendant, si le temps le permet, répondit-il, indiquant les nuages sombres qui s'accumulaient sur cimes, en direction du nord.

— Mais aucune tempête n'est annoncée.

— Et il ne s'en produira probablement aucune. Mais, par prudence, nous devrions rester concentrés sur notre objectif principal. Tu as envie de prendre des photos de la cascade de glace, n'est-ce pas ?

— Tu sais bien que oui, répondit-elle, en lui lançant l'un de ses regards pleins de sous-entendus.

— Dans ce cas, continuons à avancer.

Elle rangea son appareil, et ils se remirent en marche entre les grands peupliers. Puis le sentier s'enfonça de nouveau dans la forêt de pins, et ils longèrent un instant la petite rivière, avant de la traverser sur un pont de rondins. On entendait le murmure du courant sous la surface de glace étincelante. La piste suivait ensuite la berge opposée, puis ils atteignirent enfin le petit ravin qui montait jusqu'aux chutes.

A partir de là, il leur fallut escalader les rochers, un exercice difficile et un peu périlleux, rythmé par le chant de l'eau sous la glace. Rory marchait en tête, et il suivait juste derrière elle.

Il ne leur fallut pas longtemps pour atteindre la saillie

rocheuse et la gravir jusqu'à la corniche à la base des chutes transformées en cascades de glace.

Les poings sur les hanches, elle contempla d'un regard admiratif les immenses colonnes translucides, découpées et étincelantes comme des châteaux de conte de fées.

— Fabuleux ! Je vais prendre quelques photos, puis nous continuerons jusqu'à la crête. J'aimerais réaliser d'autres clichés depuis le sommet, en vue plongeante.

Les nuages se rapprochaient. De gros nuages couleur de plomb, annonciateurs de neige, quoi qu'aient pu pronostiquer les services météorologiques. Mais ils n'étaient pas très loin du ranch. Même s'il commençait à neiger, ils pourraient rentrer sans difficulté.

— Vas-y. Prends toutes les photos qu'il te plaira.

— C'est ce que je vais faire. Mais, d'abord…

Il connaissait cette lueur dans ses yeux. Mais il décida de la taquiner.

— D'abord… le déjeuner ?

Elle indiqua une corniche, trois mètres plus haut, plus petite que celle sur laquelle ils se tenaient, et plus près des tours de glace scintillantes.

— Cette corniche te semble-t-elle familière ? s'enquit-elle.

— C'est là que j'ai failli t'embrasser.

— Pas du tout, répliqua-t-elle. C'est moi qui ai failli t'embrasser, ce jour-là. Et, toi, tu m'as repoussée.

— As-tu l'intention de te venger de moi ?

— Hum ! marmonna-t-elle, faisant semblant d'y réfléchir. Je crois que oui. Nous allons marcher jusqu'à cette corniche, et tu vas m'embrasser comme si j'étais la seule femme au monde.

— Si jeune, et déjà si autoritaire…

Elle se rapprocha et leva ses yeux d'ange vers les siens.

— Comptes-tu refuser ?

— Je n'oserais pas.

— Bonne réponse, approuva-t-elle, plongeant son regard de bronze au fond du sien.

Comment aurait-il pu résister à cette bouche merveilleuse ? Il inclina la tête et posa ses lèvres sur les siennes. Elles étaient glacées, mais infiniment douces.

Elle fit mine de le repousser, mais il résista, glissant une main derrière sa nuque, et il continua à l'embrasser, et elle se laissa aller tout contre lui. Il aurait pu rester sur cette corniche à l'embrasser jusqu'à la fin des temps.

Si ce n'était qu'il venait de sentir les premiers flocons tomber sur ses joues et sur son front.

Ils mirent fin à leur baiser pour lever les yeux vers le ciel qui s'assombrissait rapidement.

— Nous devrions rentrer, dit-il en soupirant. Ce ne sont probablement que quelques flocons, mais ce serait idiot de risquer d'être surpris par une tempête d'hiver.

— Pourquoi faut-il qu'il neige aujourd'hui ? gémit-elle.

— Si tu veux toujours que je t'embrasse sur cette fameuse corniche, nous devrions le faire tout de suite. Prête ?

— Ne me donnez pas d'ordres, mon petit monsieur. C'est moi qui dirige cette opération. Allons-y.

Il ne leur fallut qu'une minute pour grimper sur la corniche supérieure. Il y parvint en premier et lui tendit la main pour l'aider à s'y hisser à son tour. Ils se débarrassèrent aussitôt de leurs sacs à dos, puis il la prit dans ses bras.

Rory leva ses yeux vers lui. Il faisait très froid, et des flocons de neige voltigeaient dans l'air glacé, s'accrochaient à ses cils, à ses lèvres. Elle les lécha avec délices du bout de sa langue.

Le moment fut inoubliable. Ils étaient blottis l'un contre l'autre, près de la cascade de glace, et elle murmura :

— Je n'aurais jamais pensé que ceci se produirait un jour. Toi et moi, de nouveau ensemble, ici. Vraiment ensemble.

Walker esquissa un sourire. Puis il redevint sérieux.

— Tu es si belle… Oui, c'est un bonheur d'être de nouveau ici avec toi, et surtout de cette façon.

Le vent se leva au même instant, une bourrasque glaciale qui tourbillonnait contre les falaises. Les flocons de neige devenaient plus lourds et plus nombreux.

Et, dans le sifflement du vent, elle crut entendre la douce voix de sa mère :

« Ma chérie, je suis très heureuse que tu aies enfin obtenu ce que ton cœur avait toujours désiré… »

Ce fut comme si, tout à coup, elle sortait des ténèbres qu'elle s'était imposées. Elle ne pouvait plus ignorer davantage l'appel de son cœur.

Elle l'aimait. Elle était vraiment amoureuse de Walker.

— Qu'y a-t-il, Rory ? s'enquit-il, fronçant les sourcils comme s'il avait deviné le tumulte de ses sentiments.

Elle brûlait de lui faire cet aveu, mais comment réagirait-il ? Après la débâcle de son mariage avec Denise, le mot « amour » l'effrayait sans doute plus que tout autre.

Et s'il prenait peur et la repoussait ?

— Rory ? répéta-t-il, scrutant son visage. Qu'y a-t-il ?

— Ce n'est rien, assura-t-elle en nouant les bras autour de son cou. Embrasse-moi.

Au même instant, alors que sa bouche descendait vers la sienne, il y eut un étrange craquement juste au-dessus d'eux, aussi bruyant qu'un coup de feu.

Elle rouvrit les yeux juste à temps pour voir un gros bloc de glace s'abattre sur sa tête.

La suite ne fut qu'un tourbillon indistinct.

Elle essaya d'esquiver le bloc de glace, qui heurta brutalement son front. Puis elle perdit l'équilibre et bascula dans le vide.

Ou, plutôt, elle faillit basculer, car Walker la retint d'une main ferme au moment où elle s'affaissait dans ses bras.

Lorsqu'elle rouvrit les yeux, une seconde ou deux plus tard, elle était allongée sur le rocher, et sa tête reposait sur les genoux de Walker.

— Rory, m'entends-tu ?

Etourdie, elle leva un regard vacillant vers lui et tenta de porter sa main gantée à son front, mais Walker l'en empêcha.

— Tu as une vilaine plaie au front, et tu saignes, expliqua-t-il d'une voix douce. Il ne faut pas infecter la blessure. J'ai une trousse de premiers soins dans mon sac. Mais, d'abord, j'ai besoin de savoir : te souviens-tu de ce qui t'est arrivé ?

A présent, elle sentait le sang couler dans ses cheveux et sur son front. Il s'était mis à neiger plus fort, et le ciel était devenu presque noir.

— Rory, m'entends-tu ?

— Euh… oui. Je vais bien, je crois. Tu cherches à t'assurer que je n'ai pas subi une commotion cérébrale ?

Il faillit sourire à cette réponse, et il se détendit. Puis, ramassant son sac à dos, il ouvrit l'un des compartiments.

— Alors tu te souviens de tout, n'est-ce pas ?

— Tu étais sur le point de m'embrasser, puis j'ai entendu un craquement, et un glaçon géant m'est tombé sur la tête.

— Il t'a heurté en plein front.

— Je l'ai senti, crois-moi.

Sa tête l'élançait mais, le pire, c'était qu'elle n'avait pas eu droit à son baiser. Or, elle y tenait énormément.

Et pas de photos non plus. L'échec était total.

Il la débarrassa de son bonnet de laine et repoussa délicatement ses cheveux de son visage. Puis il sortit son kit d'urgence, se désinfecta les mains avec une lingette antiseptique et entreprit de la soigner avec des gestes doux et précis tout en continuant à lui parler :

— Ressens-tu des nausées ?

— Non, vraiment, je vais bien, assura-t-elle. J'ai un peu mal à la tête, mais je suppose que c'est normal, vu les circonstances.

— As-tu l'esprit clair ? Ressens-tu des vertiges ?

— Walker, je me sens bien, je te le jure. Si l'on oublie, bien sûr, que je saigne, que je n'aurai pas droit à mon baiser et que je ne rapporterai aucune photo.

— Voilà, annonça-t-il en rangeant les compresses ensanglantées dans une pochette de plastique qu'il glissa dans son sac à dos. C'est terminé.

— Aide-moi à me relever.

— Attends. Es-tu sûre d'en être capable ?

— On croirait entendre un psychiatre.

— Excellent, approuva-t-il en souriant. Tu as gardé ton sens de l'humour. C'est un très bon signe.

— Rends-moi mon bonnet, répliqua-t-elle en frissonnant. J'ai froid aux oreilles.

— Il est un peu taché de sang.

— C'est mieux que rien.

— Voilà, dit-il en se penchant pour replacer son bonnet. Tes pupilles paraissent normales.

— Je vais bien, Walker, je suis idéalement placée pour le savoir.

— Tu es allongée sur le sol avec une vilaine plaie à la tête, riposta-t-il en sortant son téléphone. Il vaut mieux que j'appelle les secours.

— Pas question, rétorqua-t-elle en s'asseyant. Tu vois ? Aucun malaise. Je vais très bien. Je suis parfaitement capable de redescendre au ranch par mes propres moyens. Inutile de faire intervenir la cavalerie.

— Bien, Votre Altesse, marmonna-t-il comme s'il avait envie de l'étrangler. Vos désirs sont des ordres.

— Merci. A présent, nous devrions peut-être nous remettre en route avant que la tempête ne se déclenche vraiment.

— Rory, es-tu certaine d'être en état de marcher ? insista-t-il d'un ton inquiet.

— Oui, Walker. Sincèrement, ça va. Surtout que j'ai le capitaine des sauveteurs en montagne de Justice Creek avec moi, pour me soigner et m'aider dans les passages difficiles.

— Je dois reconnaître que tu sembles en pleine possession de tes capacités mentales, grommela-t-il. Et toujours aussi autoritaire.

— Alors, pouvons-nous repartir ?

Marmonnant entre ses dents, il rempocha son téléphone et l'aida à se relever, non sans lui avoir de nouveau demandé si elle ressentait des vertiges ou des nausées.

La neige tombait à gros flocons, à présent, s'accumulant sur les arbres et sur les saillies de la falaise, et elle le rassura une nouvelle fois. Certes, sa coupure au front lui faisait un peu mal, mais elle se sentait forte et capable de marcher.

— Je vais bien, répéta-t-elle. Allons-y.

Ils ramassèrent leurs sacs à dos et il redescendit le

premier sur la corniche inférieure, prêt à la recevoir si elle tombait.

Mais elle tint bon.

Ils arrivèrent à la base des chutes sans incident, puis ils commencèrent à redescendre le ravin. Lorsqu'ils atteignirent enfin le sentier, il insista pour vérifier son état de santé. Sachant qu'il était sincèrement inquiet, elle refoula son agacement et répondit à toutes ses questions.

Ils se remirent en route, Rory en tête de façon que Walker puisse vérifier son état de forme. Il insista tout de même pour traverser le pont de rondins en premier, et attendit de l'autre côté, prêt à lui porter assistance.

Cette sollicitude de tous les instants l'irritait un peu, mais après tout il essayait seulement de la protéger. Le vrai problème, c'était la neige. Elle s'accumulait rapidement sur le sentier, et le vent se renforçait. Le mauvais temps se transformait en blizzard.

Ils continuèrent à avancer, tête baissée pour résister aux bourrasques de vent, et bientôt ils arrivèrent dans le bois de peupliers. A ce stade, le paysage autour d'eux n'était plus que blancheur aveuglante. Elle ne s'étonna pas lorsqu'il l'arrêta et indiqua les pins à peine visibles au-delà du sentier.

— La cabane ? cria-t-elle pour se faire entendre par-dessus le vent qui hurlait.

— Oui, ce n'est pas très loin, je vais t'y conduire. Accroche-toi à mon épaule, et marche derrière moi.

Elle suivit ses instructions. Ainsi, il serait sûr qu'elle était toujours debout et en mouvement, et ils ne seraient pas séparés, même si, dans ce brouillard blanc, ils voyaient à quelques centimètres seulement.

Il l'entraîna hors du sentier, à travers des congères où ils s'enfonçaient jusqu'aux genoux. C'était une marche pénible, harassante, mais ils atteignirent bientôt l'abri des grands pins, dont les cimes serrées arrêtaient le vent et une bonne partie de la neige. Cent mètres plus loin, ils aperçurent la silhouette sombre d'une cabane au toit rouge.

Elle n'était pas très grande, et l'intérieur ne comportait probablement qu'une seule pièce. Les deux fenêtres, de part et d'autre de la porte, étaient fermées par des volets. Deux marches de bois grossièrement équarri donnaient accès à l'entrée, abritée par un auvent de tôle ondulée.

Elle remarqua alors le cadenas sur la porte.

— Autrefois, cette cabane n'était jamais fermée à clé, mais elle a été vandalisée à deux reprises, et nous avons dû placer un cadenas sur la porte, expliqua-t-il. Mais nous laissons toujours une clé cachée derrière la maison. Attends-moi ici.

Il disparut au coin de la cabane et, blottie sous l'auvent, frissonnant de froid, le cœur serré d'angoisse, elle attendit qu'il revienne la rejoindre, espérant qu'il ne se perdrait pas dans le blizzard. C'était absurde, bien sûr. Walker était né ici, et ces forêts étaient son domaine familier.

Deux minutes plus tard, il réapparut, faisant crisser la neige sous ses pas. Il grimpa les marches, et elle s'écarta pour lui permettre d'ouvrir le cadenas et de pousser la porte.

A l'intérieur de la cabane, il faisait aussi froid que dehors. Mais, au moins, ils étaient à l'abri du vent et de la neige. Il la soulagea de son sac à dos, qu'il posa sur le sol, avant de la guider à reculons jusqu'à un antique fauteuil à bascule.

— Viens, assieds-toi là…

Elle était tentée de lui déclarer qu'elle était parfaitement capable de s'asseoir toute seule mais, se souvenant du regard inquiet qu'il lui avait lancé avant de partir chercher la clé, elle y renonça. Cette cabane était la sienne. Il saurait ce qu'il y avait à faire. Mieux valait qu'elle reste assise et le laisse tranquille en attendant qu'il ait allumé le poêle à bois qu'elle avait remarqué tout à l'heure en entrant.

Elle s'installa confortablement sur les coussins, et il se pencha, ses grandes mains posées sur les bras du fauteuil.

— Comment te sens-tu ? murmura-t-il.

— Merveilleusement bien.

Il effleura sa bouche d'un baiser très doux, et trop bref. *Je t'aime, Walker. Tu es celui que mon cœur a toujours désiré.*

— Je m'étonne de te trouver si coopérative, avoua-t-il. Devrais-je m'inquiéter ?

— Si j'étais toi, je ne compterais pas que cela dure très longtemps, répliqua-t-elle en riant.

Une demi-heure plus tard, le feu ronflait dans le poêle, et Walker avait ouvert les volets. Une source coulait derrière la cabane. Il y remplit une grande casserole et une bouilloire qu'il posa sur le poêle. La cabane disposait même de lampes-tempête et d'une réserve de kérosène. S'ils devaient passer la nuit ici, au moins ils auraient de la lumière.

Ils prirent place sur les deux vieilles chaises devant la table de bois un peu bancale et s'attaquèrent au déjeuner qu'ils avaient emporté dans leurs sacs — des sandwichs, des pommes, des barres de céréales, des bouteilles d'eau minérale et un grand sac d'un mélange de raisins secs et de noix très énergétique. Ils partagèrent un sandwich au poulet et croquèrent leur pomme, choisissant de mettre tout le reste de côté, au cas où ils resteraient bloqués dans la cabane un ou deux jours de plus.

— La décoration est effectivement rudimentaire, fit-elle en jetant un coup d'œil au poêle et au sofa d'un autre âge, à l'évier doté d'un tuyau d'écoulement mais sans robinet, aux étagères garnies d'assiettes dépareillées.

Au fond de l'unique pièce, un escalier montait jusqu'à une mezzanine faisant office de chambre. Une seconde porte donnait accès au cabanon jouxtant l'habitation, où étaient rangés la réserve de bois de chauffage et les outils.

— Il est déjà 14 heures, dit-il en consultant sa montre. Apparemment, nous allons devoir passer la nuit ici, mais j'espère que la tempête se sera calmée avant le matin. Si la couche de neige est trop épaisse, j'appellerai Bud pour qu'il nous monte des chaussures appropriées.

Elle ressentait de douloureux élancements dans le front, et elle grimaça, esquissant un geste pour toucher son pansement. Walker fronça les sourcils.

— Souffres-tu beaucoup ?

— Cela me fait un peu mal, reconnut-elle. Mais aucun vertige ni sensation de nausée, rassure-toi.

— J'ai des antidouleurs dans mon sac, annonça-t-il.

— Plus tard, peut-être. Pour l'instant, tout va bien.

Un miroir était posé sur l'une des étagères au-dessus de l'évier. Elle osa s'en approcher, et ce qu'elle vit la fit de nouveau grimacer. Le sang avait séché sur le pansement qui recouvrait une grande partie de son front. Des hématomes violets débordaient du pansement jusqu'à la limite de ses sourcils, suggérant qu'elle exhiberait bientôt deux superbes coquards.

— J'aurais dû faire attention et nous écarter de ces formations de glace, maugréa-t-il. Mais j'étais bien trop occupé à t'embrasser.

— Et moi de même, rappela-t-elle. Ce qui est tout à fait normal. Parce que, lorsqu'on embrasse une personne, ce baiser est la seule chose qui devrait compter.

— J'aurais dû mieux te protéger.

— Walker, arrête, je t'en prie. Ces choses-là arrivent. Les accidents se produisent, et l'on n'y peut rien, à part gérer les conséquences. Et c'est exactement ce que nous faisons.

Elle balaya la pièce d'un regard circulaire, avant d'ajouter, esquissant un sourire sensuel :

— De plus, tout ceci est merveilleusement romantique. Nous sommes ensemble, isolés dans cette cabane en pleine tempête de neige. Rien que tous les deux. Lorsque l'eau sera chaude, je te donnerai un bain à l'éponge.

— T'arrive-t-il jamais de céder à l'abattement ? gémit-il.

— Oui, bien sûr. Mais jamais très longtemps.

— Tu es une femme vraiment spéciale, murmura-t-il. Et pas seulement parce que tu es une princesse dans la réalité.

Après quoi il lui tendit une main par-dessus la table. Elle la prit, et leurs doigts s'entremêlèrent...

Je t'aime, Walker. Je t'aime. Je t'aime...

Ces mots étaient comme une musique dans son esprit, et elle s'apprêtait à les prononcer à voix haute lorsque Walker sortit son téléphone.

— Je dois essayer de joindre Bud. Il informera Ryan de la situation. Ensuite, tu appelleras Clara, qui contactera ta mère.

— Walker ! protesta-t-elle en libérant sa main. Tu as le chic pour tuer une ambiance romantique.

— S'il te plaît, répliqua-t-il en s'emparant de nouveau de sa main, ce qui la fit frissonner malgré elle. Nous aurons tout le temps de mesurer le romantisme de notre situation lorsque nous aurons informé nos proches de ce qui s'est produit.

— J'imagine déjà la scène, dit-elle en s'esclaffant. Et, à intervalles réguliers, tu insisteras pour changer mon pansement, examiner mes pupilles et vérifier mes signes vitaux, je suppose.

— Je m'efforce seulement d'assurer notre sécurité, déclara-t-il d'un ton de doux reproche.

Comment aurait-elle pu s'insurger contre de si nobles intentions ? Elle le laissa donc appeler Bud, qui promit de s'occuper des animaux et d'informer Ryan de l'incident.

Dès que le temps le permettrait, il monterait à la cabane pour leur apporter des après-skis.

La connexion n'était pas formidable, et elle dut s'y reprendre à deux fois pour mettre Clara au courant de ce qu'elle avait besoin de savoir, en excluant soigneusement toute référence à la plaie sur son front. Clara promit d'appeler sa mère pour l'informer que Rory et Walker attendaient la fin d'une tempête de neige dans un confortable chalet de montagne et qu'ils seraient injoignables durant un jour ou deux.

Lorsqu'elle coupa la communication, Walker la dévisageait d'un regard accusateur.

— Tu n'as pas dit un mot de ta blessure.

— Si Clara ne sait rien, je n'ai pas besoin de lui demander de mentir à ma mère.

— Ta mère a le droit de...

— Ah, non, ne commence pas ! Ce que ma mère ignore ne peut pas la faire souffrir. Je ne suis pas gravement blessée et, si elle apprenait que je suis bloquée dans le blizzard avec un énorme pansement au front, elle ne pourrait que s'inquiéter et prendre immédiatement l'avion pour venir me sauver. Non, merci.

— Je n'aime pas mentir à ta mère.

— Mais tu ne lui as pas menti, et moi non plus. J'ai simplement... omis quelques détails.

— Revoilà la voix de princesse, marmonna-t-il.

Lorsque l'eau fut chaude, il lui lava le visage en laissant le pansement en place, effaçant les dernières traces de sang séché. Elle se sentit alors un peu plus présentable et lava son bonnet de laine, qu'elle suspendit à sécher près du poêle.

La longue attente commença. Il retrouva un vieux jeu de cartes, et ils firent une partie de rami. A 16 heures, il neigeait toujours et ils allumèrent les lampes à pétrole.

Ils dînèrent à 18 heures. En explorant les étagères, elle

avait découvert une vieille boîte de métal contenant des sachets de thé. Ils burent donc du thé bien chaud avec leurs demi-sandwichs.

— Le reste de la soirée promet d'être spectaculaire, déclara Walker d'un ton mélancolique. Encore quelques parties de rami, à moins que tu ne préfères lire ? Il y a quelques vieux romans d'espionnage et des piles de magazines du siècle dernier sur les étagères.

— Je crois que je vais lire. Je suis fan de John Le Carré.

— Tu t'ennuies ? demanda-t-il après une seconde de silence.

— Pas du tout. Ai-je l'air de m'ennuyer ?

— Non, convint-il. Je suppose que non.

Nouveau silence. Les mots montaient dans sa gorge, brûlant d'être prononcés : « Je t'aime, Walker. » Mais elle les refoula, une fois encore.

Terminant son demi-sandwich, elle joua un instant avec l'idée de le séduire. Aucune chance. Jamais il ne baisserait sa garde à ce point. Il se croyait tenu par l'honneur de la surveiller à tout instant, guettant les signes d'une éventuelle détérioration de son état — dont il se sentait par ailleurs responsable.

Très bien. S'il n'allait pas lui faire l'amour et qu'elle ne devait pas lui avouer qu'elle l'aimait, ils pouvaient au moins aborder un sujet important.

— As-tu jamais amené Denise ici ? s'enquit-elle.

— Dans cette cabane ? s'exclama-t-il d'un ton amusé. Jamais de la vie ! Elle l'aurait détestée.

— Moi, je l'aime bien. Mais, bon, je ne suis pas Denise.

— Non, convint-il après un long silence. Tu n'es pas elle.

— Je me réjouis que tu l'aies remarqué.

— C'est vrai. Tu es très différente d'elle.

— Denise était belle, lança-t-elle en sirotant son thé. Suggérerais-tu que je ne le suis pas ?

— Tu es très belle, assura-t-il. Même avec ce pansement.

— Bon, dans ce cas je te garderai peut-être encore un peu. Viens, allons nous asseoir sur le sofa, et apporte ton thé. Nous allons bavarder.

— Et de quoi parlerons-nous ?

— Tu verras.

Il lui lança un regard intrigué, mais il se leva et la suivit jusqu'au sofa.

— Je veux que tu me parles de Denise, dit-elle en se tournant vers lui, ses jambes ramenées sous elle.

— Pourquoi crois-tu que ce soit une bonne idée ?

— Parce que tu n'en parles presque jamais. Et j'aimerais comprendre. Dis-moi tout ce qui te vient à l'esprit, à son sujet. Absolument tout.

— Parles-tu sérieusement ?

— Oui, bien sûr.

Walker étudia un instant le visage tuméfié de Rory. Malgré ses ecchymoses, son regard était clair et vif. Il ne faisait plus aucun doute qu'elle allait se remettre.

Et ce n'était certainement pas grâce à lui. Jamais il ne se pardonnerait de ne pas avoir mieux veillé sur elle à la cascade de glace.

— Walker ? insista-t-elle. Parle-moi un peu de Denise.

Il demeura silencieux un long moment, mais finit par capituler face au silence de Rory.

— Elle… comment dire ? La première fois que je l'ai rencontrée, dans le bar où Ryan travaillait avant d'ouvrir le McKellan's, elle m'a déclaré qu'elle adorait vivre ici, dans ces montagnes. Ce soir-là, elle est rentrée avec moi au ranch. Le lendemain matin, elle a suggéré que ce serait merveilleux de vivre ici, avec moi, durant toute la vie. Et, moi, je l'ai crue. J'étais follement amoureux.

Il marqua une pause, avant de reprendre en soupirant :

— Mais, dès que nous avons été mariés, son discours a

totalement changé. Tout à coup, il n'était plus question que de soleil et de palmiers. Elle traînait toute la journée à la maison dans son peignoir. Elle pleurait continuellement. Nous avons commencé à nous disputer de plus en plus souvent. Elle a décrété qu'elle voulait rentrer en Floride, et que j'allais la suivre pour m'installer là-bas avec elle. J'ai refusé. Je ne me voyais pas du tout vivre en Floride. Mais, surtout, je me rappelais les mises en garde de Ryan, qui m'avait prévenu qu'elle n'était pas sincère. J'ai commencé à avoir l'impression qu'elle se servait de moi.

— Je comprends que tu aies pu avoir des doutes.

— Alors, poursuivit-il, elle a plié bagage, et elle est partie en me disant qu'elle m'enverrait les papiers du divorce à signer. Malgré toutes nos disputes, elle m'a manqué. J'étais très amoureux d'elle, et ce sentiment ne s'était pas encore effacé. J'ai commencé à réévaluer la situation, à essayer de voir les choses de son point de vue.

— Lequel ?

— Elle était mon épouse. Je l'aimais. Et j'avais un devoir envers elle. Je devais m'efforcer de faire réussir notre mariage. Je me suis persuadé qu'elle était sincère lorsqu'elle affirmait désirer vivre au ranch avec moi, et qu'elle avait pris trop tard conscience de son erreur. Alors j'ai commencé à penser que je devrais peut-être aller la retrouver en Floride pour nous donner une seconde chance.

— Toi, à Miami ? J'avoue que j'ai peine à l'imaginer.

— Ryan aussi m'a averti que c'était une erreur. Mais je ne l'ai pas écouté. J'ai décidé de partir en Floride pour essayer de sauver notre mariage.

— J'ignorais que tu t'étais rendu en Floride.

— Seul Ryan était au courant. Et, d'ailleurs, je ne suis pas resté très longtemps.

— Que s'est-il passé ?

Il tendit la main pour caresser sa joue veloutée, puis il effleura ses longs cheveux. C'était une sensation délicieuse.

Tout était merveilleux avec Rory. Plus riche, plus intense qu'avec aucune autre femme. Même dans leurs meilleurs moments, il n'avait jamais rien ressenti de tel avec Denise.

— Assez, Rory. Tu sais déjà que cela n'a pas fonctionné.

— Walker, raconte-moi. S'il te plaît.

— Ce n'est pas une histoire très réjouissante.

— J'ai envie de l'entendre. S'il te plaît ?

— Pourquoi ?

— Parce que cela te concerne, répondit-elle. Et que tu es important à mes yeux.

— En retour, vas-tu me parler de tes anciens petits amis ?

— Bien sûr, répondit-elle sans hésitation. Si tu y tiens.

Désirait-il réellement l'entendre parler de ses relations avec d'autres hommes ? Et dans quel but ? Cela lui donnerait seulement envie d'assommer les individus en question.

— As-tu encore des contacts avec certains d'entre eux ?

— Non, bien sûr que non.

— Aucun dont tu sois encore amoureuse ?

— Non, aucun.

— Dans ce cas, conclut-il avec un petit sourire narquois, si j'ai besoin d'entendre ces histoires un jour, je ne manquerai pas de te le faire savoir.

— Merveilleux, répondit-elle sans enthousiasme.

— Pourquoi me regardes-tu de cette façon ?

— J'attends encore que tu me racontes ce qui s'est passé lorsque tu es parti rejoindre Denise à Miami.

Alors, il capitula.

— Dix jours après qu'elle m'avait quitté, j'ai appelé Denise. Je lui ai dit que nous devions parler, et que je prenais l'avion pour Miami. J'ai eu l'impression qu'elle était contente d'avoir de mes nouvelles. Elle semblait heureuse, pleine d'espoir. Elle est venue me chercher à l'aéroport et m'a conduit à son appartement. J'ai ainsi découvert que c'était celui qu'elle habitait avant son séjour au Colorado et qu'elle s'était contentée de le sous-louer durant ses deux années d'absence. Elle a déclaré qu'elle était très contente de me revoir, et je lui ai dit que j'étais prêt à essayer la Floride. Parce que je tenais à elle. Nous avions presque retrouvé notre ancienne intimité lorsque son petit ami est arrivé.

— Quel petit ami ? s'exclama Rory, stupéfaite.

— Le type qu'elle fréquentait avant de venir au Colorado. Ils étaient de nouveau ensemble.

— Non !

— Hélas, si. Le moment a été pour le moins embarrassant. Lorsque je l'avais appelée pour lui annoncer ma visite, elle l'avait plaqué une nouvelle fois. Le pauvre type était effondré. Il sanglotait en me racontant que ces dix derniers jours avaient été les plus heureux de sa vie.

— Dix jours ! Mais ne m'avais-tu pas dit que Denise ne t'avait quitté que dix jours plus tôt ?

— Oui, moi aussi, j'ai fait le calcul. Entre-temps, le malheureux la suppliait de ne pas le quitter et menaçait de me rouer de coups. Elle a enfin réussi à se débarrasser de lui, et m'a aussitôt déclaré que ce pauvre crétin ne comptait pas et qu'elle était heureuse de me voir comprendre enfin que ma vraie place était à Miami, à ses côtés. Elle avait tout prévu. Je devais vendre mes parts dans le Bar-N et utiliser l'argent pour investir dans un fast-food franchisé à Miami.

— Walker ! s'exclama Rory en lui prenant la main. Je ne te vois vraiment pas derrière le comptoir d'un fast-food.

— Moi non plus. Et cela a vraiment signifié la fin de notre relation. Pas sa décision de me quitter, ni le fait qu'elle soit retournée dans le lit de ce pauvre type le jour même. J'ai décidé que tout était fini entre nous lorsqu'elle a suggéré que je devais vendre le Bar-N.

— Tu ne ferais jamais cela, dit-elle d'une voix douce.

— Non, jamais. Et j'ai enfin compris que notre mariage

ne pouvait pas réussir. Je la désirais encore, je croyais encore l'aimer, mais quelque chose s'était brisé entre nous. Ryan avait eu raison à son sujet, et je m'étais trompé. Nous n'avions rien en commun. Ça n'avait été qu'une question d'alchimie. Très excitant et très plaisant durant quelque temps, mais nous n'aurions jamais dû nous marier. J'avais été stupide de croire que cela pourrait fonctionner entre nous. Mais j'ai appris la leçon.

— Quelle leçon ? s'enquit-elle, retenant son souffle.

— Je n'aurais jamais dû me marier, et je ne commettrai pas deux fois la même erreur.

— Attends une minute ! protesta-t-elle, libérant vivement sa main. Même si cela n'a pas fonctionné avec Denise, cela ne signifie pas…

— C'est exactement ce que cela signifie.

— Tu te trompes ! Tu n'imagines pas à quel point.

— Mon père a quitté ma mère lorsque j'avais six ans, et elle a attendu son retour durant toute sa vie. Le jour de sa mort, elle l'attendait toujours. Elle a murmuré son nom avec son dernier souffle. C'est de la folie. Je ne comprends pas le mariage. Pour moi, c'est une langue étrangère, et je n'ai pas la moindre idée de ce qui le fait fonctionner. Et puis, d'un point de vue égoïste, j'ai mis trop longtemps à me remettre de Denise. Je n'ai aucune envie de revivre un tel cauchemar.

— Mais rien ne t'y oblige. Pas si tu choisis une personne qui ne te mentira pas, qui aime réellement ton style de vie et…

Le reste de sa phrase mourut sur ses lèvres. Mais, dans ses yeux, il lisait une étrange supplication, une totale vulnérabilité.

Et, face à ce regard, il commença enfin à comprendre qu'il y avait dans ces propos plus de profondeur qu'il ne l'avait soupçonné.

— Une femme qui ne me ment pas lorsqu'elle dit

attendre de la vie les mêmes choses que moi ? suggéra-t-il d'un ton prudent.

— Oui, répondit-elle.

Sous le pansement blanc taché de sang, ses yeux merveilleux le fixaient, pleins d'espoir. Alors il cessa de lutter. Il n'était peut-être pas très expert en amour et en psychologie féminine, mais Rory était différente. Elle n'était pas seulement son amante, mais aussi sa meilleure amie. Il la connaissait comme il n'avait jamais connu une autre femme. Il lisait en elle.

Et il identifia aussitôt le sentiment qu'il voyait briller dans ces grands yeux bruns.

Elle s'imagine qu'elle est amoureuse de moi.

Et elle cherchait les mots pour le lui avouer.

L'amour ? Non ! Il n'était pas doué pour cela. Elle méritait beaucoup mieux.

Il devait lui faire deviner qu'avec lui une histoire d'amour ne pourrait jamais réussir. Et il devait agir vite, avant qu'elle n'ait prononcé des mots qu'elle regretterait plus tard.

— Regarde la réalité en face, grogna-t-il. Que ferons-nous lorsque j'aurai tout gâché une fois encore ?

— Mais tu ne le feras pas.

— Si, je gâcherai tout.

— C'est vraiment très simple, ne le vois-tu pas ? Si tu choisis la personne qu'il faut, et qu'elle et toi êtes honnêtes et fidèles l'un envers l'autre, si vous faites tous deux des efforts pour que cela fonctionne…

— Non, je me porterai mieux en m'abstenant de quelque chose que je ne sais pas faire. Et je rendrai aussi service à la pauvre femme qui serait assez folle pour penser que m'épouser serait une bonne idée.

— Mais…

— Il n'y a pas de « mais ». Pas à ce sujet.

— Bien sûr que si ! L'amour est comme tout le reste.

Quand on ne sait pas, on apprend. Et, avec le temps, on progresse.

— Pour certaines gens, c'est peut-être vrai. Pas pour moi.

— Mais…

— Cela n'arrivera pas, Rory. Je ne m'engagerai pas sur ce terrain-là. Plus jamais. J'ai une vie agréable, et je l'aime exactement telle qu'elle est.

Rory venait de saisir. C'était l'évidence même.

Il sait.

Il savait qu'elle était amoureuse de lui. Il savait qu'elle cherchait à le lui avouer.

Il le savait, mais il ne voulait pas l'entendre.

C'était une souffrance pire que sa blessure au front. Elle brûlait de se jeter sur lui, de marteler son large torse de ses poings et de lui hurler au visage qu'il n'était qu'un idiot entêté incapable de reconnaître un trésor lorsqu'il en trouvait un.

Mais elle ne hurla pas. Elle ne lui martela pas la poitrine.

Elle se contenta de rester à le fusiller du regard, en s'efforçant désespérément de prendre une décision.

Avait-elle encore l'intention de lui avouer son amour ? Allait-elle reconnaître tout haut qu'elle l'aimait et qu'elle le désirait, qu'elle souhaitait vivre le reste de sa vie avec lui, ici même, au Colorado, au Bar-N ?

Allait-elle s'offrir à lui tout entière ? Son amour, sa vie, son cœur palpitant, alors même qu'il avait si clairement tenté de l'en dissuader pour ménager son orgueil ?

Elle se considérait comme une personne courageuse.

Mais non. Pas ce soir.

— D'accord, répondit-elle, plaquant un sourire sur ses lèvres. J'ai compris.

— Rory…

Sa voix avait changé. Elle était grave, un peu rauque, pleine de tendresse. A présent qu'il s'était fait comprendre, il essayait de la consoler, de soulager sa peine.

C'était inutile. Aucun discours ne pourrait la consoler.

— Tu ne tomberas jamais amoureux et tu mourras vieux célibataire, coupa-t-elle. C'est bien cela ?

— Rory, je…

— Ai-je bien compris ?

— Oui. C'est bien cela.

Cela faisait mal. Cela faisait aussi mal que la première fois qu'il le lui avait dit, et elle se demanda combien de temps il faudrait pour que la douleur s'estompe. Elle espérait que ce serait bientôt.

Mais, ce soir, les rêves qu'elle caressait ne s'étaient pas réalisés.

- 12 -

Ils dormirent dans le lit de la mezzanine, cette nuit-là.

Mais Rory resta de son côté. Et Walker n'essaya même pas de la serrer dans ses bras.

Il la réveilla à plusieurs reprises pour s'assurer qu'elle ne montrait aucun symptôme de complications. Elle le laissa examiner ses yeux et répondit à toutes ses questions.

Puis elle se détourna et fit comme s'il n'était plus là.

Au lever du jour, la tempête s'était calmée. Bud arriva un peu après 8 heures avec leurs après-skis. Ils replacèrent le cadenas sur la porte de la cabane et redescendirent au ranch en pataugeant dans la poudreuse. La maison était parée pour Noël, et la seule vue du sapin faillit la faire fondre en larmes. Elle évita de le regarder en téléphonant à sa mère et à Clara, pour les informer qu'ils étaient en sécurité au ranch.

Les engins de déneigement avaient bien travaillé, et la route de la ville était dégagée. Walker insista pour la conduire à l'hôpital, où on lui fit subir quelques examens, on remplaça son pansement et on lui assura qu'elle allait bien. Elle n'en garderait qu'une fine cicatrice, qu'elle pourrait faire examiner plus tard par un chirurgien si elle le désirait.

Elle demanda au médecin s'il la pensait capable de conduire un véhicule et de se débrouiller seule.

Le médecin répondit par l'affirmative.

De retour au ranch, elle caressa Lonesome et Lucky Lady, puis monta dans sa chambre pour faire ses bagages.

Walker la suivit à l'étage et resta planté sur le seuil, à l'observer d'un air sombre.

— Alors, comme cela, tu vas partir ?

— Préférerais-tu que je reste ? s'enquit-elle en rangeant une pile de sous-vêtements dans une valise.

— Oui, naturellement.

— Et prétendre qu'il ne s'est rien passé, hier soir ? C'est ce que tu souhaites ?

Pour toute réponse, il croisa les bras et baissa les yeux.

— Je vois, marmonna-t-elle en vidant un tiroir.

— Je savais que ceci finirait par se produire, déclara-t-il d'un ton désolé. Je l'ai toujours su.

— Eh bien, tu avais raison, Walker, répondit-elle, très tentée de lui lancer le contenu de sa valise au visage. Cela s'est terminé en désastre comme tu l'avais prédit. Es-tu satisfait ?

— Pas du tout, au contraire, protesta-t-il en entrant dans la chambre. Je me sens affreusement mal.

Il avait saisi son bras, et elle laissa échapper un petit cri, mais ce n'était pas un cri outragé. C'était merveilleux de sentir de nouveau le contact de sa main. A présent qu'elle était enfin devenue son amante, comment pourrait-elle vivre sans ses caresses ?

Elle jeta quelques vêtements dans sa valise et se tourna vers lui. Son cœur palpitait comme un oiseau affolé tentant de sortir de sa cage. Walker l'attira à lui sans qu'elle n'oppose la moindre résistance.

Puis ses bras se refermèrent sur elle, et…

Impossible, elle n'avait pas la force de le repousser. Elle leva sa bouche vers la sienne, il la prit, et ils restèrent là, près de la valise ouverte sur le lit, à s'embrasser passionnément, à se dévorer de baisers. Elle aurait voulu que cet instant ne se termine jamais.

Elle avait envie de jeter cette valise sur le sol, d'entraîner Walker sur le lit et de se perdre dans ses bras vigoureux, dans ses merveilleux baisers, dans la magie de ses caresses.

Mais où cela les mènerait-il, sinon à répéter la scène de la soirée précédente ?

Elle mit fin à leur baiser et le repoussa, plaquant les mains sur son large torse afin de l'empêcher de recommencer.

— J'ai besoin d'un peu de temps pour réfléchir.

Il lui prit le visage entre ses grandes mains. Dans ses yeux d'azur, elle décela le plus profond désespoir.

— C'est pire, murmura-t-il. Pire que quand Denise m'a quitté. Comment est-ce possible ?

— Walker, gémit-elle en saisissant ses poignets pour le repousser, tu dois me laisser partir, maintenant.

— Mais…

— Walker, laisse-moi.

Il parut enfin comprendre qu'elle était sérieuse. Il laissa retomber ses mains et recula d'un pas.

— Je… je vais t'aider à descendre tes bagages dès que tu auras terminé.

Et, sur ces mots, il tourna les talons, la laissant seule.

Elle retourna donc s'installer au Haltersham.

Dès qu'elle eut défait ses bagages, elle appela Clara, qui accourut aussitôt.

— Mon Dieu, Rory ! s'exclama-t-elle dès le seuil de la chambre. Que t'est-il arrivé ?

— Un bloc de glace m'est tombé sur la tête, puis Walker m'a déclaré qu'il ne pourrait jamais m'aimer, répondit-elle en éclatant en sanglots.

Clara lui tendit ses bras et elle courut s'y réfugier, en proie à de vifs sanglots. Puis elle lui raconta tout.

— Et que comptes-tu faire ? s'enquit Clara.

— Je ne sais pas encore, reconnut-elle d'une voix

tremblante. Je vais simplement essayer de traverser ces quelques jours jusqu'au mariage.

— Et après ?

— Je ne sais vraiment pas, répondit-elle.

Le lendemain, Rory alla chercher sa robe à la boutique Wedding Belles. Millie sursauta en la voyant entrer.

— Je pense qu'une bonne couche de maquillage dissimulerait les ecchymoses autour de mes yeux, expliqua-t-elle à la modiste. Mais il restera cet affreux pansement.

Millie lui demanda d'attendre un instant, et elle lui confectionna rapidement un foulard du même satin aubergine que sa robe. Puis, elle lui montra comment le porter pour couvrir le pansement.

Ce n'était pas idéal, mais c'était mieux que rien.

Puis le vendredi arriva.

Sa sœur Genny l'appela tôt ce matin-là pour lui annoncer qu'elle avait un nouveau neveu. Ils l'avaient appelé Tommy. La maman et le bébé étaient de retour à la maison, à Hartmore, et ils se portaient bien. Genny semblait parfaitement heureuse avec le comte qu'elle avait épousé et leur nouveau bébé. Elle vivait enfin l'existence dont elle avait toujours rêvé. Lorsqu'elle lui demanda des nouvelles de Walker, Rory n'eut pas le cœur de répéter toute l'histoire. Elle lui raconta donc simplement son accident aux cascades et leur nuit de confinement forcé dans la cabane, en omettant de mentionner que Walker et elle avaient rompu. Elle dirait tout à Genny dès que sa douleur se serait un peu estompée.

L'après-midi arriva et, avec lui, la répétition de la cérémonie et celle du dîner de mariage. Ses cousines l'entourèrent d'attentions, assurant que ses ecchymoses n'étaient pas très visibles. Et elles s'abstinrent aussi de se disputer entre elles. Il n'y eut aucune scène, pas un seul commentaire désobligeant.

Entre Clara et Ryan, la situation n'était toujours pas très claire. Ils étaient trop polis l'un envers l'autre, ne se touchaient pratiquement jamais, et chacun évitait le regard de l'autre. Rory souffrait pour eux. Depuis la nuit dans la cabane, elle était restée trop concentrée sur sa propre douleur pour penser à Clara et à l'étrange tension qui régnait entre Ryan et elle.

Puis Walker fit son apparition, et elle sentit son cœur se briser une nouvelle fois. Remarquant son trouble, il évita de tourner le regard dans sa direction. Elle s'efforça aussi de ne pas le regarder. Mais c'était impossible. Et il la surprit à plusieurs reprises en train de le fixer.

Elle connaissait ce regard. Brûlant d'un désir doulou-reux. A l'évidence, il souffrait autant qu'elle.

Mais, sans trop savoir comment, ils endurèrent l'épreuve. Le dîner terminé, Ryan et lui repartirent ensemble. Le reste du groupe resta pour le dessert. Lorsque la soirée se termina enfin, elle tenta d'attirer Clara à l'écart, espé-rant qu'elles pourraient parler de Ryan en privé. Mais un problème de dernière minute survint, concernant le menu de la réception, et Clara, Elise et Tracy durent partir pour le régler.

Rory s'en retourna seule à son hôtel. Elle regarda deux films de Noël l'un après l'autre, espérant retrouver sa bonne humeur, mais en vain. Elle alla donc se coucher.

Le lendemain matin, le jour du mariage de Clara, il faisait un temps superbe. C'était sûrement un bon signe. Rory appela sa cousine, mais elle n'obtint que son répon-deur, et elle laissa un bref message :

C'est moi. Rappelle-moi.

Puis elle appela le service d'étage pour se faire monter son petit déjeuner. Son téléphone sonna alors qu'elle poussait distraitement ses œufs Bénédicte du bout de sa fourchette. Elle supposa que c'était Clara, mais elle se trompait.

— Bonjour, ma chérie, déclara la voix de sa mère.

Rory faillit fondre aussitôt en larmes. Pourtant elle résista bravement et trouva même la force de lui débiter une excuse bancale. Elle ne pouvait pas lui parler parce qu'elle était très occupée avec les préparatifs du mariage.

— J'ai déjà appelé le ranch de Walker ; celui-ci m'a informée que tu étais retournée à l'hôtel. J'ai eu l'impression très nette que tout n'allait pas très bien entre vous.

— Je… je serai de retour au Montedoro demain soir, répondit Rory. Je vous expliquerai tout là-bas.

— Je serai toujours là pour toi, ma chérie. Tu le sais, n'est-ce pas ?

— Oui, je le sais, répondit-elle, refoulant un nouveau flot de larmes. Merci, mère. Je vous aime beaucoup. Mais, à présent, je dois raccrocher.

Et, avant de se mettre à sangloter comme un bébé, elle coupa la communication.

Clara ne la rappelant toujours pas, elle lui envoya deux textos, et sa cousine répondit au second :

Je suis débordée. Je te verrai au mariage. La limousine passera te chercher à 13 heures.

Débordée ? Et par quoi ? D'autres problèmes de dernière minute avec le menu ? Ou Clara n'avait-elle simplement pas envie d'écouter ses jérémiades au sujet de Walker ? Non, cela n'avait aucun sens. Clara lui avait toujours offert une épaule compatissante lorsqu'elle avait envie de pleurer. Elle était toujours prête à soutenir ses amis et les membres de sa famille, quels que soient leurs problèmes.

Il y avait fort à parier que Clara n'avait simplement pas envie de discuter de Ryan, et qu'elle avait deviné les intentions de Rory.

Qu'aurait-elle pu faire de plus ?

Rory appela le spa de l'hôtel, et on l'informa qu'on pouvait s'occuper d'elle tout de suite. Elle s'octroya un massage aux pierres chaudes, une séance de manucure et de pédicure, puis elle remonta dans sa suite. Elle prit une douche, se maquilla consciencieusement et noua le foulard de satin autour de sa tête, comme Millie le lui avait montré. Puis elle enfila sa robe de demoiselle d'honneur.

La limousine arriva à 13 heures précises. Toutes ses cousines — à l'exception de Clara — se trouvaient déjà à bord. Nell lui tendit une flûte de champagne, et elles portèrent un toast à l'amour éternel. Rory avait emporté tous ses appareils-photo. Elle prit de nombreux clichés de leur groupe, riant et bavardant en parfaite harmonie.

Le chauffeur les déposa devant la grande église toute blanche sur Elk Street. Elles descendirent et, dans un frou-frou de robes de satin, montèrent en courant les marches du perron pour se mettre à l'abri du froid vif. Clara les attendait à l'intérieur, resplendissante dans sa robe d'un blanc éclatant ornée de dentelle et de perles. Il y eut des embrassades, des vœux de bonheur et quelques larmes sentimentales. Rory prit d'autres photos sur le vif, celles que Clara préférait.

A 14 h 15, elles empoignèrent leurs bouquets de lys violets et de roses blanches et prirent leurs places respectives. Aux premiers accords de la marche nuptiale, les cousines commencèrent à remonter l'allée centrale de l'église. Rory fermait le cortège, juste devant Clara, et son cœur manqua un battement lorsqu'elle aperçut Walker, en élégant complet noir, planté à côté de Ryan devant l'autel, une expression désolée sur son beau visage.

Elle venait de prendre place sur la gauche, au plus près du pasteur, lorsque Clara apparut à son tour, telle une vision d'organza et de dentelle, son visage à peine visible sous le voile. En arrivant aux côtés de Ryan, elle remit son bouquet à Rory, et la cérémonie commença.

Rory concentra son regard sur les mariés, évitant soigneusement de se tourner vers le garçon d'honneur. C'était un tel effort qu'elle entendit à peine la voix grave et solennelle du révérend prononcer les paroles traditionnelles.

Le pasteur avait-il seulement posé la question classique : quelqu'un dans l'assistance voyait-il une raison de s'opposer à ce mariage ? Elle n'aurait su le dire.

Mais, alors qu'elle luttait de toutes ses forces pour ne pas regarder Walker, Clara déclara soudain d'une voix claire :

— Non ! Non, vraiment, ce n'est pas possible.

Et, sur ces mots, elle repoussa son voile.

Toute l'assistance cessa de respirer. Et le révérend ne put que bredouiller, au comble de l'embarras :

— Je dois avouer que cette situation est fort inhabituelle.

— Clara, ne t'inquiète pas, intervint Ryan d'une voix tendue. Je veux vraiment…

— Chut ! fit-elle en prenant ses mains dans les siennes. Tu es le meilleur ami qu'une femme puisse avoir, mais je ne peux pas faire une chose pareille. Ce serait injuste pour toi, pour mon bébé, et aussi pour moi.

— Je t'avais bien dit qu'elle était enceinte, chuchota quelqu'un un peu trop fort.

— Chut ! protesta quelqu'un d'autre.

— Je sais que tu essaies de m'aider, Ryan, poursuivit Clara. Que tu te dévoues pour moi. Et je t'aime pour cela. Mais notre mariage ne peut pas fonctionner.

Il y eut d'autres murmures, d'autres « chut ! », puis Clara se tourna vers l'assistance, et déclara :

— Il se trouve que Ryan n'est pas le père de mon bébé. Son vrai père nous a abandonnés, et Ryan ne supportait pas l'idée que mon enfant grandisse sans père. Alors, il m'a proposé de l'épouser. Et moi, par faiblesse et désespoir, j'ai accepté.

Suivirent d'autres chuchotements, d'autres rappels à l'ordre, et Clara se tourna de nouveau vers Ryan.

— J'aurais dû tout annuler depuis longtemps, conclut-elle.

— Clara ! murmura Ryan. Que puis-je répondre à cela ?

— Ne dis rien, répondit celle-ci, au bord des larmes. Tu n'es pas prêt pour ce mariage, et moi non plus. Nous le savons tous les deux. Tu es mon meilleur ami et tu le resteras toujours, mais le mariage n'est pas pour nous.

— Clara !

Ryan la serra contre lui, et ils demeurèrent ainsi, blottis dans les bras l'un de l'autre. Puis, Ryan s'enquit d'une voix douce :

— En es-tu sûre ?

— Oui, Ryan, murmura-t-elle. Tout à fait certaine.

Walker n'était pas vraiment d'humeur à faire la fête. Mais il désirait montrer son soutien à Clara et à Ryan, qui avaient décidé de ne pas annuler la réception.

Celle-ci eut lieu au vieux temple maçonnique, et presque tout le monde y assista. Les invités dégustèrent les délicieuses spécialités de Bravo Catering, le traiteur officiel de l'événement, firent honneur au bar et se pressèrent sur la piste de danse animée par un DJ local. De l'avis général, ce fut une soirée très réussie.

Walker réussit à attirer Ryan à l'écart durant quelques minutes, juste avant que l'énorme gâteau violet et blanc, décoré de fleurs naturelles, ne soit servi. Ryan lui avoua que, ayant grandi sans père, il ne supportait pas l'idée que l'enfant de Clara ait à endurer le même sort. Clara avait toujours refusé de lui révéler l'identité du papa, ou les raisons de son absence.

— Mais cela n'a pas fonctionné, conclut-il en soupirant.

Plus la date du mariage approchait, plus nos rapports étaient tendus. Cet enfant a besoin d'un père, mais ça ne peut pas être moi. Il était plus sage de tout annuler.

— Je me réjouis que vous ayez fait ce que vous estimiez juste, répondit Walker d'un ton encourageant. Je suis de tout cœur avec vous deux.

Durant le reste de la soirée, il se tint à l'écart de Rory, qui était absolument éblouissante malgré les couches de maquillage qui tentaient de dissimuler ses ecchymoses et cet étrange foulard violet qu'elle avait noué autour de sa tête. C'était un véritable supplice de la voir danser avec d'autres hommes, en sachant qu'elle partait le lendemain et qu'il était fort possible qu'elle ne lui adresse plus jamais la parole.

Il résista bravement durant une grande partie de la soirée, puis le DJ passa un slow langoureux, et il n'y tint plus. Il s'approcha derrière elle, s'empara de sa main et, sans un mot, l'entraîna sur la piste de danse.

Il n'eût pas été très étonné si elle avait résisté, ou même si elle lui avait allongé une bonne gifle. Mais elle le suivit docilement et ne protesta pas lorsqu'il la serra dans ses bras fiévreux. Ils dansèrent. Il respira avec délices sa fragrance unique, consigna une nouvelle fois dans sa mémoire sa douceur et sa force, se demandant comment il allait pouvoir supporter cette nuit sans elle. Et la nuit suivante.

Il voyait défiler son avenir, une suite infinie de jours vides, un néant sans fin, sans sa merveilleuse présence près de lui pour illuminer ses jours et ses nuits.

Cette danse se termina si vite qu'il n'eut pas le temps de lui dire un seul mot. Il n'avait fait que la serrer dans ses bras et résister à son envie de la supplier de rester.

Ce fut elle qui rompit le silence.

— La danse est terminée, Walker. Tu dois me relâcher, maintenant.

— Laisse-moi te conduire à l'aéroport, demain, supplia-t-il.

— Walker, ce n'est pas une bonne idée.

— Je sais, reconnut-il en la serrant plus fort, sa joue tout contre la sienne. Mais permets-moi de t'accompagner quand même.

— Walker…

Il cherchait désespérément l'argument susceptible de la convaincre lorsque, à sa grande surprise, elle capitula.

— D'accord, mais je dois quitter l'hôtel à 7 heures.

— A 7 heures, parfait. Je t'attendrai devant l'entrée.

— Comme tu voudras.

Et, sur ces mots, elle se libéra du cercle de ses bras et s'éloigna en le laissant planté là.

— Comment te sens-tu ? s'enquit Rory, s'adressant à Clara, qu'elle avait réussi à attirer sur un sofa à l'écart de la foule.

— Ça va aller, assura sa cousine en souriant. Tu es ravissante, même avec ce chiffon violet sur ta tête.

— Ce n'est pas un chiffon, mais un foulard fait main. Les foulards sont très en vogue, cette année.

— Oui, bien sûr, ironisa Clara. Je n'en doute pas. Au fait, ne t'ai-je pas vue danser avec Walker, tout à l'heure ?

— Il va me conduire à l'aéroport, demain matin, expliqua Rory en se rembrunissant.

— C'est excellent, non ?

— Pas vraiment, Clara. Tout ce que je t'ai dit l'autre jour est encore vrai. Il me désire, certes, mais il ne m'aime pas. Il ne croit pas que nous ayons un avenir ensemble.

— Laisse-lui un peu de temps.

Elle secoua la tête, puis se pencha à l'oreille de sa cousine.

— Si Ryan n'est pas le papa, alors, qui est-ce ?

— Je… je ne peux pas en parler maintenant, répondit Clara en soupirant.

Elle brûlait d'insister mais, s'efforçant toujours de respecter les désirs de ses amis, elle renonça.

— Lorsque tu seras prête à en parler, sache que je serai là, répondit-elle simplement.

Rory avait espéré que Walker changerait d'avis, et qu'il ne viendrait pas pour la conduire à l'aéroport. Plus elle y pensait, plus elle redoutait cette heure et demie de trajet jusqu'à Denver en sa seule compagnie.

Mais elle savait qu'il serait là. Walker refusait d'aimer de nouveau ou de se marier, mais il tenait toujours ses promesses.

Il l'attendait, assis dans son 4x4 devant la marquise de l'hôtel, lorsque Jacob, le porteur, sortit en poussant le chariot chargé de ses valises. Walker descendit aussitôt de sa cabine pour l'aider à les charger.

— Merci, Votre Altesse, dit le porteur en empochant le pourboire qu'elle lui tendait. A très bientôt, je l'espère.

Elle promit de revenir et grimpa sur le siège du passager. Puis ils se mirent en route.

Durant les trente premiers kilomètres, elle attendit, la gorge serrée, redoutant ce qu'il allait lui dire. Mais Walker demeura silencieux. Il avait recommencé à neiger, et le soleil n'était qu'une tache un peu plus claire derrière le rideau des nuages, s'élevant lentement au-dessus des montagnes.

Il alluma la radio, et le silence fut remplacé par des chants de Noël. Apparemment, il n'avait préparé aucun discours d'adieu. Comme il le lui avait promis, il la conduisait simplement jusqu'à l'aéroport. Rien de plus.

Elle inclina son siège et ferma les yeux.

Lorsqu'elle se réveilla, il ne neigeait plus, et les montagnes étaient derrière eux. Il éteignit la radio.

— Tu étais si belle et si paisible pendant ton sommeil, fit-il, d'une voix un peu rauque.

Elle ne répondit pas. Que répondre ?

Peu après, ils arrivèrent à la partie de l'aéroport réservée aux vols privés, où l'attendait le jet de sa famille. Un chariot électrique conduit par un employé en uniforme arriva aussitôt pour prendre en charge ses bagages.

Walker actionna l'ouverture automatique de son coffre, et l'homme se mit aussitôt au travail. Rory resta assise à sa place, consciente que, dès qu'elle aurait mis pied à terre, tout serait terminé. Il ne resterait plus rien à faire, à part prendre congé et s'en aller. Elle avait le cœur déchiré à la simple idée de descendre de son siège, comme si elle le quittait une seconde fois.

Durant un moment, il ne bougea pas non plus. Ils restèrent là, assis côte à côte à fixer le pare-brise, ensemble, mais à des années-lumière l'un de l'autre.

Puis, brusquement, il poussa sa portière et sauta à terre, la faisant sursauter. Un peu inquiète, elle le vit faire le tour du véhicule, puis il ouvrit la portière du côté passager. Un tourbillon de vent glacé pénétra dans la cabine, et lui arracha des frissons.

Il lui tendit sa main.

A la seconde où ses grands doigts tièdes se refermèrent sur les siens, elle sut ce qu'elle avait à faire. Elle descendit sur le tarmac, et elle n'eut qu'un pas à franchir pour poser les mains sur son cœur.

— Rory…, murmura-t-il, la voix rauque.

Une tempête grondait au fond de son regard d'un bleu lumineux.

— Chut !

Se haussant sur la pointe des pieds, elle posa les lèvres sur les siennes.

Il resta une seconde figé d'étonnement, puis il la serra très fort dans ses bras. Ce baiser dura une éternité, et elle en savoura chaque seconde, gravant cet instant dans sa mémoire, le goût divin de sa bouche, la douceur exquise de sa veste d'hiver sous ses paumes, le gémissement rauque qui s'était échappé de ses lèvres.

Mais, bientôt, bien trop tôt, il écarta ses lèvres des siennes.

— Rory...

Son regard lui disait qu'il désirait la garder dans ses bras pour l'éternité, mais elle connaissait la vérité. La peur de ce qu'elle lui offrait était plus grande que son désir.

Malgré tout, elle décida de parler.

— Je t'aime, Walker McKellan. Je n'aimerai jamais que toi.

Comme il restait à la dévisager d'un air stupéfait, elle posa les mains sur le col de sa veste de mouton et ajouta d'un ton enjoué :

— Voilà, je l'ai dit. Tu ne peux plus en douter. J'ai prononcé ce mot tant redouté devant toi. Et tu ne pourras plus jamais prétendre que je ne l'ai pas dit, que tu n'étais pas sûr de ce que mon cœur ressentait.

- 13 -

Walker la vit s'éloigner, le cœur serré.

Dès qu'elle eut disparu, il redémarra et rentra au ranch.

Mais être de retour chez lui ne lui procura aucune satisfaction. Tout ici lui rappelait sa présence. Lucky Lady et Lonesome le fixaient d'un air désolé, comme s'ils lui demandaient silencieusement où était passée Rory.

Et son enivrante fragrance semblait encore flotter dans l'air. Quand la respirerait-il réellement de nouveau ?

Elle était partie.

Comment avait-il pu laisser une telle chose se produire ? Il ressemblait beaucoup trop à sa mère. Lorsqu'il aimait, il aimait si fort qu'il ne savait plus comment vivre sans l'autre.

D'une façon mystérieuse, elle avait laissé sa marque partout dans la maison, et tout le faisait penser à elle — le sofa, la cheminée, la table de la cuisine… tout.

Et toute cette quincaillerie de Noël, qu'allait-il en faire ? Désormais, il ne supportait plus de voir ce sapin. Il avait envie de tout jeter par la fenêtre, de se débarrasser de chaque objet qu'elle avait touché.

Mais il resterait encore la maison elle-même. Son rire, sa passion et son amour de la vie avaient imprégné toutes les pièces. La seule façon d'effacer les échos de sa présence serait de la réduire en cendres.

Il se rendit aux écuries avec l'intention de faire une randonnée à cheval dans la montagne. Mais il resta à contempler les chevaux d'un regard vide, en se remémorant les matins où elle se levait avant l'aube pour l'aider à les soigner, toujours active, prête à accomplir sa part du travail.

Vers midi, lassé d'errer sans but entre la maison et les écuries, il ramassa ses clés et prit la route de la ville.

Il avait décidé de déjeuner au pub de Ryan, et de boire une bière — ou même dix.

Lorsque Ryan le vit entrer au McKellan's, un seul regard lui suffit. Il fit le tour du comptoir, et déclara :

— Viens dans mon bureau. Nous devons parler, toi et moi.

Ils entrèrent dans la petite pièce dans l'arrière-salle, et Ryan referma la porte derrière lui. En revoyant le vieux bureau éraflé sur lequel Rory s'était assise, durant la soirée d'enterrement de vie de célibataires, Walker se sentit encore plus déprimé. Il la revoyait dans cette jupe de la taille d'un timbre-poste, ces sandales à damner un saint. Il avait été incapable de s'empêcher de la dévorer de baisers, manquant de lui faire l'amour à même la surface du bureau.

Elle était partie, mais elle était encore partout. Il se retrouvait prisonnier d'un souvenir aussi doux que douloureux.

— Tu es un désastre, Walker, lança Ryan. Assieds-toi avant de t'écrouler.

Il ne se donna même pas la peine d'affirmer ou de nier, il recula jusqu'à l'une des chaises et s'y affala lourdement.

— Alors ? s'enquit Ryan. Que s'est-il passé ?

— Rory m'a dit qu'elle m'aimait.

— Et… c'est un problème ?

— Je ne voulais pas qu'elle le dise. J'ai essayé de l'en empêcher. Mais elle me l'a avoué quand même.

— Je ne comprends pas, répliqua Ryan en prenant

place derrière le bureau. Elle te dit qu'elle t'aime et, toi, tu te comportes comme si c'était la fin du monde.

— C'est presque cela, Ryan. Elle m'a… marqué profondément. Et je suis un peu comme maman, tu le sais. J'aime sans aucune limite, et cela se termine toujours en catastrophe. Je suis plus heureux tout seul.

— Je reconnais que tu es mieux tout seul qu'avec une intrigante comme Denise. Mais… Rory ? Tu es devenu fou ? Rory est sincère. Si elle dit qu'elle t'aime, c'est la vérité.

— Elle est trop bien pour moi ! Elle a grandi dans un palais. Soyons lucides, cela ne peut pas fonctionner.

— Et alors ?

— Et alors, je finirais comme maman, à attendre son retour durant le reste de ma vie.

— Un peu comme tu le fais maintenant ?

— Je n'attends pas du tout que Rory revienne, répliqua-t-il, un peu plus sèchement qu'il n'en avait eu l'intention.

— D'accord, d'accord, répondit Ryan d'un ton conciliant. Comme tu voudras.

— J'avoue que j'ai tout de même songé à brûler la maison, marmonna-t-il.

— La réaction normale d'un amoureux frustré. Sauf que c'est toi qui t'es frustré tout seul.

— Ne te moque pas de moi, Ryan.

— Je ne me moque pas de toi. Je me contente de te dire ce que tu as besoin d'entendre. Parce qu'il n'est pas trop tard pour toi. Tu es tellement amoureux d'elle que tu ne vois plus clair. Et je sais combien tu dois détester cela, toi qui as toujours besoin de contrôler chaque petit détail de ta vie. Mais, concernant l'amour, il n'y a rien à faire, sinon s'y abandonner.

— Te voilà devenu expert en amour ?

— Je travaille derrière un comptoir, répondit Ryan avec un haussement d'épaules. Dans ce métier, on en apprend beaucoup sur l'âme humaine. J'espère pouvoir appliquer un jour ces connaissances à ma propre vie. Cela n'a pas été le cas jusqu'à présent, mais je garde encore l'espoir. Dans chaque histoire d'amour, il y a un point de non-retour, au-delà duquel on ne peut plus partir sans regret. Et toi, frérot, tu l'as dépassé depuis longtemps. A ce stade, il ne te reste plus qu'une solution raisonnable. File tout de suite au Montedoro, et prie très fort pour qu'elle accepte de te reprendre.

— Il n'est pas question que je mette les pieds au Montedoro. Qu'irait y faire un type comme moi ?

Ryan se contenta de le dévisager en secouant la tête.

— Vous n'avez pas pu vous empêcher de jouer les marieuses, mère, n'est-ce pas ? s'enquit Rory d'un ton accusateur.

Confortablement installée sur le long sofa de velours, Adrienne sirotait son thé dans une ravissante tasse en porcelaine de Sèvres. Elle tiqua un peu à cette remarque, et posa le regard sur le pansement qui ornait toujours le front de sa fille.

— J'espère que tu as montré cette plaie à un médecin.

— Oui, mère, et je me soigne, rassurez-vous. Mais vous n'avez toujours pas répondu à ma question.

— Oui, je suppose que c'est un peu vrai, reconnut Adrienne en esquissant un sourire. J'apprécie énormément Walker, et j'ai pensé que vous formeriez un très beau couple.

— Vous le connaissez à peine. Vous avez passé à peine trois heures en sa compagnie, lorsque père et toi êtes venus en visite au Colorado.

— Je suis une excellente juge des caractères. J'ai su instantanément que Walker était un homme bien. Un homme solide et intègre. Je sais aussi que tu es amoureuse de lui depuis des années. Et je suis persuadée que tu n'aimerais pas un homme indigne de toi.

— Durant toutes ces années, ce n'était pas de l'amour, répondit Rory en reposant sa tasse de thé. Pas exactement. Et puis je croyais sincèrement que personne ne le savait.

— Pardonne-moi, ma chérie, mais je suis ta mère. Et, quelquefois, une mère devine ces choses-là. Allons, viens t'asseoir à côté de moi.

Rory avait désespérément besoin de réconfort, et elle ne protesta pas. Elle vint poser la tête sur l'épaule de sa mère.

— Cela n'a pas fonctionné, gémit-elle. Et je souffre.

— Je sais, ma chérie, murmura sa mère en déposant un baiser sur sa tempe. Il arrive quelquefois que les hommes les plus intéressants soient difficiles à convaincre.

— Tu dis cela comme s'il restait encore de l'espoir. Mais ce n'est pas le cas, pour nous.

— Que dis-tu là, ma chérie ? Cela ne te ressemble pas de capituler aussi facilement.

— Aussi facilement ? protesta-t-elle. Je l'ai attendu durant des années. Je lui ai tout offert, mon cœur, mon avenir, ma main. C'est à lui maintenant de me faire une proposition. Mais, jusqu'à présent, il ne l'a jamais faite. Et il ne m'a donné aucune raison de croire qu'il le fera un jour.

Deux jours avant Noël, Son Altesse Sérénissime Maximilien Bravo-Calabretti, héritier du trône du Montedoro, épousa Yolanda Vasquez, texane de naissance, ancienne nourrice et écrivaine en herbe. Ce mariage fut consacré par une double cérémonie, religieuse et civile.

Rory assista aux deux événements. Elle se réjouissait de voir enfin son frère aîné heureux, après la mort de sa première épouse dans un tragique accident. Yolanda, que tout le monde appelait Lani, portait un tailleur-pantalon crème à la cérémonie civile, et une ravissante robe blanche à longue traîne de dentelle et de perles lors de la cérémonie religieuse.

Ce soir-là toute la population du Montedoro fêtait les nouveaux époux, grâce à des célébrations géantes au casino d'Ambre. Vingt gigantesques sapins de Noël illuminaient le quartier des boutiques de luxe qu'on appelait le Triangle d'Or. Tous les cafés et tous les restaurants de la principauté étaient pleins à craquer d'une foule en liesse sortie fêter l'événement.

Dans leur palais perché sur son promontoire rocheux dominant la Méditerranée, Son Altesse la princesse Adrienne et son cher époux, le prince Evan, avaient organisé une grande soirée de gala en l'honneur des jeunes mariés. Les invités se pressaient dans les immenses tentes chauffées qui avaient été dressées dans les jardins. Le dîner fut servi dans de la vaisselle précieuse, sous le scintillement des lustres de cristal.

Après le repas, les invités se dirigèrent vers la salle de bal. Le père de Lani, professeur d'anglais dans un lycée de Fort Worth, conduisit Yolanda sur la piste de danse pour ouvrir le bal. Comme le voulait la tradition, Max prit ensuite sa place, et le papa céda de bon cœur sa fille à son beau prince.

Rory resta sur le côté de la salle dans une robe longue de dentelle or à reflets métalliques, un foulard assorti artistiquement noué autour du pansement sur son front. Elle sirota du champagne, heureuse pour son frère et sa belle-sœur en dépit de la tristesse qui lui serrait le cœur.

Elle se rapprocha de ses sœurs, Alice et Rihannon, qui étaient aujourd'hui toutes deux mariées, à l'instar de Max, Rule, Alexander, Damien, Arabella et Genny. De toute la fratrie de Rory, Genny était la seule à ne pas avoir assisté au mariage, car elle venait de donner naissance au petit Tommy, et Rory était la seule à n'être pas encore mariée. Elle se sentait un peu abandonnée, surtout maintenant, après les deux semaines magiques, magnifiques et terriblement frustrantes qu'elle venait de vivre avec Walker dans sa maison de Justice Creek.

Un flot de larmes monta à ses paupières, mais elle les refoula. Elle adorait le Montedoro, et elle l'aimerait toujours. Mais c'était au Colorado qu'elle se sentait chez elle. Certes, elle redoutait l'idée d'avoir à croiser occasionnellement Walker en ville, mais elle ne renoncerait pas à ce lieu qu'elle aimait. Un jour, elle en avait la certitude, elle aurait sa propre maison à Justice Creek.

Alice et Rhia désiraient l'entendre raconter ses aventures dans les montagnes Rocheuses. Elle leur décrivit le panorama de Lookout Point, et la beauté de Ice Castle Falls. Et elle leur raconta aussi la nuit qu'ils avaient passée, bloqués par le blizzard, dans une cabane au cœur des bois.

Mais leurs maris réapparurent bientôt. Les hommes saluèrent affectueusement Rory, puis ils emmenèrent leurs épouses sur la piste de danse.

Rory les vit s'éloigner le cœur serré.

— Ne te retourne pas, dit une voix grave derrière elle.

Elle se figea et cessa de respirer. La flamme de l'espoir venait de se rallumer dans son cœur.

Puis elle sentit des doigts légers caresser son épaule nue. Un frisson parcourut sa peau, mais elle ne se retourna pas.

Elle n'osait pas. Etait-ce la réalité, ou seulement une merveilleuse hallucination née dans un cœur opiniâtre qui n'acceptait pas la défaite ?

Il se rapprocha, et elle sentit la chaleur de son corps derrière elle, son souffle sur sa peau, sa fragrance masculine.

— Tu es si belle, murmura-t-il. J'avais peur de t'aimer. Cela me semblait… trop dangereux. Tu es tellement plus brave que moi, je craignais de n'être pas digne de ton amour.

— Walker…

— J'aurais dû t'avouer que je t'aimais, ce jour-là, à

l'aéroport, poursuivit-il d'une voix douce. J'aurais dû tomber à genoux devant toi et te supplier de m'épouser.

Elle ne rêvait donc pas. Il était bel et bien là.

— Pourquoi m'as-tu demandé de ne pas me retourner ?

— As-tu envie de t'enfuir ?

— Non ! protesta-t-elle. Bien sûr que non !

— Si c'est le cas, tu peux partir sans m'accorder un regard.

Elle sentit alors la brûlure de ses mains sur ses épaules, son souffle sur sa joue, et il ajouta d'un ton douloureux :

— Non ! Oublie ce que je viens de dire. Ne t'en va pas, Rory, s'il te plaît. Je t'aime. Je le sais, maintenant. Je veux que nous ayons une chance d'être ensemble. J'ignore combien de temps cela durera, et où cela nous mènera. Accorde-moi une chance, d'accord ?

Incapable de résister une seconde de plus, elle se retourna et leva les yeux vers son cher visage.

— Comment es-tu arrivé ici ?

— En avion, bien sûr. Ta mère m'a invité.

— T'a-t-elle envoyé le jet de la famille ?

— Elle me l'a proposé, en effet, mais j'ai préféré venir par mes propres moyens.

— Tu es trop fier, Walker.

— Rory, dis-moi la vérité : ai-je tout gâché ? Puis-je espérer que tu m'accorderas une seconde chance ?

Son frère Damien passa près d'eux en dansant, Lucy, son épouse, dans les bras, suivi, une seconde plus tard, par Alex et Liliana.

— Je crois que tu devrais danser avec moi, murmura-t-elle en prenant sa main.

Comment aurait-il pu refuser ? Il la conduisit sur la piste et la prit dans ses bras. Et, alors qu'ils évoluaient sous les lustres d'or et de cristal, elle murmura :

— Tu vas devoir apprendre à me faire confiance. A croire en ce que nous avons, toi et moi.

— Oui, je le sais. Et j'ai confiance, Rory. Je crois en toi.

— Et moi je crois en toi, Walker. Tu es l'élu de mon cœur.

— Rory…

Ils avaient arrêté de danser. Les autres couples évoluaient autour d'eux sans leur prêter attention.

— M'accorderas-tu une autre chance, Rory ? répéta Walker. Toi et moi ?

— Je t'aime, Walker.

— Je n'arrive pas à le croire. J'ai cru comprendre que tu venais de dire « oui ».

— J'ai déjà un plan, pour nous. Je sais ce que nous allons faire. Nous allons procéder prudemment, au début. Un jour à la fois, sans nous précipiter.

— Veux-tu dire que tu sais déjà que nous ne nous marierons jamais ? s'enquit-il d'un ton angoissé.

— Sois tranquille, je vais t'épouser. Tu n'as pas à t'inquiéter à ce sujet.

— Ouf ! Tu m'as fait peur, durant une minute.

— Embrasse-moi, Walker.

— Ici ? En plein milieu de la piste de danse ?

— Embrasse-moi. Tout de suite.

Alors, il posa ses lèvres sur les siennes.

Epilogue

Plus tard, ce soir-là, dans ses appartements au palais, lorsqu'ils eurent célébré leurs retrouvailles de la façon la plus intime, Walker la demanda officiellement en mariage, un genou à terre, et il lui offrit une magnifique bague de fiançailles ornée d'un diamant de taille coussin.

Elle l'accepta avec joie.

Walker demeura au palais pour Noël et pour le nouvel an. Le 2 janvier, ils retournèrent ensemble chez eux, à Justice Creek, après une escale de quelques jours chez Genny, Rafe et le petit Tommy dans la campagne anglaise du Derbyshire.

En février, alors que la blessure sur le front de Rory s'était réduite à une fine cicatrice, ils remontèrent à pied jusqu'à Ice Castle Falls. Les cascades étaient toujours gelées, et elle prit de magnifiques photos du site. Et, sur cette même corniche où il l'avait repoussée, des années plus tôt, Walker l'embrassa en y mettant tout son cœur.

Ensuite, ils retournèrent à la cabane dans les bois. Ils ouvrirent les volets, allumèrent un feu dans la cheminée pour se protéger du froid, puis, étroitement enlacés, ils montèrent l'escalier conduisant à la mezzanine. Le vieux lit de fer craquait, mais ni l'un ni l'autre ne le remarquèrent.

En mars, Rory accepta un contrat pour photographier des oiseaux dans un parc national en Virginie. Walker confia le ranch aux Colgin et l'accompagna dans ce voyage. Durant trois semaines entières, ils campèrent en pleine nature, dans une région rude et isolée. Ce fut absolument merveilleux.

A leur retour, Clara mit au monde son bébé, et elle trouva l'homme que son cœur attendait.

Puis arriva l'été, la haute saison au Bar-N, et les touristes vinrent en masse. Rory l'aida à gérer cette affluence, tout en étudiant les techniques de l'élevage de poules. Elle opta pour une méthode bio revenant à placer les volailles dans des enclos démontables au milieu des pâtures, protégées par une clôture électrique destinée à les préserver des prédateurs. Dans ces enclos, dotés d'un poulailler portable, les poules disposaient d'un environnement sécurisé, d'herbe grasse, d'insectes à foison, de soleil et d'air pur. En septembre, Rory s'enorgueillissait déjà de deux douzaines de pensionnaires heureuses et en pleine santé.

— J'avoue que je n'avais pas vraiment cru à ton projet d'élevage de volailles, déclara Walker un après-midi.

— J'ai maintenant l'intention d'acquérir un coq, lui dit-elle en s'asseyant sur ses genoux. J'ai envie d'élever mes propres poulets.

— Un coq, vraiment ? murmura-t-il en déposant une pluie de baisers sur sa gorge. Viens, montons faire une petite sieste. Nous pourrons en discuter au lit.

— Walker ! s'écria-t-elle en riant. Que…

Il la souleva dans ses bras et l'emporta dans la chambre. Ils firent l'amour longtemps, avec une douceur exquise, sans qu'ils ne reparlent du coq, mais Rory ne s'en formalisa pas.

A l'occasion de Thanksgiving, ils prirent l'avion pour le Montedoro, où ils assistèrent aux festivités traditionnelles que le prince organisait à cette date, notamment un grand bal réunissant l'élite de la principauté.

Pour les fêtes de fin d'année, ils restèrent chez eux à Justice Creek, et elle insista pour l'entraîner à la grande foire de Noël. Ce soir-là, en rentrant à la maison, elle déclara :

— Cette année, j'aimerais organiser de nouveau une fête pour décorer le sapin comme nous l'avions fait l'année dernière. Ce sera une tradition annuelle chez nous.

— Et si nous en discutions dans notre chambre ? suggéra-t-il en la soulevant dans ses bras.

Sans attendre sa réponse, il l'emporta jusqu'à leur lit, pour la déshabiller et lui faire l'amour jusque très tard dans la nuit.

Et la discussion au sujet du sapin n'eut jamais lieu.

Mais, au bout du compte, il aimait l'idée d'organiser une fête, même s'il ne pouvait s'empêcher de la taquiner à ce sujet. Le lendemain, ils invitèrent les amis et la famille à venir décorer la maison pour les fêtes. Tout le monde s'amusa beaucoup, et il fut convenu que l'événement se répéterait chaque année.

Les parents de Rory arrivèrent le 20 décembre. Et, la veille de Noël, en début d'après-midi, devant l'autel d'une minuscule église de rondins entourée par les pics enneigés des montagnes Rocheuses, ils se jurèrent amour et fidélité pour aussi longtemps qu'ils vivraient.

Puis, Walker glissa à son doigt l'anneau de mariage en platine, la prit dans ses bras et l'embrassa tendrement.

— Joyeux Noël, Votre Altesse, murmura-t-il.

— Je t'aime, répondit-elle. Et je t'aimerai toujours.

— Et cela, conclut-il d'une voix émue, c'est le seul cadeau de Noël dont j'aurai jamais besoin.

LEANNE BANKS

Le rêve d'Ericka

Passions

HARLEQUIN

Titre original : A ROYAL CHRISTMAS PROPOSAL

Traduction française de MURIEL LEVET

© 2014, Leanne Banks. © 2015, Harlequin.

83-85, boulevard Vincent-Auriol, 75646 PARIS CEDEX 13.
Service Lectrices — Tél. : 01 45 82 47 47

www.harlequin.fr

- 1 -

La princesse Fredericka poussa un soupir. Pourvu que son frère se montre conciliant.

Bien sûr, elle avait commis des erreurs, et elle le savait. Elle avait été une adolescente difficile. Ses frasques, nombreuses, avaient beaucoup inquiété et perturbé sa famille. Tout le monde avait paru soulagé qu'elle se soit mariée. Car elle semblait s'être calmée, posée. En un sens, c'était vrai. Malheureusement, elle n'avait pas tardé à comprendre que les choses ne se passent pas toujours comme on le souhaite. Mais elle avait réussi à profiter de ce que la vie lui avait offert. Néanmoins, à quoi bon nier l'évidence ? Son frère Stefan, le roi de Chantaine, n'accepterait jamais de la voir comme une maman célibataire dévouée au bien-être de son adorable bébé, Leo.

Alors qu'elle attendait d'être invitée à entrer dans son bureau, elle eut soudain envie de prendre ses jambes à son cou. Non, c'était une mauvaise idée, tenta-t-elle de se raisonner. Alors autant essayer de s'occuper l'esprit. Au bout de quelques instants, ses yeux tombèrent sur le ballet de serviteurs occupés à accrocher des décorations de Noël dans le vestibule. Pas de doute : c'était sans doute un ordre de la femme de son frère, Eve. Le fait est qu'Ericka ne se souvenait pas d'avoir vu de décorations de Noël au palais à l'époque de son enfance ou de son adolescence. En dehors de l'immense sapin qu'on dressait tous les ans dans la grande salle de réception, rien ne laissait penser que c'était la période des fêtes. Naturellement, les profonds différends qui avaient opposé son père et sa mère n'avaient rien fait pour arranger les choses.

Son père, le roi Edward, était un coureur de jupons. Comme il ne passait que peu de temps au palais, sa mère s'était sentie délaissée. Du coup, elle était rapidement devenue aigrie. A cette époque, Ericka ne rêvait que de s'enfuir. Et c'était exactement ce qu'elle avait fait. De toute évidence, la discussion qu'elle allait avoir avec son frère promettait d'être houleuse. Rien d'étonnant : Stefan avait toujours été tellement protecteur !

Tout à coup, un bruit la ramena à la réalité. La porte du bureau venait de s'ouvrir.

— Sa Majesté la princesse Fredericka est attendue, lui dit le secrétaire de son frère en lui faisant signe d'entrer.

— Merci, répondit-elle en se levant.

Une fois à l'intérieur, elle prit quelques instants pour observer le visage de son frère. Tiens, ses cheveux commençaient à grisonner au niveau des tempes. Manifestement, le poids de la couronne était lourd à porter.

— Comment vas-tu ? lui demanda-t-elle quand il se leva pour l'embrasser.

— Très bien. Mais c'est plutôt à toi qu'il faut demander ça. Comment allez-vous, toi et Leonardo ?

— Très bien, répondit-elle en souriant. Je suis ravie de retrouver Chantaine. Après cette longue année au Texas avec Tina, je commençais à avoir le mal du pays.

— Tu aurais dû rester ici, dit-il en contournant le bureau pour aller se rasseoir.

Voilà, les hostilités étaient lancées. Surtout, ne pas s'énerver. Aussi calmement que possible, elle prit place en face de lui.

— Je ne crois pas. Je suis ravie d'avoir vécu ma grossesse et mon accouchement là-bas, aux Etats-Unis. Tina et son mari ont été adorables avec moi. Et la présence de notre nièce m'a également fait beaucoup de bien. Katarina est si mignonne ! Les enfants ont l'art de nous faire relativiser les choses.

— C'est vrai. Mais je pense que vous feriez mieux de retourner vivre au palais, Leo et toi.

Ericka sentit soudain ses muscles se crisper. Hors de question de revenir ici ! Elle détestait s'opposer à son frère, mais elle n'avait pas le choix.

— Je ne crois pas que ce soit une bonne idée. J'ai trouvé une adorable petite maison à la sortie de la ville. Ce serait mieux qu'on aille vivre là-bas.

— Et ta sécurité, tu y as pensé ? demanda-t-il en fronçant les sourcils. Vous ne serez pas protégés, à l'extérieur des murs du palais.

Lentement, elle secoua la tête.

— Ce palais n'est pas fait pour moi. C'est un endroit étouffant. Regarde, aucune de nos sœurs ne vit ici. Je n'ai pas envie de ça pour Leo.

— C'est un bébé. Il n'en saura rien.

— Les bébés perçoivent beaucoup de choses, tu sais. Il sentira ma nervosité. Leo et moi, on a besoin d'une maison à nous, rien qu'à nous. J'ai trouvé une nounou géniale, et il continue d'être suivi à l'hôpital.

Il la regarda en pinçant les lèvres.

— Est-ce qu'il y a une chance pour que les médecins se soient trompés ?

— Non…, murmura-t-elle, la tête basse.

Son cœur se serra. Apprendre que son petit ange était sourd l'avait dévastée. On lui avait fait passer de nombreux examens depuis sa naissance. Malheureusement, le diagnostic était toujours le même.

— Il est atteint de surdité profonde. Je veux qu'il bénéficie du meilleur traitement possible.

— Mais, si tu vivais au palais, les choses seraient bien plus simples pour toi. Et ton fils serait en sécurité.

— N'essaie pas de me faire changer d'avis, répliqua-t-elle en secouant la tête. Il faut que je suive mon instinct. Et que je fasse les choses à ma façon. D'ailleurs, je compte sur toi pour me soutenir dans mes choix.

Son frère poussa un soupir.

— La situation risque d'être difficile à supporter pour toi. Je n'ai pas envie de remuer des souvenirs pénibles, mais…

— Si tu veux parler de ma cure de désintoxication, vas-y, ça ne me gêne pas.

Elle ne pouvait pas reprocher à sa famille de s'être fait du souci pour elle, non. En un sens, si elle avait survécu à cette humiliation, elle pouvait survivre à tout.

— J'ai la chance de n'avoir jamais pris de drogue quand j'étais adolescente. Quant à l'alcool, je n'en ai pas bu une goutte depuis quasiment dix ans. J'ai appris à me réveiller chaque matin en prenant la décision de rester sobre toute la journée.

— Le fait est que tu reviens de loin, répondit-il en hochant la tête. Mais je ne voudrais pas que tu te retrouves sous pression…

— Mais je vais me retrouver sous pression ! J'ai un bébé, je te rappelle. Je suis une jeune maman. Cela étant, je suis aussi une Devereaux. Contrairement à ce que vous avez pu penser, je ne suis pas le vilain petit canard de la famille.

— Je n'ai jamais dit ça.

— Mais tu l'as certainement pensé, murmura-t-elle en souriant.

Son frère écarquilla les yeux. Voyant son air outré, elle leva la main pour l'arrêter.

— Peu importe, de toute façon. Fais-moi confiance, je suis bien plus forte que tu ne crois. Tu verras, je serai très heureuse dans ma jolie petite maison.

— Très bien, finit-il par lâcher. Comme tu voudras.

Il n'empêche : je veux que tu sois en sécurité. Je vais te trouver un garde du corps, je te l'enverrai d'ici après-demain.

Ericka prit une profonde respiration. Impossible de refuser : cela risquait de le contrarier.

— Si tu insistes, répondit-elle en faisant une petite grimace. Mais arrange-toi pour choisir quelqu'un de discret, d'accord ?

— J'insiste. Tu travailles pour le royaume et, par conséquent, tu dois être placée sous protection. La coordination de la Société royale pour un monde meilleur est une mission importante. Cela étant, je me demande bien comment tu vas t'en sortir seule avec ton bébé.

— Je ne suis pas toute seule : j'ai une nourrice et deux sœurs sur qui je peux compter.

— Tu peux ajouter ma femme à la liste. Elle me tuerait si elle apprenait que je ne t'ai pas proposé son aide.

Elle ne put s'empêcher de sourire. Décidément, depuis qu'il était avec Eve, son frère n'était plus le même homme. Ces deux-là étaient vraiment faits l'un pour l'autre. Hélas, elle n'était pas près de connaître un tel bonheur. De toute façon, elle n'avait ni le temps ni l'énergie pour trouver l'âme sœur. Inutile de se miner le moral pour si peu.

— Si jamais tu changes d'avis, sache que tu seras toujours la bienvenue au palais, ajouta-t-il.

— Merci, mais je ne changerai pas d'avis. Bon, est-ce qu'on pourrait parler de la conférence ?

Il lui adressa un sourire réjoui.

— Ravi de te savoir aussi combative.

— Alors allons-y, dit-elle en allumant sa tablette.

Deux jours plus tard, Ericka reçut un texto de Stefan. Son secrétaire allait venir dans la matinée lui présenter son nouveau garde du corps. Elle resta quelques instants à regarder son téléphone, les sourcils froncés. Mince, ce n'était pas le meilleur moment. Elle était épuisée. Dire qu'elle n'avait même pas eu le temps de prendre une douche ! Leo avait mal dormi et pleuré une grande partie de la nuit. Bien sûr, elle aurait pu laisser la nourrice prendre soin de lui, mais elle avait insisté pour le garder près d'elle. Eh bien… Si on lui avait dit qu'elle aurait du mal à confier son fils à quelqu'un d'autre. Elle qui était certaine de ne pas avoir la fibre maternelle. Le moins qu'on puisse dire, c'était que la naissance de Leo avait bouleversé son existence.

Naturellement, maintenant que les rayons du soleil filtraient à travers les vitres de la maison, Leo dormait paisiblement… Tout en bâillant, elle se hâta de se changer et releva rapidement ses cheveux en chignon. Les présentations allaient sans doute durer cinq minutes tout au plus. Avec un peu de chance, elle pourrait retourner se coucher et dormir un peu avant de commencer à travailler. Avant Leo, elle n'aurait jamais fait la connaissance de quelqu'un sans être impeccablement habillée, coiffée et maquillée. Voilà encore une chose que la maternité lui avait apprise.

Alors qu'elle était perdue dans ses pensées, un coup résonna à la porte. Sans réfléchir, elle se précipita dans l'entrée pour ouvrir. Pourvu que cela ne réveille pas le petit !

En ouvrant, elle tomba sur Rolf, le secrétaire de son frère. L'instant d'après, elle remarqua l'homme de grande taille qui se trouvait derrière lui. Il devait mesurer un bon mètre quatre-vingt-dix. Du coup, on ne voyait que lui dans le petit jardin. Ce n'était pourtant pas faute d'avoir demandé quelqu'un qui passe inaperçu ! Son frère n'en avait fait qu'à sa tête, comme d'habitude.

— Bonjour, Votre Majesté, dit Rolf en s'inclinant légèrement devant elle. Je suis venu vous présenter votre garde du corps, M. Montreat Walker.

Après avoir poliment hoché la tête, elle se tourna vers l'homme en question.

— Bonjour, monsieur Walker.

— Appelez-moi Treat, répondit-il.

Il avait un accent très prononcé. Texan, visiblement.

— Très bien, monsieur Walker, lâcha-t-elle.

Une chose était sûre : elle n'avait aucune envie de dissimuler son agacement. Avec son menton carré et ses épaules trop larges, elle le trouvait tout simplement insupportable.

Elle se tourna vers Rolf.

— Merci d'être venu. Je recontacterai Stefan.

— Pour commencer, j'aimerais vérifier le dispositif de sécurité de votre domicile, intervint le garde du corps.

Il voulait entrer chez elle ? Et puis quoi encore ?

— Pardon ? demanda-t-elle.

— Oui, lui répondit-il. J'ai été engagé pour assurer votre protection. Je dois veiller à ce que votre maison soit parfaitement sécurisée.

— Il y a un dispositif de sécurité.

— Je peux le vérifier, alors.

Ericka se mordit la lèvre. Ce type était trop grand, trop musclé et trop américain, trop tout. Enfin, vu qu'elle n'avait aucun argument à lui opposer, elle finit par lui ouvrir la porte. Mais ce n'était pas de gaieté de cœur !

— Ne faites pas de bruit, mon bébé dort.

Il prit un air contrit.

— Je vais faire mon possible, mais il faut tout de même que je vérifie votre alarme.

De plus en plus énervée, elle se tourna vers Rolf.

— Veuillez dire à mon frère que je l'appellerai.

— Oui, Votre Majesté, répondit le secrétaire avant de s'en aller, tête basse.

— Ma présence ici n'est pas négociable, affirma l'Américain. Votre frère a pris sa décision.

Elle essaya de le regarder de haut. Mais il était bien trop grand pour cela.

— Pas négociable ? C'est ce que vous croyez.

— Nous verrons, répondit-il en haussant les épaules. Bon, je vais vérifier le dispositif.

Il commença à avancer dans le séjour. Le parquet se mit à craquer bruyamment.

— Je vous ai dit de ne pas faire de bruit !

Lentement, il se tourna vers elle.

— Votre frère m'a informé que votre fils souffrait de problèmes auditifs. C'est grave ?

A ces mots, elle sentit les larmes lui monter aux yeux. Si seulement elle pouvait répondre à cette question ! Hélas, même les spécialistes lui avaient dit qu'on ne pouvait pas définir avec précision l'ampleur de sa surdité.

— Oui, c'est grave. Et il n'a quasiment pas fermé l'œil de la nuit.

— Bon, je vais juste jeter un coup d'œil à la maison, alors, répondit-il en hochant la tête. Je testerai l'alarme plus tard. Faites-moi savoir quand je pourrai l'enclencher sans risquer de l'effrayer.

Si seulement ! Cela voudrait dire que son petit ange entendait quelque chose. Elle regarda fixement Treat Walker. Elle se sentait déstabilisée par cet homme. Il avait l'air compréhensif mais, en réalité, que savait-il des besoins d'un enfant atteint d'un tel handicap ? Rien, sans doute. Il avait probablement eu une vie parfaite. Sans problème. Sans épreuve.

L'avenir de Leo, en revanche, allait être jonché d'épreuves. Il allait falloir qu'elle le protège. Et, surtout, elle allait devoir l'aider à affronter son avenir tout seul. Le soutenir, le comprendre.

Alors qu'elle était perdue dans ses réflexions, une petite boule de poils traversa la pièce.

— C'est un chat ? lui demanda-t-il en fronçant les sourcils.

— Oui. Les médecins m'ont dit que la présence d'un animal de compagnie ferait beaucoup de bien à Leo.

— Et vous avez pris un chat ? dit-il d'un air surpris. Des animaux qui dorment vingt-trois heures sur vingt-quatre ?

— Sam ne dort pas beaucoup. Et il veille sur Leo.

— Vous voulez dire qu'il traque votre bébé.

— Pas du tout. Il le protège. D'ailleurs, il doit probablement être en train de vous étudier pour s'assurer que vous ne lui ferez pas de mal.

— A cause de lui, l'alarme risque de mal fonctionner.

Qu'il aille au diable avec son alarme ! Elle était chez elle, oui ou non ?

— Sam ne s'en ira pas, affirma-t-elle d'un ton ferme. Nous l'avons ramené du Texas. Mon frère a insisté pour qu'on le fasse stériliser. Il ne veut pas qu'il y ait trop de chats sur l'île.

— C'est une idée qui me paraît raisonnable et sensée…

Ericka se sentit bouillir. Ce qu'il pouvait être énervant, avec ses certitudes !

— Monsieur Walker, essayez de comprendre une chose : vous allez devoir composer avec un élément humain. Mon fils. D'autre part, je sais que les citoyens de Chantaine n'éprouvent aucune rancœur à mon égard. Ils sont ravis que je sois de retour.

— Mais, si quelqu'un vous veut du mal, je serai là pour vous protéger.

Au même instant, il plongea son regard dans le sien. Elle retint son souffle. Pas de doute : il allait la protéger au péril de sa vie. Il y avait dans ses yeux comme une lueur de tendresse. Etrange… Comment un homme aussi viril pouvait-il paraître si bienveillant ?

Oh ! cela n'avait pas grande importance. S'il était incapable de se montrer compréhensif avec son fils, elle n'avait pas besoin de lui. Et, s'il avait quelque chose contre son chat, elle s'arrangerait pour qu'il soit renvoyé.

Treat Walker passa un long moment à étudier le regard désapprobateur de la princesse Fredericka. Il avait lu son dossier. C'était l'enfant terrible de la famille Devereaux. Ses frasques d'adolescente l'avaient rendue célèbre dans le monde entier. Et, pour couronner le tout, elle avait même fait un séjour en cure de désintoxication avant d'épouser un réalisateur français.

Depuis, elle avait l'air de s'être posée. Même si elle était retournée à Chantaine pour des événements officiels ou familiaux, elle s'était faite extrêmement discrète. Ses apparitions publiques aux côtés de son mari se comptaient sur les doigts d'une main. Manifestement, elle avait décidé de vivre loin des flashs et des caméras pour se consacrer à des études d'histoire de l'art.

Hélas, quand son mari s'était épris d'une starlette, sa vie avait basculé. Dire qu'elle était enceinte quand elle avait appris la nouvelle ! De toute évidence, être éclaboussée par ce scandale lui avait fait beaucoup de mal. C'était sans doute pour fuir les médias qu'elle était partie vivre au Texas, chez sa sœur aînée, jusqu'à la fin de sa grossesse.

Il l'observa encore plus en détail. A première vue, elle semblait un peu trop parfaite. Avec son visage très aristocratique, elle aurait pu servir de modèle à un sculpteur de la Renaissance. Même si elle le regardait d'un air méprisant, il devinait de la peur dans ses yeux bleus.

On la sentait fatiguée. S'occuper d'un enfant atteint de surdité devait être extrêmement difficile, d'autant qu'elle semblait déterminée à faire beaucoup de choses toute seule.

— Vous savez, finit-il par dire, votre fils a de la chance que vous ayez les moyens de lui offrir les meilleurs soins possible. Ce n'est pas le cas de tout le monde.

Elle le regarda en fronçant les sourcils.

— Mais l'argent ne résout pas tous les problèmes. Certains choix peuvent être difficiles, répondit-elle, avant de tourner les talons.

Ericka passa sa journée à jongler entre Leo et la préparation de la conférence. La nourrice étant partie au marché, elle garda le petit dans un porte-bébé contre sa poitrine pendant qu'elle passait ses coups de téléphone. Au bout d'une heure environ, il ferma les yeux. Il était temps de le coucher dans son berceau. Mais, au moment où elle le posait dans sa gigoteuse, il laissa échapper un petit cri de protestation. Mince.

Elle se hâta de placer une main sur son ventre. C'était sa sœur qui lui avait appris cette petite astuce. Leo n'aimait pas être éloigné trop brutalement après être resté long-temps contre elle. Prolonger ce contact semblait l'apaiser. Quelques secondes plus tard, il poussa un petit soupir de contentement. C'était bon signe. Elle prit le temps d'admirer ses petites joues rondes et ses longs cils noirs. Elle sentit son cœur se gonfler. Rien n'était plus beau que son petit ange.

Au bout de quelques instants, elle finit par quitter la chambre. Il était temps de se remettre au travail. Elle referma à moitié la porte derrière elle, avant de s'engager dans le couloir. Soudain, elle se cogna contre un mur. Enfin, contre quelque chose qui ressemblait à un mur. Passé la surprise, elle ouvrit grand la bouche et leva des yeux paniqués.

Treat Walker.

Ouf, ce n'était que lui, songea-t-elle. Seulement, avant même de comprendre ce qui lui arrivait, elle sentit sa main se refermer sur elle. De quoi se mêlait-il ? Elle n'allait pas s'évanouir !

— Lâchez-moi, dit-elle d'un ton glacial.

Ce n'était pas dans ses manières d'être aussi désagréable, mais il l'avait bien cherché.

A ces mots, il libéra immédiatement son bras et elle fit un pas en arrière.

— Qu'est-ce que vous faites là ? poursuivit-elle sur le même ton hautain. Je croyais que vous étiez parti chercher une alarme. Pourquoi n'avez-vous pas frappé ?

— Pour commencer, étant donné que je suis votre garde du corps, je suis comme un membre de votre famille. Du coup, je peux entrer sans frapper.

— Monsieur Walker, vous n'êtes pas un membre de ma famille. Vous êtes un employé. Et mes employés n'entrent pas chez moi comme dans un moulin.

— D'autre part, poursuivit-il comme si elle n'avait rien dit, j'avais peur de réveiller le bébé.

Elle ouvrit la bouche pour protester, mais ne trouva aucun argument à lui opposer. Le moins qu'on puisse dire, c'est qu'elle ne s'attendait pas à une telle réponse !

— Soit, finit-elle par dire. Néanmoins, vous n'avez pas à surgir comme ça devant moi.

— J'étais en train d'examiner le couloir pour l'installation de la nouvelle alarme.

Ce qu'il l'agaçait, avec sa manie d'avoir réponse à tout !

— Ecoutez-moi, monsieur Walker. Avec la nourrice, nous avons trouvé notre équilibre, alors évitez de le perturber.

— Donnez-moi deux jours. Et je vous promets que vous ne remarquerez même plus ma présence.

Il ne croyait pas si bien dire. Elle allait se faire un plaisir de le renvoyer aux Etats-Unis en un rien de temps. Tiens, et si elle appelait Stefan pour lui en parler ?

Une fois seule, Ericka attrapa son téléphone et contacta son frère. Hélas, il avait éteint son portable. Curieux…, songea-t-elle. Enfin, elle pouvait toujours passer par sa belle-sœur. Encore que… Avec ses deux enfants en bas âge et le nouvel héritier qu'elle portait, Eve avait d'autres soucis en tête. Et puis c'était une affaire entre son frère et elle. Non, il valait mieux qu'elle appelle son secrétaire.

Fort heureusement, il décrocha.

— Rolf, c'est moi, Ericka. Tout va bien ?

— Très bien, Votre Majesté.

— J'ai cru comprendre que Stefan était très occupé aujourd'hui.

— C'est cela, oui.

— Beaucoup de problèmes à régler ?

— Oui. Comme vous le savez, le roi travaille très dur pour le peuple de Chantaine.

— Naturellement. Et c'est tant mieux. Puisqu'il est à son bureau aujourd'hui, je pensais lui rendre une petite visite. Je vous promets que ça ne durera pas plus de quelques minutes. Au revoir.

— Mais, mais…

Elle raccrocha. Et sourit. Si son frère voulait jouer à ce petit jeu-là, elle allait jouer, elle aussi. Et gagner.

En sortant de son bureau, elle trouva la nourrice en train de prendre une pause-café dans le salon.

— Marley, il faut que je fasse un aller-retour au palais. Ça ne sera pas long.

— D'accord, Votre Majesté. Ne vous en faites pas. Je veille sur le petit.

— Allons, je vous ai déjà dit de m'appeler Ericka.

— Je sais…, balbutia Marley. Mais j'ai du mal à le dire. J'ai l'impression que ce n'est pas respectueux.

— C'est moi qui vous le demande. Donc, c'est respectueux, non ?

— Oui, mademoiselle Ericka.

Ericka sourit. Cette femme était la douceur incarnée.

— Bon, c'est déjà mieux. Allez, à tout à l'heure.

Au volant de sa petite voiture, elle parcourut le dédale

de rues de Chantaine, passant plusieurs fois devant la mer qui scintillait le long de la plage de sable blanc. Quelle splendeur ! Il avait fallu qu'elle revienne dans sa terre natale pour comprendre à quel point ces paysages lui avaient manqué. Mais, en réalité, elle avait toujours tout fait pour ne pas rentrer. Longtemps, elle avait considéré Chantaine comme une prison. En fin de compte, quitter l'île avait été comme une libération.

Du coup, même si ses souvenirs d'adolescence continuaient de la hanter, elle était déterminée à ne penser qu'à son avenir. Sa première décision importante avait été de ne pas s'installer au palais. La deuxième avait été d'embaucher Marley. La suivante serait de se débarrasser du garde du corps qu'on lui avait collé dans les pattes.

Perdue dans ses pensées, elle s'arrêta devant les grilles du palais. Les portes s'ouvrirent devant elle. Une fois garée devant le bâtiment principal, elle s'approcha de l'entrée principale et appuya sur un bouton à reconnaissance digitale. De nouveau, les portes s'ouvrirent devant elle. Ses chaussures résonnèrent sur le sol de marbre alors qu'elle se dirigeait vers le bureau de son frère. Autrefois, c'était leur père qui travaillait dans cette pièce. Enfin, quand il n'était pas parti en croisière sur son yacht avec une de ses maîtresses.

Un vague sourire flotta sur les lèvres d'Ericka. Si bizarre que cela puisse paraître, son père avait réussi à engendrer cinq enfants légitimes, malgré ses nombreuses aventures extraconjugales. En un sens, sa mère voulait garder l'espoir de regagner le cœur de son mari. Malheureusement pour elle, son rêve n'était jamais devenu réalité.

Alors qu'elle songeait à tout cela, Ericka sentit son cœur se serrer. Elle aussi, elle avait connu ce sentiment de désespoir quand son mari l'avait délaissée. Il ne l'aimait plus, et elle le savait. Dire qu'elle avait fait l'amour avec lui pour essayer de le reconquérir ! Ce qu'elle avait été bête de se donner à lui de cette façon. Il lui avait fallu près d'un an pour se remettre de cet échec. Et elle s'était juré de ne plus jamais dépendre de qui que ce soit. Et, surtout, de ne pas s'abaisser devant un homme. Jamais.

Une fois devant le bureau de son frère, elle frappa énergiquement à la porte. Au bout de quelques secondes, Rolf lui ouvrit.

— Votre Majesté.

— Il faut que je parle à mon frère.

— Mais il…

— Ça ne prendra qu'une minute, je vous le promets, lança-t-elle en avançant vers lui. Stefan ! Je sais que tu es là. Montre-toi avant que je m'énerve.

Fronçant les sourcils, le secrétaire finit par reculer pour la laisser entrer. Derrière, elle aperçut son frère qui lui jetait un regard furieux.

— Ericka, j'étais en pleine vidéoconférence avec un duc espagnol, lui dit-il d'un air de reproche.

— Alors je tombe à pic, rétorqua-t-elle en lui adressant un large sourire. Tu peux bien prendre une petite pause ?

— J'ai d'autres choses à faire, figure-toi.

— Je suis certaine que ça peut attendre.

— Bon, j'imagine que tu es venue me voir pour te plaindre de ton nouveau garde du corps.

— On ne peut rien te cacher. Je t'avais demandé quelqu'un de discret, il me semble.

— Je ne vois pas ce que tu reproches à M. Walker. Il a une excellente réputation. Et je voulais ce qu'il y a de meilleur pour toi et pour Leo.

— On ne voit que lui. On dirait un éléphant dans un magasin de porcelaine. Depuis qu'il est arrivé, je l'ai toujours dans les pattes. En plus, il n'aime pas le chat et…

— Ce n'est pas un motif pour renvoyer quelqu'un. Ecoute, tu ne lui as pas laissé sa chance. Il n'a même pas fait une journée. Tu pourrais au moins lui accorder une période d'essai.

— Un seul jour, alors.

Il secoua la tête.

— Une semaine minimum. Il a rompu un contrat en cours aux Etats-Unis pour venir travailler avec nous.

— Je n'ai pas besoin que quelqu'un espionne ma vie privée. On ne court aucun risque ici, à Chantaine.

— Tu as oublié ce qui est arrivé à Eve avant notre mariage.

— Ça n'a rien à voir. Je ne vais pas faire beaucoup d'apparitions publiques, puisqu'il faut que je me concentre sur la conférence. Mais, si ça m'arrive, tu trouveras bien quelqu'un pour assurer ma sécurité.

Son frère poussa un soupir.

— Je ne voudrais pas t'effrayer, mais je n'ai pas confiance en ton ex-mari. Il va peut-être essayer d'utiliser Leo pour nous soutirer de l'argent.

A ces mots, elle sentit son sang se glacer. La peur lui dévora l'estomac.

— Mon ex-mari ne s'intéresse pas à Leo. Il savait que j'étais enceinte quand il m'a quittée.

— Oui, mais il pourrait très bien changer d'avis. Et, si c'est le cas, je veux que nous sachions quoi faire.

- 2 -

En s'approchant de la porte de la maison, Treat entendit deux voix en provenance du séjour. Qui cela pouvait-il être ? Ni une ni deux, il entra dans la pièce. Sans frapper, mais tant pis. Là, il aperçut la princesse, les yeux rivés sur une tablette. Elle suivait un cours de langue des signes en agitant les mains devant le bébé, qui était assis sur ses genoux.

— Alors, qu'est-ce que tu en penses ? dit-elle en baissant les yeux vers son fils.

Treat retint sa respiration. Manifestement, elle n'avait pas remarqué sa présence.

Soudain, l'air surpris, elle se pencha brutalement vers le petit et laissa échapper un joli rire mélodieux.

— Ça t'a tellement ennuyé que tu t'es endormi ? Bon, et si tu finissais cette petite sieste dans ton berceau ? dit-elle en le prenant doucement dans ses bras.

Quand elle se retourna, son regard croisa celui de Treat.

— Oui ? lança-t-elle avec un petit mouvement de tête.

— Voilà, j'ai installé le nouveau dispositif de sécurité autour de la maison. Demain, je vous donnerai un petit porte-clés avec un bouton qui vous permettra de m'appeler en cas d'urgence.

— Très bien, répondit-elle d'un air totalement indifférent. Je vais essayer de coucher Leo, maintenant. Il a du mal à s'endormir quand il n'est pas dans mes bras.

— Si ça se trouve, c'est parce que ses autres sens sont

très développés, en particulier sa vue. Vous avez pensé à laisser une veilleuse dans sa chambre ?

— Non. Ça ne m'est jamais venu à l'idée.

— C'était juste une idée comme ça, dit-il en haussant les épaules.

L'air pensif, elle resta quelques instants à l'observer.

— Je vais voir, finit-elle par dire.

Il hocha la tête.

— Vous avez l'air de bien vous débrouiller en langue des signes.

— Vous la pratiquez ?

— Un peu. Mais pas assez pour...

Il agita ses mains pour faire le signe des compliments.

Là, il vit un léger sourire se dessiner sur son visage.

— J'ai encore pas mal de chemin à faire, moi aussi, lança-t-elle. Mais, pour le moment, je vais mettre le petit au lit. Je suis contente que vous n'ayez pas déclenché l'alarme. Leo n'entend peut-être pas, mais la nourrice et moi, si.

— J'avais bien compris. Ecoutez... Je voulais vous demander... Ça vous gêne, si je nage un peu dans la piscine, la nuit ? La natation, c'est ce qui me permet de garder la forme.

Elle cligna plusieurs fois des yeux. Pas de doute : elle ne devait pas s'attendre à cette demande.

— Bien sûr que non, bafouilla-t-elle. Vous pouvez utiliser la piscine comme bon vous semble. Excusez-moi, mais il faut vraiment que je le couche, maintenant.

Au même instant, Treat sentit quelque chose s'enrouler autour de ses chevilles. Aussitôt, il baissa les yeux. C'était le chat.

— On dirait que Sam vous a adopté, lui dit-elle avant de se diriger vers l'escalier.

Il la regarda s'éloigner puis baissa la tête vers le chat pour le foudroyer du regard. Mais l'animal continua de ronronner contre ses jambes. En voilà un qui n'était pas farouche !

Treat pensa soudain à la femme qui venait de quitter la pièce. Lui qui pensait tomber sur une princesse prétentieuse… Pour être honnête, c'était l'impression qu'il avait eue de prime abord. Mais, en l'espace d'une journée, il avait deviné quelque chose de plus profond en elle. Une princesse qui s'initiait à la langue des signes pour l'apprendre à son tour à son bébé ? Il n'aurait jamais imaginé cela !

Une vague de chaleur se répandit soudain dans son ventre. Il ferma les yeux. Cela faisait bien longtemps qu'il n'avait pas éprouvé une telle sensation. Du reste, cela faisait bien longtemps qu'il n'avait pas éprouvé quelque chose. Depuis qu'il était garde du corps, il faisait de son mieux pour ne jamais trop s'impliquer sur le plan émotionnel. Sans compter qu'il avait mis sa vie sentimentale entre parenthèses quand il avait dû trouver le moyen de gagner sa vie. Lui qui rêvait d'une carrière de footballeur professionnel… Hélas, un accident en avait décidé autrement. Résultat : à partir du moment où il s'était lancé dans la sécurité, il avait tout fait pour faire fortune dans ce domaine. Voilà des années que son associé et lui se démenaient pour agrandir et développer leur société. Une société qui était désormais sur le point d'acquérir une renommée internationale.

Bref, il avait besoin de travailler pour la princesse Fredericka, mais il avait aussi besoin de garder ses distances. *Pas de problème*, se dit-il. *J'ai l'habitude, après tout.*

Encore une nuit à ne pas fermer l'œil, songea Ericka en se frottant les paupières. Le soleil commençait à filtrer à travers les volets de sa chambre. Leo ne s'était assoupi que une heure plus tôt, quand elle avait fini par allumer la lumière du couloir. Etonnant.

Marley lui avait naturellement proposé son aide. Hélas, elle se sentait incapable de confier le petit à quelqu'un d'autre quand il semblait si bouleversé. Quoi qu'il en soit, il était temps de se mettre au téléphone. Vu qu'elle avait mille coups de téléphone à passer, elle n'allait pas pouvoir s'occuper du petit. De toute façon, elle était complètement épuisée.

Une fois debout, elle fit un brin de toilette et se dirigea d'un pas lourd vers la cuisine. Marley était là, assise à la table de la cuisine.

— Vous auriez dû me réveiller, dit la nourrice en lui tendant une tasse de café. Je suis là pour ça, vous savez ?

— Je pensais qu'il allait finir par trouver le sommeil, répondit Ericka après avoir bu une longue gorgée de café. Mais il n'arrêtait pas de s'endormir et de se réveiller, de s'endormir et de se réveiller…

— Vous auriez dû venir me chercher tout de suite.

— J'ai fini par le prendre comme une sorte de défi.

— Hum…, fit la nourrice d'un air grave. Si vous voulez mon avis, personne ne devrait jamais défier un Devereaux.

Ericka se mit à rire.

— Vous avez raison.

Elle but une autre gorgée de café avant de reprendre :

— Le garde du corps m'a dit que la lumière pourrait peut-être l'aider à trouver le sommeil. D'après lui, du fait de sa surdité, ses autres sens, et notamment sa vue, seraient plus développés.

— C'est cet Américain qui vous a dit ça ?

Ericka acquiesça.

— Je n'aurais jamais cru ça de lui, dit Marley en secouant la tête.

— Moi non plus. Quoi qu'il en soit, je vais me pencher sur la question. Enfin, quand j'aurai le temps car, là, il faut vraiment que je me mette au travail.

— Prenez un autre café.

Elle tendit sa tasse à Marley.

— Heureusement que je n'ai pas de rendez-vous aujourd'hui, murmura-t-elle.

— Vous feriez bien de faire une petite sieste après le déjeuner.

Ericka haussa les épaules. Cela dit, la nourrice avait raison. Une chose était sûre : si tout le monde faisait une sieste après le déjeuner, les gens seraient de meilleure humeur — à commencer par elle.

La journée lui parut interminable. Fort heureusement, le café l'aida à tenir. Elle passa des dizaines de coups de fil et rédigea quelques notes sur son ordinateur portable. Même si la conférence approchait, les choses prenaient tournure. Tant mieux.

Après avoir mangé, elle se leva et s'étira. Un petit saut dans la piscine lui ferait du bien. Ni une ni deux, elle se rendit dans sa chambre pour enfiler son maillot de bain.

Une fois dans le jardin, elle descendit les marches de la piscine, mais s'arrêta brutalement. Mon Dieu, l'eau était glaciale. Après avoir pris une profonde inspiration, elle plongea et se mit à nager. Une longueur, une autre longueur. C'était difficile. Très difficile. Tout son corps était parcouru de frissons. A bout de souffle, elle s'arrêta quelques secondes à l'endroit où elle avait pied.

— Allez ! murmura-t-elle, avant de repartir.

Elle fit une autre longueur. Une fois au bout de la piscine, haletante, elle s'accrocha au rebord en béton. Soudain, elle sentit une main se poser sur son bras.

— Vous allez bien ?

Surprise, elle avala de l'eau et se mit à tousser, sans pouvoir s'arrêter. Impossible de reprendre son souffle. Là, elle sentit quelqu'un plonger à côté d'elle. Des bras musclés entourèrent son corps. Elle toussa encore deux fois, avant de se remettre à respirer prudemment, par le nez.

— Ça vous amuse de me faire peur ? finit-elle par dire à Treat Walker.

Le visage de l'Américain était à quelques centimètres du sien. Il avait plongé tout habillé, comme ça, sans réfléchir !

— Je croyais que vous étiez en train de vous noyer. Vous aviez l'air à bout de souffle.

— J'essayais juste de tester mes limites. Vous savez, je n'ai pas eu l'occasion de faire beaucoup de sport ces derniers mois.

— Je vois…, murmura-t-il d'un air gêné.

— Non, vous ne voyez pas, lança-t-elle, furieuse. Vous avez déjà eu à vous occuper d'un bébé ?

— Pas que je sache, répondit-il en lui adressant un sourire espiègle.

Insupportable. Cet homme était insupportable. Le temps de prendre une profonde inspiration, elle se dirigea vers les marches. Aussitôt, elle sentit ses mains viriles se poser sur sa taille. Il essayait de la soutenir, de la guider.

— Ce n'est pas…

— Pas de problème, dit-il sans la lâcher.

Soudain, elle sentit son cœur s'emballer. La chaleur de ces mains posées sur son corps était délicieuse et désagréable à la fois. Pourquoi se mettait-elle dans un état pareil ?

— Laissez-moi. Je vous dis que ça va.

Aucune réaction.

Elle se mordit la lèvre. Elle détestait l'idée de s'être trouvée dans cette position de faiblesse. Surtout face à ce type.

— Je faisais juste quelques longueurs.

Il baissa les yeux vers elle.

— Vous n'auriez peut-être pas dû en faire autant.

— Je n'en ai pas fait beaucoup.

— Vous devriez vous ménager un peu. Votre bébé ne fait toujours pas ses nuits, je crois ?

— C'est vrai.

— Vous devriez laisser la nourrice s'en occuper plus souvent.

Elle prit une profonde inspiration. Comment osait-il lui donner des leçons ? Hélas, il avait raison.

— Je peux très bien m'en occuper, lâcha-t-elle.

— Je suis votre garde du corps, rétorqua-t-il en lui tendant la main. Je dois veiller sur vous.

Ignorant la main qu'il lui avait tendue, elle commença à se diriger vers la maison d'un pas décidé.

— Vous avez fichu en l'air ma séance de natation.

— Je vous ai sauvée de la noyade, corrigea-t-il.

Furieuse, elle se retourna vers lui.

— Je vais vous dire une chose : vous êtes un véritable enquiquineur. Non, deux choses : vous êtes un véritable enquiquineur, et vous ne terminerez pas la semaine.

Il eut un petit sourire en coin.

— Votre frère a insisté pour que vous m'accordiez une période d'essai.

Folle de rage, elle repartit vers la maison. Elle avait envie de lui hurler qu'elle le détestait. Mais cela ne servait à rien de perdre son calme.

— Bonne nuit, finit-elle par dire d'une voix glaciale. Nous nous reverrons bien assez tôt.

— Vous saviez que Beethoven avait écrit quelques-unes de ses plus grandes œuvres quand il était sourd ?

Elle s'arrêta et eut l'impression que son cœur s'était arrêté lui aussi. A quoi bon le nier ? Ces mots l'avaient touchée, bien plus qu'elle n'était disposée à l'admettre.

— Bonne nuit, répéta-t-elle, sur un ton un peu moins froid, cette fois.

La nuit fut difficile. Même si Ericka avait laissé une lampe de chevet allumée dans la chambre de Leo, le petit se réveilla au milieu de la nuit en hurlant. On aurait dit qu'il souffrait terriblement. Elle se sentait dépassée. La nourrice était là pour l'aider, bien sûr, mais c'était à elle de l'apaiser pour qu'il puisse se rendormir. Heureusement, dès qu'elle le prit dans ses bras, il sembla se calmer. Tout en le berçant doucement, elle se demanda si elle pourrait être à la hauteur, un jour. Il était tellement fragile. Comment allait-elle pouvoir l'aider à affronter toutes les épreuves qui l'attendaient ?

Au bout de quelques minutes, elle le recoucha avec précaution dans son berceau, en prenant soin de laisser sa main sur le ventre de son petit ange. Il semblait profondément endormi. Hélas, une heure plus tard, il se réveilla de nouveau. Cette fois, elle laissa la nourrice s'en occuper, même si cela lui déchirait le cœur. Pourquoi était-elle incapable d'aider son fils à faire ses nuits ?

Elle se réveilla très tard et dut se forcer à sortir du lit. Après s'être rapidement lavée et habillée, elle se dirigea vers la cuisine. Elle avait vraiment besoin de café.

Par bonheur, Marley en avait préparé.

— Vous voulez du lait et du sucre, mademoiselle ?

— Oui, merci. Vous avez pu dormir un peu ?

— Oui. Sa Majesté a fermé les yeux après un demi-biberon. Ah, les hommes… ! s'exclama-t-elle en secouant la tête. Il n'y a que la nourriture qui les intéresse.

— Ça, c'est bien vrai, répondit Ericka en riant. Et ce matin ?

— Il dort toujours.

— C'est une bonne et une mauvaise nouvelle.

— Oui. Je vais aller me reposer un peu en attendant qu'il se réveille.

— Vous savez, Marley, je me disais qu'il faudrait peut-être engager quelqu'un d'autre pour la cuisine et le ménage…

— Ça ne devrait pas être nécessaire, mademoiselle, répondit la nourrice d'un air inquiet. Ecoutez, je sais que mon contrat m'autorise à rentrer chez moi quelques jours tous les mois… C'est ça qui vous pose problème ?

— Pas du tout, non. Croyez-moi : vous êtes irremplaçable. Mais je pense qu'un peu d'aide ne nous ferait pas de mal. A toutes les deux. Leo nous prend beaucoup d'énergie. Du coup, nous n'avons pas beaucoup de temps pour le ménage et la cuisine.

— C'est vrai. Et puis, vous travaillez beaucoup…

Ericka sourit. Ces quelques mots lui avaient fait beaucoup de bien. Elle se sentait soudain ragaillardie, plus sûre d'elle, et elle éprouvait même… une certaine fierté.

— Merci de me dire ça. J'ai parfois l'impression de ne pas réussir à tout faire. Ou plutôt de ne pas en faire assez. Enfin, je ne sais pas trop comment l'expliquer…

— Je trouve que vous vous débrouillez très bien. Dans votre travail comme avec votre enfant. Ne soyez pas si dure avec vous-même.

Ericka passa la matinée à contacter différentes personnes. La conférence approchait à grands pas. Au bout de quelques heures de travail, elle reçut un appel de sa sœur.

— Coucou, Bridget. Comment vas-tu ?

— Eh bien, je suis débordée. Entre la grossesse et les jumeaux, je ne m'en sors pas. Sans parler de notre ménagerie. Quand mon cher mari m'avait dit qu'il voulait recréer son ranch texan ici, à Chantaine, j'aurais dû dire non.

Ericka sourit. Sacrée Bridget. Sa sœur avait été une grande séductrice avant de tomber folle amoureuse de ce médecin texan et de ses deux petits neveux, qu'il avait adoptés.

— Vous avez encore pris des animaux ?

— Oui, et pas qu'un peu. Ecoute, je sais que tu es très occupée mais, avec Pippa et Eve, on voudrait se faire un déjeuner entre filles. Noël ne va pas tarder à arriver, tu sais ? Et le bébé sera peut-être là avant.

— Je serais ravie de venir, mais entre Leo et la préparation de la conférence…

— Je sais que tu es très occupée avec cette conférence. Mais rassure-moi, pour Leo, tu as tout de même une nourrice, non ?

— Oui, une supernourrice, d'ailleurs. Mais je crois que je vais devoir engager quelqu'un à mi-temps pour faire les courses et le ménage.

— Tu aurais déjà dû le faire, lui répondit sa sœur d'un ton désapprobateur. Tu en fais beaucoup trop. Demande au palais de t'envoyer quelqu'un.

— Oh ! tu sais… Plus je reste à l'écart…

— Oui, oui, je sais. Stefan n'arrête pas de se plaindre que tu refuses de vivre au château. Cela étant, je te comprends tout à fait. Je préfère encore vivre dans un cirque avec deux gamins turbulents plutôt que de rester enfermée là-bas. Mais j'insiste : tu devrais demander de l'aide. Comme ça, tu pourras déjeuner avec nous après-demain.

— Bon, bon… Je ne te savais pas si autoritaire.

— Si tu devais t'occuper de deux garnements qui n'écoutent rien, tu deviendrais vite autoritaire, toi aussi. Allez, à après-demain, ma belle. Mange du chocolat. Et prends-toi aussi un petit verre en pensant à moi.

Une fois qu'elle eut raccroché, Ericka se gratta la tête. Au fond, sa sœur avait raison. Autant passer un coup de téléphone au palais. Quelques minutes plus tard, l'un des assistants de Stefan lui assura qu'on lui enverrait deux candidats pour le lendemain. Et voilà une bonne chose de faite ! Allez, il était temps de donner le biberon à Leo. Au moment où il s'endormit, elle jeta un coup d'œil à sa montre. 20 heures, déjà ? Elle était épuisée, et le mot n'était pas trop fort. Heureusement que la nourrice était là. Tout à coup, elle repensa à sa sœur qui lui avait suggéré de prendre du chocolat et un peu de vin. Seulement, elle avait envie d'autre chose, quelque chose qu'elle avait découvert pendant sa grossesse au Texas.

Un sandwich au beurre de cacahuètes et au bacon.

Alors qu'il traversait le couloir, Treat sentit une odeur familière chatouiller ses narines. Du bacon grillé. Cela faisait des mois qu'il n'en avait pas mangé !

— Vous faites du bacon ? dit-il en entrant dans la cuisine.

La princesse se tourna vers lui.

— Techniquement, c'est de la pancetta.

— Ça sent comme le bacon.

— Ce n'est pas exactement la même chose mais, une fois qu'elle sera cuite, on n'y verra que du feu. Surtout si je la mets dans du pain avec du beurre de cacahuètes.

— Du beurre de cacahuètes ?

Elle hocha la tête avant de se retourner vers sa poêle à frire.

— C'est mon beau-frère qui m'a fait découvrir ça, au Texas, quand j'étais enceinte. Depuis, c'est ma meilleure astuce antistress.

Elle déposa la tranche de lard sur un papier absorbant et se mit à tartiner un morceau de pain avec du beurre de cacahuètes. Il sentit l'eau lui monter à la bouche. C'était vraiment trop tentant.

— Il ne vous resterait pas un peu de bacon, par hasard ?

— De pancetta, corrigea-t-elle.

— Oui, pardon. Ça sent vraiment très bon.

Elle partit d'un rire enjoué.

— Allez, je vais vous en laisser un peu.

— J'aimerais bien essayer avec le beurre de cacahuètes.

— Il ne m'en reste plus beaucoup, répondit-elle en lui jetant un regard penaud. C'est ma sœur qui me l'envoie du Texas.

— Ah. Ne vous inquiétez pas. Je vais juste prendre du bacon.

Sans rien dire, elle prit une autre tranche de pain qu'elle tartina de beurre de cacahuètes avant d'y déposer la pancetta et une autre tranche de pain.

— Si vous n'avez pas peur de prendre des risques…, dit-elle en lui tendant le sandwich.

— Je n'ai pas peur, non.

Il prit une bouchée pour goûter. Puis une autre pour confirmer son impression.

— C'est délicieux. La pancetta est un peu forte, mais c'est délicieux.

— Je suis d'accord. Je suis en train de me demander comment je pourrais faire importer du bacon d'Amérique. Discrètement, je veux dire, sans blesser mes amis italiens.

— Je ne trouve pas ça si mauvais, déclara-t-il, avant de prendre un autre morceau.

Elle mordit à son tour dans le sien et prit le temps de mâcher quelques instants avant de répondre :

— Dommage qu'on ne trouve pas de bacon ici…

— S'il y a bien quelqu'un qui pourrait s'en procurer, c'est vous, Votre Majesté.

— Mais nous avons des lois sur les importations. Je devrais peut-être demander à ma sœur de m'en envoyer du Texas sans en parler à mon frère.

— Vous imaginez le scandale : la princesse Fredericka fait importer du bacon texan.

Elle se mit à rire gaiement.

Son sandwich terminé, il baissa les yeux vers elle.

— Bon, je crois qu'il est temps d'aller se coucher, murmura-t-il.

Mais, au moment où son regard croisa le sien, elle commença à tousser, comme si elle avait avalé de travers. Il se mit aussitôt à lui tapoter le dos, prêt à intervenir.

Tout en continuant de tousser, elle s'éloigna de lui.

— Ça va…, parvint-elle à indiquer d'une voix étouffée.

— Vous êtes sûre ?

— Oui, répondit-elle entre deux quintes de toux.

Il remplit un verre d'eau et le lui tendit. Elle l'avala lentement et prit une profonde inspiration.

— Je crois que vous avez raison : il est temps d'aller se coucher.

— Si vous avez besoin de quoi que ce soit…, répondit-il en hochant la tête.

— Non, ça ira. Merci, monsieur Walker.

— Appelez-moi Treat.

— Treat ? répéta-t-elle en le regardant d'un œil curieux. C'est un drôle de nom.

— En fait, je m'appelle Montreat.

— Ah, c'est un diminutif.

— Oui, comme Ericka et Fredericka.

— C'est vrai. Allez, je m'occupe de la vaisselle et au lit.

— Laissez-moi faire. Allez vous coucher. Vous avez besoin de sommeil.

L'espace d'un instant, elle parut hésiter.

— Si vous insistez, monsieur Walker.

— Treat, corrigea-t-il.

Elle garda le silence un long moment.

— Treat, finit-elle par répéter d'une voix douce.

Il se sentit touché de l'entendre l'appeler par son prénom. Pourquoi ? Mystère. De toute façon, il valait mieux ne pas trop réfléchir à cela maintenant.

— Bonne nuit, princesse, murmura-t-il en la regardant quitter la pièce.

Un quart d'heure plus tard, alors qu'il venait de ranger la cuisine, il entendit du bruit. C'était le petit qui pleurait. Autant aller voir. Une fois dans le couloir, il tomba nez à nez avec la princesse. Elle s'était levée, bien évidemment

— Qu'est-ce que vous faites là ? chuchota-t-elle.

— Je voulais voir si votre bébé allait bien.

— Je peux m'en occuper toute seule.

— Peut-être, mais vous devriez vous faire aider. Même les super-héros ont besoin de repos.

— Je ne me prends pas pour un super-héros, répondit-elle en fronçant les sourcils.

— Alors arrêtez d'essayer de faire comme si vous en étiez un. Allez vous coucher.

— Mais qui va s'occuper de Leo ?

— Moi.

— Vous ? Je vous verrais plutôt avec un ballon de football dans les bras.

— Les bébés, les ballons… ce n'est pas si différent.

— Vous plaisantez, j'espère ? demanda-t-elle d'un air choqué.

— A votre avis ? En tout cas, rassurez-vous : il m'est déjà arrivé de bercer un bébé. Faites-moi confiance.

— Ah oui, et pourquoi ?

— Parce que votre frère m'a accordé la sienne, répondit-il en haussant les épaules.

Elle soupira. La pauvre… On aurait dit qu'elle arrivait à peine à tenir debout.

— Juste quelques minutes, alors. Quelques minutes, et ensuite vous me réveillez, marmonna-t-elle en tournant les talons.

Au moment où il entra dans la chambre du bébé, il éprouva un étrange sentiment : une forme de soulagement. Et de satisfaction, aussi.

- 3 -

Ericka se réveilla en sursaut au beau milieu de la nuit. Elle colla son oreille au babyphone. Fausse alerte, elle pouvait se rendormir. Leo ne pleurait pas. Tout allait bien.

Tout allait bien ? Non, tout allait mal. Car c'était l'Américain qui s'occupait de lui. Alarmée, elle se leva d'un bond. Mais comment avait-elle pu lui confier son fils ? Le temps de traverser le couloir ventre à terre, elle ouvrit doucement la porte de la chambre du petit. Treat était assis près du berceau et déplaçait le faisceau d'une lampe-torche sur le plafond. L'ayant aperçue, il posa son doigt devant ses lèvres pour lui faire signe de ne pas faire de bruit.

Elle baissa les yeux vers Leo qui suivait du regard le faisceau de lumière. Il avait l'air d'avoir sommeil. Au bout de quelques secondes, ses paupières finirent par se fermer lentement. Treat reposa la lampe sur la commode puis sortit avec elle de la pièce et referma doucement la porte derrière lui.

— Qu'est-ce que vous faisiez ?

— Je vous avais dit qu'il appréciait la lumière.

— C'est pour ça que je lui ai acheté une veilleuse.

— Oui, seulement je me suis dit qu'il préférerait peut-être quelque chose de plus actif. Ce n'est pas rien de suivre une lumière qui bouge. C'est un petit gars très intelligent.

A ces mots, Ericka se sentit touchée au plus profond

de son cœur. Si elle ne se contrôlait pas, elle allait éclater en sanglots. Elle était persuadée que Leo était intelligent, mais c'était la première fois qu'elle entendait quelqu'un le dire. On lui avait déjà fait remarquer qu'il était beau, énergique, qu'il était éveillé. Mais jamais personne n'avait parlé de son intelligence. Néanmoins, ce n'était pas le moment de montrer ses émotions à ce type, songea-t-elle en se mordant la lèvre.

— C'est vrai qu'il est intelligent, dit-elle en croisant ses bras sur sa poitrine. Merci d'avoir veillé sur lui. Ce n'est pas vraiment votre rôle.

— Je n'ai pas besoin de beaucoup d'heures de sommeil.

— Alors je vous envie, murmura-t-elle.

Soudain, elle se rendit compte qu'il était tout près d'elle. Si près qu'elle pouvait sentir la discrète odeur de son après-rasage. D'instinct, elle leva les yeux vers lui. Aussitôt, elle sentit une douce et agréable vague de chaleur se nicher au creux de son ventre. Allons, tenta-t-elle de se raisonner, il fallait absolument qu'elle se ressaisisse. Après avoir pris une profonde inspiration, elle détourna son regard de lui.

— Vous pouvez aller vous coucher. On va prendre le relais. Merci encore.

— Pas de problème, répondit-il en se dirigeant vers l'escalier.

L'espace d'un instant, le voir repartir vers la petite dépendance où se trouvait sa chambre lui fit mal au cœur. Le pauvre, être seul aussi loin de chez lui… Cela ne devait pas être facile à vivre. Même si elle appréciait de passer quelques heures au calme pour étudier l'histoire de l'art, elle avait besoin du contact humain. Et lui, en avait-il besoin, lui aussi ?

Soudain, elle se rendit compte que cela devait faire trois bonnes minutes qu'elle pensait à lui. Il fallait qu'elle se reprenne, et vite. Le fait que cet homme se sente seul ou pas n'avait pas d'importance. Tout ce qui comptait, c'était qu'il arrête de la suivre comme une ombre. Avec tout ce qu'elle avait à faire !

Treat avait regagné sa chambre depuis quelques minutes quand il commença à se sentir agité. Il tournait en rond comme un lion en cage, et cela l'énervait profondément. Malheureusement, impossible de sortir de la propriété pour aller courir. Tiens, et s'il prenait un bain de minuit ? Un petit plongeon l'aiderait peut-être à se détendre... Le temps d'enfiler son maillot et il prit la direction de la piscine. L'eau était fraîche mais pas désagréable. Il se mit aussitôt à nager en espérant que ces quelques longueurs l'aideraient à apaiser son esprit tourmenté.

Le bébé de la princesse avait fait resurgir en lui de tristes souvenirs. Jerry... Son petit frère était né avec des malformations multiples, qui le handicapaient sur les plans moteur et mental. Mais il avait l'esprit vif et un cœur en or. Treat le savait. Il le voyait dans ses yeux et son sourire.

Bizarrement, Leo ne souriait pas aussi souvent que Jerry. On avait toujours l'impression qu'il réfléchissait à quelque chose. Ou qu'il essayait de saisir toutes sortes d'informations pour les assimiler. Pas de doute : c'était un petit garçon curieux et attachant.

Jerry était très attachant, lui aussi. Hélas, ses problèmes de santé avaient pesé lourd sur leur vie de famille. Après la mort de son père, pendant son adolescence, Treat avait vu sa mère se battre pour payer les factures médicales. Il s'était occupé de son frère aussi souvent que possible, mais sa mère avait insisté pour qu'il fasse des études de sport et s'oriente vers le football. S'il rêvait de gagner beaucoup d'argent, c'était pour pouvoir s'occuper à la fois de sa mère et de son frère.

Hélas, Jerry était mort pendant la première année de Treat à l'université, et sa mère l'avait quitté un an après. Elle ne l'avait même pas vu obtenir son diplôme. Après cette épreuve, il s'était senti comme un bateau échoué sur un rivage.

Si la situation de la princesse était bien différente de celle de sa mère, les émotions qu'il lisait dans ses beaux yeux lui étaient familières. Cette peur, cette inquiétude, cette lassitude… C'était celles de sa mère ! Néanmoins, il sentait aussi beaucoup de volonté chez elle. La princesse semblait déterminée à faire tout ce qui était en son pouvoir pour que son fils bénéficie de la meilleure éducation et des meilleurs soins possible. Elle aurait pu choisir des solutions beaucoup plus faciles, mais on voyait qu'elle souhaitait absolument s'impliquer dans chacune des décisions concernant son bébé. Une chose était sûre : Leo avait beaucoup de chance. Non seulement parce que sa mère était une tête couronnée, mais aussi parce qu'elle lui était dévouée corps et âme.

Il finit par sortir de la piscine. Ces longueurs n'avaient pas servi à grand-chose, mais qui sait ? Penser à la princesse et au bébé l'aiderait peut-être à trouver le sommeil. Quoi qu'il en soit, Sa Majesté ne le laissait pas indifférent. Et il en était le premier étonné.

Debout dès l'aube, Ericka mena deux vidéoconférences dans la matinée. Elle préférait les coups de téléphone ordinaires : inutile de se maquiller ou de se coiffer pour discuter avec quelqu'un qui ne vous voit pas ! Un peu plus tard, elle apprit que les membres de la famille royale de Sergenia étaient en danger. Les terribles émeutes qui se déroulaient là-bas les avaient forcés à quitter le pays. Quelle triste histoire !

Après avoir terminé son travail de la journée, elle

décida de faire découvrir quelques œuvres d'art à Leo. Elle se réinstalla à son bureau, devant son ordinateur, et prit le petit sur ses genoux. En avant pour la visite guidée !

— Voici *La Joconde* de Léonard de Vinci, lui dit-elle à haute voix et en langue des signes. C'était un artiste brillant, tout comme Raphaël.

Elle s'interrompit pour pianoter sur son clavier.

— J'ai hâte de te montrer le *David* de Michel-Ange. Il n'y a rien de plus beau au monde.

Soudain, une voix résonna derrière elle. C'était Treat.

— C'est fou, je n'avais jamais entendu parler de tous ces gens-là. Enfin, sauf dans *Les Tortues ninja*.

Surprise, elle se retourna vers lui. Une fois encore, une étrange sensation de plaisir s'empara de son corps quand il posa les yeux sur elle.

— *Les Tortues ninja ?* répéta-t-elle. Qu'est-ce que c'est ?

— Un dessin animé avec des tortues qui portent les noms de grands artistes de la Renaissance italienne : Michelangelo, Raphael, Donatello et Leonardo.

— Ça m'a l'air hautement intellectuel.

Il se mit à rire.

— Eh bien, comme ça, j'aurai appris l'existence des vrais artistes, et vous, vous aurez appris celle du dessin animé…

Elle ne put s'empêcher de faire une petite grimace.

— C'est tout de même malheureux que personne ne vous en ait jamais parlé avant…

— Je plaisante, bien sûr, dit-il en riant de plus belle. Ne vous inquiétez pas, je ne suis pas tout à fait inculte. Mais je ne m'y connais certainement pas aussi bien que vous.

Elle plongea son regard dans le sien, et un délicieux frisson lui parcourut le dos.

— Mais vous pouvez toujours apprendre.

— Je ferai de mon mieux. Vous êtes prête pour votre déjeuner avec vos sœurs ?

— Oui, répondit-elle en se levant. Marley va prendre le relais avec Leo.

— Je suis sûr qu'il va être très calme. Sa leçon de ce matin a dû l'épuiser.

Elle plissa les yeux et lui jeta un regard torve.

— Vous voulez dire que je l'ennuie ?

— Pas du tout, répondit-il en agitant ses mains devant lui.

— Bon, il faut que j'aille me passer un coup de peigne. Je reviens dans deux minutes, dit-elle en se levant.

Et elle quitta la pièce.

La princesse partie, Treat se tourna vers Leo.

— Comment tu vas, petit gars ? Tu veux qu'on parle un peu football ?

Le regard fixé sur lui, Leo se mit à agiter les jambes en souriant.

Treat lui sourit tendrement. Ce qu'il était mignon.

— Tu connais Bonnie Sloan ? C'était un grand sportif, et il était sourd, comme toi. Tu vois, ce n'est pas parce qu'on a des problèmes d'audition qu'on ne peut pas faire ce qu'on a envie de faire. D'ailleurs, quand tu seras un peu plus grand, je pourrai t'apprendre à faire quelques passes, qu'est-ce que tu en dis ?

Au même moment, un bruit le fit se retourner. Marley venait d'entrer dans la pièce.

— Tout va bien ?

— Oui, notre petit prince vient de recevoir une véritable leçon de culture.

La nourrice hocha la tête en souriant.

— Sa Majesté a très envie de l'initier aux arts, à la culture et à la science.

— Et au sport ?

— Ça serait peut-être à quelqu'un d'autre de s'en occuper…

Soudain la princesse fit de nouveau son apparition dans la pièce.

— Je suis prête, annonça-t-elle en se précipitant vers Leo pour embrasser sa petite joue.

Ses longs cheveux blonds flottaient librement sur ses gracieuses épaules, et elle portait une jolie robe d'un bleu légèrement plus foncé que celui de ses yeux. Cette tenue mettait parfaitement en valeur ses courbes attrayantes et sa silhouette altière. Elle était splendide : il n'y avait pas d'autre mot.

— Parfait, Votre Majesté, répondit-il en la suivant vers la porte d'entrée.

— Vous n'êtes pas obligé de m'appeler « Votre Majesté ».

— Ah oui ? Alors, comment dois-je vous appeler ?

— En privé, Ericka, répondit-elle en s'approchant de la voiture.

— Et en public ?

— Eh bien, vous n'avez qu'à m'appeler mademoiselle.

— OK, Ericka, dit-il en lui ouvrant la portière.

Quelques instants plus tard, ils arrivèrent au restaurant où elle avait prévu de retrouver ses sœurs et sa belle-sœur. Alors qu'il venait de s'arrêter à un feu rouge, elle fit mine d'ouvrir la portière pour sortir.

— Attendez ! Je vais vous escorter jusqu'au café.

— D'accord, mais ce n'est pas la peine de rester, dit-elle tandis qu'il garait la voiture. Il doit déjà y avoir des gardes du corps dans tout le restaurant. Vous n'allez pas servir à grand-chose.

— Comment ça, je ne vais pas servir à grand-chose ?

— Ne le prenez pas comme une attaque personnelle, soupira-t-elle. Vous savez, quand il est question de sécurité, mon frère ne plaisante jamais.

— Et il a parfaitement raison. Vous êtes très importante à ses yeux. Et pas qu'aux siens, d'ailleurs. Bon, je vais vous attendre à l'extérieur. Appelez-moi, si vous avez besoin de quoi que ce soit.

Ericka passa la porte du restaurant et s'avança dans la salle. La réflexion de Treat lui trottait dans la tête. Qu'avait-il voulu dire par là ? Qu'importe, elle y réfléchirait plus tard. Et pour cause : Bridget venait de se lever pour la prendre dans ses bras. La future maman était rayonnante de bonheur !

— Contente de te voir, Bridget. Tu es superbe.

— Mais je serai bien plus belle dans quelques semaines. Regarde Eve. Est-ce qu'elle n'est pas jolie, aussi, à son sixième mois de grossesse ?

Tout en hochant la tête, Ericka embrassa sa belle-sœur.

— Comment va notre petit Leo ? lui demanda celle-ci.

— Très bien. Mais il ne fait toujours pas ses nuits.

— Ne t'inquiète pas. Ça ne devrait pas tarder, affirma Pippa, son autre sœur, qui se mit à observer très attentivement son visage.

Ericka se sentit rougir. Elle aurait aimé pouvoir cacher ses émotions. Mais comment faire, face à des gens qui la connaissaient si bien ?

— Tu aurais dû me demander de l'aide, finit par lui dire Pippa d'un air de reproche.

— Mais tu es déjà très occupée avec ton bébé.

— J'ai toujours du temps pour ma famille, répondit sa sœur. Tu as des nouvelles, pour son traitement ?

— Il a toujours son appareil auditif, mais je n'ai remarqué aucune amélioration. Une opération est envisageable, dans le futur, mais je veux d'abord m'assurer que ce ne soit pas trop risqué. Quoi qu'il en soit, je continue de lui apprendre la langue des signes. Et, bien sûr, j'apprends, moi aussi.

— Tu sais qu'on sera toujours avec toi. On serait toutes ravies d'apprendre la langue des signes. Ça sera bien pour Leo, et aussi pour nos enfants. Pour toute la famille, même.

Ericka sentit ses yeux s'emplir de larmes. Décidément, sa sœur avait un cœur d'or.

— C'est tellement gentil, dit-elle en la prenant dans ses bras. Tellement gentil.

— Oh ! arrête ça, lui répondit Pippa. C'est parfaitement normal. Et puis, c'est un déjeuner entre filles. On n'est tout de même pas venues ici pour pleurer.

Effectivement, il fallait qu'elle profite de ce moment de liberté. Ericka choisit une salade et une crêpe au poulet. Au dessert, ses sœurs et elle décidèrent de goûter la tarte au chocolat, la grande spécialité de la maison !

— Délicieux, lança-t-elle.

— Je suis bien d'accord avec toi, acquiesça Bridget avant de se tourner vers elle. Au fait, Stefan m'a dit que les préparatifs de la conférence étaient extrêmement prometteurs. Et tout ça grâce à toi.

— Il me l'a dit, aussi, fit Eve.

— Et à moi aussi, ajouta Pippa.

Ericka sentit ses joues rougir. Si tout le monde continuait de lui faire tous ces compliments, elle n'allait plus savoir où se mettre !

— Merci. J'ai de la chance : les intervenants se sont tous montrés très coopératifs.

— Ravie de l'apprendre, dit Eve.

— Mais j'ai reçu un coup de fil inquiétant, ce matin, reprit Ericka. Vous savez que les choses vont mal à Sergenia. Le roi et les princesses aimeraient trouver un endroit où se réfugier. Et je pense que Chantaine serait le lieu idéal.

— Mais notre pays est tout petit ! Comment pourraient-ils se cacher ici ? demanda Pippa.

— En changeant d'identité, répondit Ericka. Ils trouvent que c'est une bonne idée.

— Mais tu penses que Stefan sera d'accord ? s'enquit Bridget. Il a toujours été partisan de la neutralité.

— Peut-être qu'en faisant doucement pression on pourrait le faire changer d'avis…, rétorqua Ericka en faisant un clin d'œil à sa belle-sœur.

— Appelle-moi plus tard pour me donner les détails, dit Eve. Je verrai ce que je peux faire. C'est un homme merveilleux, mais très têtu. Enfin, c'est pour ça qu'on l'aime…

— C'est vrai, acquiesça Pippa en levant son verre de soda. Allez, au bonheur et à la santé des Devereaux actuels et à venir.

Ericka sourit et elles trinquèrent joyeusement. Que c'était bon de pouvoir compter sur elles !

— Au fait ! s'exclama soudain Eve. La semaine prochaine, il y a l'illumination de l'arbre de Noël du palais. Tu viendras, Bridget ?

— Si je peux… Je voulais vous demander, d'ailleurs… Euh… il y a deux béliers qui viennent de naître dans notre zoo. Personne n'en voudrait un, par hasard ?

La proposition fut accueillie par un grand silence gêné. Il fallait s'y attendre. Heureusement, la conversation ne tarda pas à reprendre son cours. Elles bavardèrent gaiement quelques minutes encore.

Finalement, elles se levèrent pour se dire au revoir. Il était temps de rentrer, hélas. Ericka attendit que ses sœurs et sa belle-sœur soient sorties pour s'en aller à son tour. Dehors, juste à l'entrée du café, un petit groupe de personnes s'était rassemblé. Pour l'attendre, apparemment. Pour une surprise, c'était une surprise.

— Bonjour…, balbutia-t-elle.

Plusieurs personnes commencèrent à s'approcher d'elle d'un pas précipité. Impossible de faire demi-tour : elle était coincée. Par bonheur, au même moment, Treat fendit la foule.

— Montez dans la voiture, lui dit-il. Elle est derrière vous.

Complètement affolée, elle se précipita vers le véhicule, où il ne tarda pas à la rejoindre.

— La prochaine fois, ne partez pas la dernière, lui dit-il d'un ton ferme en démarrant. Les gens se sont rassemblés quand ils ont vu vos sœurs s'en aller.

— J'essayais juste d'être polie, protesta-t-elle.

— La prochaine fois, vous partirez en même temps qu'elles ou avant. Réfléchissez. Si je n'avais pas été là, vous auriez pu tomber dans une bousculade et vous faire piétiner.

Elle avait envie de le contredire, mais au fond il avait raison. Elle avait sous-estimé l'intérêt que portait le peuple aux membres de la famille royale. Mais, maintenant qu'elle était maman, elle devait se montrer plus prudente. Heureusement qu'il avait été là pour la protéger.

Alors qu'ils s'approchaient de sa maison, elle commença à se détendre. Elle se sentait bien avec lui. Il avait vraiment quelque chose de… rassurant.

— Merci, lui dit-elle quand il lui ouvrit la portière. J'ai tellement l'habitude de me battre pour mon indépendance que je ne me suis pas rendu compte que je mettais ma sécurité en danger.

En observant son visage, elle remarqua soudain qu'il avait une égratignure sur le front.

— Vous avez été blessé ?

— C'est juste une petite griffure. Rien de grave, répondit-il en secouant la tête.

— Quelqu'un vous a griffé ? demanda-t-elle. Mais il faut désinfecter et mettre un pansement. Je suis désolée, vraiment.

— Ce n'est rien, je vous assure. J'ai connu bien pire.

Dommage qu'il n'ait pas accepté de la laisser le soigner.

Elle aurait tellement aimé s'approcher de lui et toucher sa peau légèrement hâlée…

— Et vous, comment allez-vous ? ajouta-t-il aussitôt.

— Moi ? Très bien. Grâce à vous.

— Tant mieux. Vous pouvez rentrer, maintenant. Si vous avez besoin de vous rendre où que ce soit, appelez-moi.

— Merci, murmura-t-elle en le regardant s'éloigner.

Elle secoua la tête. Ce qu'elle avait été bête de vouloir contredire son frère et Treat. Il fallait qu'elle se rende à l'évidence : elle ne pouvait pas aller et venir à sa guise. Et il fallait qu'elle accepte cette idée une bonne fois pour toutes. Pour elle et pour Leo.

Le lendemain, un livreur vint apporter le sapin artificiel pré-éclairé qu'Ericka avait commandé. Treat le transporta dans la maison.

— La bonne nouvelle, c'est qu'il n'y a que trois pièces à assembler, annonça-t-il.

Son regard resta rivé sur la cicatrice qu'il avait au front. Un sentiment de culpabilité s'empara d'elle. Tout à coup, elle le vit plonger ses yeux dans les siens. Mince, il l'avait repérée.

— Arrêtez de regarder mon front comme ça. Allez, il faut qu'on monte ce sapin pour Leo. Où est-il, d'ailleurs, ce petit diable ?

— Il dort. Et je n'aime pas le réveiller.

— Mais il n'hésite pas à vous réveiller, lui, répondit-il en secouant la tête. Ce serait une super expérience visuelle pour lui, vous ne croyez pas ?

Peut-être que oui. Cela valait la peine d'essayer !

— Vous avez raison, dit-elle en se levant d'un bond pour aller chercher le petit.

Une fois dans la chambre, elle le prit délicatement dans ses bras pour le sortir de son berceau.

— Fais-moi confiance, mon trésor. Tu vas adorer.

Même s'il n'entendait pas un mot de ce qu'elle lui disait, pas question d'arrêter de lui parler. A ses yeux, c'était tout à fait naturel. Et puis s'il subissait cette opération, et si tout allait bien, il pourrait percevoir les sons dans peu de temps.

Tout en le serrant tendrement dans ses bras, elle descendit l'escalier.

— Nous sommes prêts, dit-elle en le déposant délicatement dans sa gigoteuse.

— Parfait, répondit Treat. Le spectacle va commencer.

Il avait déjà installé le sapin. Tout en suçant sa tétine, Leo le regardait d'un œil curieux en s'agitant un peu. Mais, au moment où Treat brancha la prise, il s'immobilisa. Il ouvrit grand la bouche, et sa tétine tomba sur ses genoux. Incroyable !

— C'est fou ! s'exclama-t-elle. Il adore les lumières.

Treat hocha la tête en souriant.

— Mais je suis sûr qu'il appréciera encore plus le spectacle quand on aura mis les décorations.

— Elles sont déjà arrivées. Je les ai rangées en haut du placard de ma chambre. Je vais aller les chercher.

— Restez avec lui. J'y vais.

Un grand sourire aux lèvres, elle se tourna vers son fils.

— Tu aimes les lumières, hein ? Tu sais, les fêtes de fin d'année, ce sont les fêtes de l'amour et de l'espoir. N'oublie jamais ça.

Treat ne tarda pas à réapparaître avec les deux cartons.

— Allons-y, lui lança-t-il. Les guirlandes d'abord.

Elle l'aida à ajuster le feuillage. Quelques instants plus tard, il avait fini de disposer les guirlandes et commençait à accrocher les boules. Avec lui, les choses ne traînaient pas !

— Attendez un peu, s'exclama-t-elle. Vous allez vite, dites donc. On dirait que vous avez fait ça toute votre vie.

— C'était moi qui décorais le sapin quand j'étais petit.

— Vous deviez faire ça en un temps record !

— J'avais envie de décorer le sapin mais, d'un autre côté, j'étais toujours pressé de quitter la maison, répondit-il en accrochant quelques boules.

— Ah oui, pourquoi ça ? demanda-t-elle, étonnée.

— Tout n'était pas rose chez moi, répondit-il en haussant les épaules. Mais, ce sapin, c'était bien pour tout le monde, et j'aimais le voir quand je rentrais à la maison. J'étais triste quand on le retirait en janvier.

Elle hocha la tête.

— Je ne me souviens pas d'avoir décoré un sapin ou en avoir retiré un. Il n'y avait qu'un seul arbre de Noël dans le palais, et il était dans un salon de réception où nous allions rarement. Quand j'étais petite, j'avais envie de dormir en dessous. Mais c'était impossible, bien sûr. L'année dernière, j'ai passé Noël au Texas avec ma sœur, et c'était absolument magique. J'ai vraiment envie que Leo connaisse tout ça.

— Vous avez bien raison, dit-il en continuant d'accrocher des boules.

Quelques minutes plus tard, la décoration du sapin était terminée. Il recula pour mieux le regarder.

— Ça m'a l'air bien, comme ça.

Au même moment. Leo poussa un petit cri aigu.

Ericka le regarda avant de se tourner vers Treat.

— C'est une première, dit-elle. Je ne l'ai jamais entendu faire ce son-là.

— Eh bien, c'est son premier Noël, alors j'imagine que c'est un cri de joie. S'il avait été en train de regarder un Picasso, j'aurais peut-être interprété ça différemment…

Elle se mit à rire. Cette parenthèse de légèreté et d'insouciance lui faisait vraiment du bien. Depuis la naissance de Leo, la vie n'était pas drôle tous les jours…

Elle regarda le petit en continuant de rire. A cet instant,

elle se sentit heureuse, oui, pleinement heureuse. Les yeux rivés sur son fils, elle tâcha de savourer au mieux cet instant. Un instant particulier, mémorable. Pas de doute : elle avait bien fait de ramener Leo à Chantaine. Passer Noël dans cette petite maison avec lui était une bonne idée. Elle était tellement émue qu'elle en avait les larmes aux yeux !

— Merci, dit-elle en se tournant vers Treat. Merci infiniment.

Soudain, il plaça doucement son doigt sur ses lèvres.

— De rien.

Mon Dieu, elle avait l'impression que sa poitrine allait exploser. Tout en essayant de reprendre son souffle, elle hocha la tête.

— Il faut que j'aille vérifier le périmètre, dit-il en la regardant droit dans les yeux. Vous avez fait du bon boulot.

— Moi ? parvint-elle à répliquer d'une toute petite voix. Mais c'est vous qui avez monté tout ça en un rien de temps.

— Ne vous sous-estimez pas, Ericka, affirma-t-il en s'éloignant. Et ne sous-estimez pas Leo.

Elle le regarda partir. Quand il eut disparu de son champ de vision, elle fondit en larmes. Instinctivement, elle se pencha pour caresser doucement la joue de Leo, qui regardait toujours l'arbre de Noël, d'un air émerveillé.

Ce soir-là, après s'être assuré qu'Ericka et Leo étaient en sécurité, Treat avala un sandwich avant de se diriger vers la piscine. Il fit plusieurs longueurs et savoura la sensation de l'eau contre son corps. Mais, au bout d'un moment, il s'appuya sur le rebord de la piscine et prit de profondes inspirations. Il fallait qu'il se vide la tête. Des images de Leo et d'Ericka dansaient dans son esprit. *Pense à autre chose,* se dit-il. Au bout d'un certain temps, il se remit à nager. Il fallait qu'il se ressaisisse. Il devait veiller sur eux.

4

En voyant le chat passer dans le séjour, le lendemain matin, Treat s'aperçut qu'il avait oublié d'attacher l'arbre de Noël. Il valait mieux qu'il s'en occupe tout de suite. Le temps d'aller chercher de la ficelle, il était à pied d'œuvre.

Soudain, il entendit une voix résonner derrière lui.

— Qu'est-ce que vous faites ? Pourquoi vous courez partout comme ça ?

Il se retourna. Elle était là, tout près de lui, vêtue d'un peignoir léger, ses beaux cheveux blonds un peu décoiffés. Et elle était tout simplement splendide.

— Il faut que j'attache le sapin. J'aurais dû le faire hier.

— Pourquoi ça ? répliqua-t-elle, l'air décontenancé.

— Parce que vous avez un chat. Et parce que les chats adorent escalader les sapins de Noël.

— Ah…, se contenta-t-elle de dire.

Ni une ni deux, il s'assura que Sam n'avait pas déjà fait tomber des boules. Là, il enroula autour de l'arbre une première ficelle, qu'il accrocha à une bouche d'aération, puis une autre, au pied d'un meuble. Ce n'était ni très solide ni très esthétique, mais c'était tout de même mieux que rien. Pour finir, il planta un clou dans le mur pour nouer un dernier lien.

— Vous pensez que ce sera suffisant ? lui demanda-t-elle.

— J'espère. Les chats sont malins. Laissez-les seuls et ils vous ravagent toute une maison.

— Pas Sam. Il est adorable.

— Depuis combien de temps vous l'avez ?

— Eh bien, je l'avais depuis quatre mois quand j'ai quitté le Texas. Sept mois, donc. Pourquoi ?

— Sam a déjà vu un sapin de Noël ?

— Non, répondit-elle en haussant les épaules. Mais je ne vois pas où est le problème…

— Les problèmes, ce sera pour plus tard, dit-il en terminant d'attacher l'arbre.

Le chat noir et blanc le regarda d'un air innocent, avant de se remettre à se frotter contre ses chevilles.

— Oh… Regardez comme il vous aime.

— Il ne m'aime pas. Il essaie de mettre son odeur sur moi, sans doute parce qu'il n'aime pas mon odeur d'humain.

— Vous ne sentez rien du tout, dit-elle en reniflant.

La conversation fut interrompue par Sam, qui se mit à miauler bruyamment.

— Tu veux ton petit déjeuner ? lui dit-elle.

Il regarda le chat se diriger fièrement vers la cuisine, la queue en l'air.

— Quelles sont les habitudes de Sam ? demanda-t-il.

— Il dort beaucoup le jour, répondit-elle en haussant les épaules. Mais, le soir, il grimpe sur l'étagère qui est au-dessus du berceau de Leo pour veiller sur lui. Et il se met à miauler s'il pleure.

— Hum…, fit-il en entrant à son tour dans la cuisine.

Il venait d'apercevoir quelques jouets au-dessus du réfrigérateur. Tiens, tiens…

— C'est vous qui avez mis ça là ? s'enquit-il en les attrapant.

— Non, dit-elle, l'air décontenancé. Ce sont des peluches de Leo. Et ça, c'est une décoration de Noël.

— Les chats sont sournois, déclara-t-il en hochant la tête.

— Peut-être. Mais Sam veille sur Leo, alors ce n'est

pas bien grave s'il lui prend quelques jouets. Il en a des tonnes ; il ne le remarquera même pas.

— Vous préférez prendre la défense de votre chat plutôt que celle de votre fils ?

— Sam veille sur Leo, je vous dis. Dans très peu de temps, Leo sera en mesure de surveiller ses jouets, et Sam ne pourra plus les prendre.

Elle lui jeta un regard noir. Manifestement, elle n'aimait pas qu'on la contredise.

— Je peux savoir pourquoi vous n'aimez pas Sam ?

— Je n'ai rien contre Sam, répondit-il d'un air gêné.

— Alors où est le problème ?

— J'avais ramené un chaton à la maison quand j'étais petit. Mon père m'a obligé à le rendre.

Il la vit baisser la tête. Son agacement avait l'air de s'être dissipé.

— Ah…, fit-elle d'un air compatissant. Je comprends. Moi, quand j'étais petite, je voulais un chien. Je n'arrêtais pas d'en réclamer un, mais ça n'a jamais marché.

Elle baissa les yeux vers le sol.

— Sam continue de vous faire son numéro de charme.

Baissant les yeux à son tour, il secoua la tête.

— Je vous dis qu'il n'aime pas mon odeur. Il essaie de la remplacer par la sienne.

— Et c'est pour ça qu'il ronronne ? dit-elle en croisant les bras contre sa poitrine.

Il regarda le chat et sentit soudain son cœur s'adoucir. Avec un peu de chance, cette petite bête l'aimait bien. Mais il s'efforça aussitôt de chasser cette idée. Ce n'était pas le moment de craquer pour une boule de poils.

— Je ne sais pas pourquoi il ronronne.

— Eh bien, moi, je sais. Il ronronne parce qu'il vous aime bien. Il ronronne parce qu'il est content de ne pas être le seul homme de la maison.

N'importe quoi, eut-il envie de répondre. Mais ce n'était

pas le genre de choses à dire à une princesse. Surtout si elle vous employait.

— Bon, j'ai des choses à faire. Appelez-moi si vous avez besoin de moi.

En quittant la pièce, il sentit dans son dos le regard appuyé de Fredericka et de son chat. Décidément, cette mission commençait à devenir vraiment étrange.

Après avoir passé quelques coups de fil, Ericka changea Leo pour l'emmener à l'hôpital afin de lui faire passer de nouveaux tests d'audition. Elle était dans sa voiture, sur le point de partir, quand Treat apparut dans le jardin.

— Mais qu'est-ce que vous faites ? cria-t-il en courant à sa rencontre.

Pourquoi avait-il l'air aussi affolé ? songea-t-elle en ouvrant sa vitre.

— J'emmène Leo à l'hôpital. Il a un examen à passer.

— Pourquoi vous ne me l'avez pas dit ? Ce rendez-vous ne figure pas dans l'emploi du temps que vous m'avez laissé.

— Je ne note pas toutes ses consultations. Le médecin m'a dit qu'on pourrait lui faire repasser des tests d'audition dans une ou deux semaines, mais je n'ai pas envie d'attendre si longtemps. Ça va vous paraître un peu fou, mais il faut que je me prépare s'il doit être opéré. C'est une opération très lourde. Elle ne pourra pas avoir lieu avant l'année prochaine, mais je ne veux pas attendre trop longtemps non plus. Si tout se passe bien, il pourra parler normalement et se comporter comme tous les autres enfants vers l'âge de cinq ou six ans. Mais, en même temps, je veux que nous continuions la langue des signes et les autres thérapies. C'est compliqué. Mais je ne vous demande pas de comprendre.

— J'en comprends bien plus que vous ne le pensez,

répondit-il en glissant ses mains dans les poches de son jean.

Soudain, elle eut l'impression qu'il existait un lien entre eux. Quel genre de lien ? Mystère. Quoi qu'il en soit, elle se sentait très… attirée par lui.

— Bon, il faut que j'y aille, lâcha-t-elle pour cacher son malaise.

— Prenez le siège passager, répondit-il en ouvrant la portière. Je viens avec vous.

— Ce n'est pas nécessaire. Je peux m'occuper de ça toute seule.

— Pas cette fois, princesse, répliqua-t-il avec un sourire espiègle.

Cela faisait longtemps qu'il n'avait pas pris ce petit air si agaçant et si charmant à la fois.

— Ne m'appelez pas princesse, dit-elle en sortant de la voiture.

Il lui ouvrit la portière côté passager.

— Très bien mais, si je ne vous appelle pas princesse, comment dois-je vous appeler ?

— Ericka, je vous l'ai déjà dit, murmura-t-elle.

Il la conduisit jusqu'à l'hôpital. Etait-elle contente de le savoir près d'elle ou pas ? Impossible à dire. Elle jetait de temps en temps des coups d'œil à Leo, sanglé à l'arrière sur son siège-auto. Pourvu qu'il ne lui arrive rien pendant le trajet…

— Ça va ? lui demanda soudain Treat.

— Oui, je vous remercie.

— Pourtant, ça n'a pas l'air.

Elle prit une profonde inspiration, mais ne répondit pas.

— Quelle est la pire chose qui puisse arriver au cours de cet examen ?

— Je n'ai pas réfléchi à ça, dit-elle en fronçant les sourcils.

— Alors faites-le. Vous avez peur qu'il n'ait une tumeur ?

— Oh non, pas du tout ! J'espère juste que son problème d'audition s'est amélioré.

— Et si ce n'était pas le cas ?

— Alors nous continuerons d'apprendre la langue des signes, et il se fera opérer. Mais je vous avoue que j'ai très peur de cette opération.

— Est-ce qu'elle risque d'avoir lieu dans les jours à venir ?

— Non. Ça ne pourra pas se faire avant plusieurs mois.

— Alors vous avez le temps de vous préparer.

— Oui, c'est vrai, murmura-t-elle.

Treat avait raison. Cela ne servait à rien de s'angoisser aussi tôt. Hélas, c'était plus fort qu'elle.

— Vous êtes une femme forte. Vous êtes tout à fait capable de surmonter cette épreuve. Et d'aider Leo à la traverser.

— Et comment le savez-vous ? demanda-t-elle, perplexe.

— Je suis très doué pour évaluer la personnalité des gens. Avant de vous rencontrer, je pensais que vous étiez une princesse superficielle et prétentieuse. Mais je me suis immédiatement aperçu que vous n'étiez pas comme ça. Vous êtes quelqu'un de bien.

Curieusement, elle se sentit profondément touchée par ce compliment. Et ragaillardie par ses encouragements. Peut-être pouvait-elle en profiter pour lui faire un aveu…

— Vous savez… La première fois que je vous ai rencontré, vous m'avez fait très mauvaise impression.

— Je sais.

— Je vous trouvais trop grand, trop large d'épaules.

— Certains se seraient sentis plus en sécurité grâce à ça…

— Je vous trouvais aussi envahissant, reprit-elle en plissant les yeux. Mais Sam, lui, vous a tout de suite adopté.

— Sam est content qu'il y ait un autre gars à la maison. Et il aime beaucoup Leo, même s'il lui pique ses jouets.

— J'ignorais totalement que Sam faisait ça.

— Les chats sont malins, je vous l'ai déjà dit.

— Vous aimez bien Sam. Avouez.

— Je n'ai pas confiance en lui. Mais il m'a tout l'air d'être un bon chat.

Toujours cette manie de vouloir avoir le dernier mot ! songea-t-elle en laissant un sourire flotter sur ses lèvres.

— Vous n'accordez pas votre confiance facilement.

— C'est vrai.

— Moi non plus, dit-elle en se tournant vers la fenêtre.

Ils venaient tout juste d'entrer dans le parking de l'hôpital. Il était temps de s'armer de courage.

— Vous préférez que je vienne ou que je vous attende ? demanda-t-il en s'arrêtant devant l'entrée principale.

— Que vous m'attendiez.

Elle sortit de la voiture et ouvrit la portière arrière pour détacher Leo.

— Nous serons de retour dans une heure environ.

Treat alla garer la voiture et attendit, encore et encore. N'y tenant plus, il finit par sortir pour faire quelques pompes sur le parking. Quitte à patienter, autant s'occuper utilement. Et tant pis pour les passants qui ouvraient de grands yeux en le voyant !

Finalement, Ericka finit par apparaître à la porte de l'hôpital. Elle tenait le petit dans ses bras. Et elle semblait particulièrement contrariée. Mince.

— Alors ? lui demanda-t-il quand elle s'approcha de la voiture.

— Alors rien, répondit-elle en le regardant d'un air furieux, les larmes aux yeux.

Après avoir attaché Leo sur son siège, elle prit place dans la voiture. Il s'installa à son tour et démarra. Malgré le bruit du moteur, le silence qui régnait dans le véhicule était assourdissant. Elle devait être atrocement déçue par les résultats des examens du petit. La pauvre.

Au bout de cinq minutes, il finit par se dire que quelques mots d'encouragement pourraient peut-être l'aider. Allez, il était temps de se jeter à l'eau.

— Vous connaissez Thomas Edison ?

— L'inventeur du phonographe ?

— Oui. Eh bien, il était sourd.

— Je l'ignorais, dit-elle, après avoir pris une petite inspiration.

— Leo va devenir un garçon génial. Il a une mère géniale.

Ericka détourna son regard de Treat et ferma les yeux. Pas question de pleurer, pas devant lui. Hélas, des larmes se mirent à couler. Elle renifla doucement. Pourvu que Treat ne l'entende pas !

Elle garda le silence pendant tout le trajet. Impossible d'ouvrir la bouche Finalement, il gara la voiture devant la maison. Ouf, ils étaient arrivés !

— Merci de nous avoir accompagnés, parvint-elle à murmurer.

— Pas de problème. Je suis là pour veiller sur vous. Ah, j'oubliais : Francisco Goya était sourd, lui aussi.

— Merci pour vos encouragements.

— Il faut toujours tirer le meilleur parti de ce que nous donne la vie.

Plongeant son regard dans le sien, elle lui sourit. Bizarrement, elle se sentait mieux, beaucoup mieux.

— Merci. Vraiment.

— De rien. Je vais vous aider à détacher Leo.

— Je peux le faire.

— Bien sûr. Mais vous n'êtes pas obligée de toujours tout faire toute seule tout le temps.

Que répondre à cela ? Elle le laissa donc retirer le siège-auto de la voiture et amener Leo jusqu'à la porte d'entrée.

Là, son regard se posa sur un paquet qui avait été déposé sur la terrasse.

— Ah, génial ! s'exclama-t-elle. C'est sûrement le jouet lumineux rotatif que j'ai commandé pour Leo.

— Vous avez bien fait de l'acheter. Au moins, vous n'aurez pas à balayer le plafond avec une lampe-torche au beau milieu de la nuit.

— C'est vrai.

Il emmena Leo jusqu'à sa chambre et le coucha délicatement sur la table à langer.

— Je vais monter le jouet pendant que vous le changez.

— Vous avez peur des couches sales ? lui demanda-t-elle en lui adressant un sourire taquin.

— « Peur » n'est pas vraiment le mot que j'aurais utilisé, mais…

Il fit une petite grimace, avant de tourner les talons. Tout sourire, elle commença à changer Leo, sans pouvoir s'empêcher de penser à Treat. Elle le trouvait vraiment de plus en plus sympathique, agréable et… attirant.

Il revint quelques minutes plus tard, avec le paquet.

— J'ai dit à la nourrice que nous étions rentrés. Elle arrive. Vous pouvez reprendre votre travail. Je vais m'occuper de lui, en attendant.

Après avoir déposé un tendre baiser sur la joue de son fils, elle le lui tendit sans hésitation.

— Merci.

Alors qu'il la regardait s'éloigner, Treat ne put s'empêcher d'admirer la courbe de ses hanches. Ses cheveux blond doré flottaient sur ses délicates épaules et ses mollets joliment galbés étaient d'une finesse extraordinaire.

Comme il aurait aimé voir ce qui se cachait sous cette jolie robe à fleurs…

Non, il fallait qu'il chasse cette idée de son esprit. Il n'avait pas le droit d'imaginer nue la femme qu'il était censé protéger. Ce qu'il pouvait être bête. Lui qui se prenait pour un professionnel ! se dit-il rageusement avant de pousser un juron tout bas. Il fallait qu'il garde ses distances. Qu'il garde la tête froide. Cette mission était déterminante pour l'avenir de sa société.

— Je suis désolée, mais je ne comprends pas ce que vous me demandez, lança Ericka.

Cela faisait un bon moment qu'elle était au bout du fil avec le porte-parole de la famille royale de Sergenia

— Comme vous le savez, notre pays traverse une période très difficile. La famille royale est en danger.

— Et en quoi puis-je vous aider ?

— La famille royale de Sergenia voudrait demander l'asile politique à votre pays.

— L'asile ? répéta-t-elle mécaniquement.

Elle n'en croyait pas ses oreilles. Son frère n'accepterait jamais cela !

— Et vous voudriez faire cette demande de façon officielle et publique ? Vous pensez vraiment que c'est raisonnable ? Si certaines personnes veulent du mal aux héritiers du trône de Sergenia, est-ce qu'il ne vaudrait pas mieux que les choses se fassent en secret ?

— Peut-être, mais…

— Vous savez, monsieur Monroe, je suis quasiment certaine que mon frère refusera cette demande si elle est faite publiquement. En revanche, si vous êtes à la recherche d'un pays qui accepte de protéger discrètement la famille royale, alors, la situation pourrait être toute différente…

Un long silence suivit. Pourvu qu'il accepte !

— La famille royale vous serait extrêmement reconnaissante de la laisser séjourner dans votre pays le temps que les choses se calment à Sergenia, finit par dire le porte-parole.

Elle se mordit la lèvre. Cette affaire, à la fois politique et privée, ne relevait pas vraiment de son domaine de compétence. Comment allait-elle s'en sortir ?

— Je vais voir ce que je peux faire et je vous recontacterai.

— Je vous remercie. Mais le temps presse. C'est pourquoi je me permets de vous demander de faire au plus vite, précisa-t-il d'un ton courtois.

Une fois qu'elle eut raccroché, elle se leva en se massant un peu les tempes. Elle avait l'impression d'être investie d'une mission de la plus haute importance. Une immense responsabilité pesait désormais sur ses épaules. Si elle ne faisait pas le bon choix, la vie des membres de la famille royale de Sergenia pouvait être menacée. Il allait donc falloir qu'elle persuade son frère d'accepter de les recevoir à Chantaine.

Après avoir poussé un profond soupir, Ericka se rendit dans la cuisine pour se faire une tasse de thé. Puis elle s'installa dans un fauteuil pour la siroter. La maison était silencieuse. Curieusement, Leo dormait toujours. Tiens, et si elle le réveillait ? Si elle ne le faisait pas, il aurait beaucoup de mal à s'endormir une fois le soir venu.

En arrivant dans le séjour, elle trouva Marley plongée dans un livre.

— Il dort toujours ? lui demanda-t-elle.

— Oui, mademoiselle, répondit la nourrice en levant les yeux. Mais je peux le réveiller, si vous voulez.

— J'hésite. On dit que ce n'est pas bon de réveiller les bébés.

— Comme vous voulez. Je pense qu'il doit être fatigué par tout ce qu'il a fait ce matin.

— On devrait peut-être installer des sapins de Noël plus souvent.

— Peut-être. Mais, quoi qu'il en soit, je pense qu'il ne faut pas trop le couver à cause de ses…

— Problèmes d'audition, coupa Ericka en hochant la tête. Oui, je suis d'accord avec vous. C'est un petit garçon fort et intelligent. Il a besoin d'exercice et de stimulation. De stimulation visuelle, notamment, à en croire Treat.

— Ça me semble une bonne idée. D'ailleurs, je trouve que vous avez tout à fait raison de commencer dès maintenant à l'initier à la langue des signes. Vous êtes une super maman.

Ericka sentit son cœur se serrer. C'était très gentil à Marley de lui dire cela, mais est-ce que ce n'était pas un peu exagéré ?

— Je n'en suis pas si sûre, mais je fais de mon mieux. J'ai beaucoup de chance de vous avoir avec moi.

— Vous êtes une femme formidable, répondit la nourrice. Leo s'en sortira très bien. Croyez-moi.

Ericka ne répondit pas. Pourvu que Marley ait raison !

Quelques minutes plus tard, Leo se réveilla. Après lui avoir donné son biberon, elle suivit avec lui un nouveau cours d'initiation à la langue des signes. Mais, au bout de quelques minutes, il commença à décrocher. Il était temps de s'arrêter. Tiens, et si elle l'emmenait faire une petite promenade ? Après lui avoir mis un chapeau, elle l'installa dans sa poussette et passa la porte d'entrée. Aussitôt, Treat vint à sa rencontre.

— Vous partez en balade ? lui demanda-t-il en cherchant son regard.

— Je me suis dit que ça lui ferait sans doute du bien. Je ne sors pas assez souvent avec lui.

— C'est une bonne idée, dit-il en se mettant à marcher à côté d'elle.

En se tournant vers lui, elle laissa son regard s'attarder sur ses pectoraux parfaitement dessinés et ses larges épaules.

— Vous faites du sport tous les jours ?

— Cinq jours sur sept. Pourquoi ?

— Je me posais juste la question, par curiosité. Vous avez l'air très sportif.

— Je l'ai toujours été. J'ai suivi un cursus sport-études, à l'université. Je faisais du football. Je pensais faire carrière dans ce domaine.

— Mais…

— Mais une simple blessure peut changer votre vie.

— Vous n'avez pas l'air blessé.

— Je le cache du mieux que je peux. Mais, si j'avais continué le football et que je m'étais de nouveau blessé au genou, j'aurais pu devenir handicapé.

— Néanmoins, vous vous êtes reconverti dans la sécurité. J'en déduis donc que vous ne vous faites pas beaucoup de souci pour votre santé.

Il se mit à rire.

— La sécurité, c'est une question de mental, plus que le football. Si un homme essaie de me plaquer, il y a peu de risques pour qu'il pèse plus de quatre-vingt-dix kilos. Et, s'il pèse plus, je me bousillerai le genou pour des raisons bien plus honorables que de courir après un ballon.

Elle ouvrit des yeux surpris. La façon dont il parlait de son métier forçait le respect.

— Je commence à comprendre pourquoi Stefan vous a choisi.

— Je vous avais bien dit que je finirais par me fondre dans votre environnement.

— Ce n'est pas encore tout à fait le cas. Au fait, je n'ai pas encore eu l'occasion de regarder le mobile que j'ai acheté pour Leo avec le système solaire…

— Je veux le même.

— Ah oui ? répondit-elle sans pouvoir s'empêcher de rire. Pourquoi ?

— Ce truc est super. Toutes ces planètes et ces étoiles qui brillent et qui tournent au plafond… Je ne dors pas si bien que ça, vous savez. Avec un peu de chance, ça pourrait vraiment m'aider à trouver le sommeil, moi aussi. Si un jour vous n'en voulez plus…

Elle se contenta de lui sourire. Elle aimait son mélange de douceur et de virilité, difficile de dire le contraire. Seulement, pourquoi fallait-il qu'elle pense à lui en permanence ? C'était vraiment étrange…

5

Malgré son nouveau jouet, Leo ne fit pas sa nuit. Par bonheur, après l'avoir changé et bercé un peu, Ericka put le recoucher dans son berceau sans qu'il ne proteste. C'était bien la première fois que cela lui arrivait ! Une fois le mobile allumé, le petit ne tarda pas à se rendormir.

En dépit de la fatigue, elle avait l'esprit agité. Pas moyen d'arrêter de penser au problème de la famille royale de Sergenia, sans parler du tournage du lendemain : elle s'était engagée à participer à une campagne de pub en faveur de l'accès à l'eau potable pour tous en compagnie d'un duc anglais et d'un noble italien. C'était pour la bonne cause, alors autant faire bonne figure ! Sa sœur Pippa avait accepté de faire visiter le pays aux deux hommes et de les emmener dîner une fois la séquence tournée. Après s'être recouchée, elle se tourna et se retourna longtemps dans son lit sans retrouver le sommeil. Et, pour couronner le tout, Leo la réveilla très tôt le lendemain matin !

Après lui avoir donné son biberon, elle confia le petit à Marley pour pouvoir se laver et se préparer pour le tournage. Elle se coiffa et se maquilla avec soin. Dire qu'elle faisait cela tous les jours à l'époque où elle vivait en France avec son ex-mari ! Quoi qu'il en soit, maintenant qu'elle était maman, elle ne pouvait plus se consacrer aussi longuement à ses soins de beauté !

En redescendant, elle déposa un baiser sur le front de

Leo, et s'aperçut aussitôt qu'elle avait laissé sur sa peau une trace de rouge à lèvres.

— Oh ! excuse-moi, mon chéri…, murmura-t-elle en essayant de l'effacer avec ses doigts.

— Laissez, dit la nourrice. Je vais m'en occuper. Et puis ce n'est pas si grave : ça montre à quel point vous l'aimez.

— Si vous le dites, répondit Ericka d'un ton sceptique. Quand il aura quinze ans, il ne voudra plus que je lui laisse des traces de rouge à lèvres. Mon Dieu, je suis déjà en train de l'imaginer adolescent. Et dire qu'il a à peine trois mois.

— Ne vous faites pas de souci avant l'heure. Vous avez bien le temps. Allez, pensez à votre tournage. J'espère que tout va bien se passer.

— Merci, Marley.

En sortant, elle vit que Treat l'attendait près de la voiture, vêtu d'un costume noir et d'une chemise blanche. Simple mais élégant. Il avait l'air sombre et puissant. Et les lunettes de soleil qui cachaient ses beaux yeux noirs lui donnaient un petit côté mystérieux. Et terriblement viril.

— Bonjour, lança-t-elle. Comment allez-vous ?

— Très bien, répondit-il en lui ouvrant la portière côté passager. Et vous ?

— Bien. Merci. Figurez-vous que le système solaire lumineux a bien aidé Leo à trouver le sommeil, lui dit-elle quand il s'installa au volant. Il s'est réveillé au milieu de la nuit, mais il s'est rendormi dès que je l'ai allumé. J'aurais aimé faire comme lui. Mais j'avais trop de choses à l'esprit. Et vous, bien dormi ?

— Oui, mais peu : quatre heures, pas plus.

Quatre heures de sommeil, et il avait l'air en pleine forme ? Eh bien, quelle santé…

— Je ne sais pas comment vous faites, dit-elle en fronçant les sourcils.

— Je n'ai pas besoin de beaucoup de sommeil. Et

puis, moi aussi, quand tout est silencieux, j'ai souvent l'esprit très agité. Dans ces cas-là, en général, je vais faire un petit saut dans la piscine. Ça m'aide à me rendormir.

Que pouvait-il ressasser ? Inutile de chercher à savoir, ce n'était pas ses affaires…

— En pleine nuit ? Je ne vous ai jamais entendu, se contenta-t-elle de répondre.

— Tant mieux !

— Je devrais peut-être essayer, la prochaine fois que j'aurai du mal à m'endormir ou me rendormir.

Il tourna à droite pour bifurquer vers la plage où devait avoir lieu le tournage.

— Prévenez-moi, si l'envie vous prend un soir. Je ne voudrais pas que vous vous noyiez.

— Pour votre gouverne, sachez que je suis une excellente nageuse. Je vous rappelle que je suis née dans une île. Et mon père a tenu à ce que nous apprenions tous à nager. Il ne s'occupait pas beaucoup de nous mais, à ses yeux, c'était important.

— Il ne s'occupait pas beaucoup de vous. Si c'est pour les laisser livrés à eux-mêmes, quel intérêt d'avoir des enfants ?

— Pour assurer sa descendance. Et puis il y avait un autre avantage : dès que nous avons atteint l'âge adulte, il a pu nous envoyer aux événements officiels pour représenter le royaume à sa place. Comme ça, il pouvait profiter de son yacht. Il adorait naviguer.

Il devait également adorer les femmes. Voilà sans doute pourquoi il était aussi souvent absent…, songea-t-elle amèrement.

— Intéressant. Ça ne figurait pas dans le rapport que le roi m'a donné.

— Ça ne m'étonne pas. Stefan dit rarement du mal de mon père en privé. Alors je ne l'imagine pas mettre quelque chose comme ça par écrit. Au fait, qu'y avait-il dans ce rapport ?

— A peu près tout ce qui vous concerne. Depuis votre naissance jusqu'à maintenant.

— Ah…, murmura-t-elle en essayant de cacher sa gêne. Stefan n'a sans doute pas oublié de mentionner que j'avais été l'enfant terrible de la famille.

— Ce n'est pas exactement comme ça que les choses étaient formulées, mais…

— J'ai changé, affirma-t-elle d'un ton décidé.

— Je le vois bien. Il m'a également fait part de quelques détails concernant votre ex-mari.

— Stefan n'a pas confiance en lui.

— Il devrait ?

— Pas vraiment, non, répondit-elle en regardant par la vitre. Mais, pour ma part, je préfère ne pas y penser. Je ne le vois pas et je n'ai plus rien à faire avec lui. Quelque part, c'est comme s'il n'existait pas.

— Mais c'est tout de même le père de Leo.

— Il savait que j'étais enceinte quand il m'a quittée et il n'a fait aucun effort pour me recontacter depuis. La naissance de Leo a fait la une de tous les journaux, mais je ne parle jamais de mon fils en public. A part pour dire qu'il se porte bien et qu'il est en bonne santé.

— Je comprends.

Il venait d'arrêter la voiture le long de la plage, où plusieurs personnes étaient déjà en train de s'agiter.

Se sentant soudain nerveuse, elle prit une profonde inspiration.

— J'espère que ça va bien se passer, marmonna-t-elle alors qu'il lui ouvrait la portière.

— Je ne vois pas pourquoi ça se passerait mal. Vous êtes magnifique. Et sûre de vous.

— Je n'ai jamais aimé me retrouver devant des caméras.

— Et pourtant vous avez été mariée à un réalisateur.

— C'est vrai. Mais je n'ai jamais tourné dans ses films. Et, si j'ai épousé cet homme, c'est uniquement parce qu'il m'a permis de fuir Chantaine. Je savais qu'en France ma vie ne serait pas observée à la loupe. A cette époque, la seule chose que je voulais, c'était échapper aux regards. En dehors des premières et des remises de récompenses, je ne me donnais pas souvent en spectacle.

— Mais, si vous détestez tellement ça, pourquoi avez-vous accepté de tourner dans ce spot ?

— C'est pour la bonne cause. Si ma modeste contribution peut lui donner un peu de poids, alors, je suis parfaitement disposée à jouer de mon image.

Elle prit quelques secondes pour réfléchir puis ajouta en le regardant dans les yeux :

— Comme je vous l'ai dit, j'ai changé.

Treat emboîta le pas à Ericka tandis qu'elle s'approchait du petit groupe de personnes présentes sur la plage. Elle portait une robe bleue toute simple qui mettait en valeur sa gracieuse silhouette sans être trop moulante. Elle était élégante, féminine et… sexy. Sur le sable, sa démarche était plus chaloupée que de coutume, offrant à son regard les courbes parfaites de ses fesses. Ses beaux cheveux flottaient au vent. Vu de l'extérieur, elle avait peut-être l'air d'une héritière pourrie gâtée et superficielle, mais la vraie Fredericka était très différente.

C'était une femme au grand cœur, dévouée corps et âme au bien-être de son fils, de sa famille et de son peuple. Avait-elle seulement conscience de sa beauté ? Pas sûr, avec tous les projets qu'elle menait. Mais il fallait qu'il arrête de songer à tout cela, tenta-t-il de se raisonner. Il pensait beaucoup trop à elle. Leur relation était strictement professionnelle. Des jolies femmes, il en avait protégé des dizaines au cours de sa vie. Alors en quoi cette mission aurait-elle dû être différente ?

Il observa sa prestation. Elle ne s'était pas trompée : il y eut beaucoup de prises. Mais, deux heures plus tard environ, le réalisateur parut enfin satisfait. Elle prit le temps de discuter avec chacune des personnes présentes sur le plateau, de serrer sa sœur Pippa dans ses bras, mais aussi de remercier le duc anglais et le noble italien d'avoir participé au tournage.

Quand, enfin, elle retourna à la voiture, elle paraissait épuisée.

— Dieu merci, c'est terminé, souffla-t-elle en se laissant tomber sur le siège passager. Tout le monde a été génial, mais je n'en pouvais plus de refaire cent fois la même chose.

— Où va-t-on, maintenant ? lui demanda-t-il.

Il était près de midi. Peut-être avait-elle envie de se changer les idées, manger quelque part…

Elle le regarda d'un air surpris.

— A la maison, pourquoi ?

— Très bien.

Elle laissa échapper un petit soupir.

— Mais on pourrait peut-être faire un petit arrêt en route ?

— Où ça ?

— Chez un glacier. J'en connais un qui fait des glaces délicieuses. J'ai envie d'un cornet au chocolat noir. Vous pourrez choisir le parfum que vous voudrez. Tout, sauf vanille.

Tout en réfléchissant à la façon dont il allait devoir assurer sa sécurité, il s'efforça de sourire.

— Et si j'aime ça, la vanille ?

— Alors, vous en prendrez la prochaine fois.

— Vos désirs sont des ordres, Votre Majesté.

— Ne commencez pas avec ça, lui dit-elle en riant.

Il ne l'avait jamais vue aussi enjouée. Même quand elle était avec son fils, elle gardait ce côté sérieux.

Après avoir suivi ses instructions, il finit par se garer devant la vitrine du glacier.

— Je suis sûre que vous allez adorer, lança-t-elle alors qu'il observait attentivement les alentours.

Ils poussèrent la porte d'entrée et furent accueillis par deux serveurs, un homme et une femme. Dès qu'ils les virent entrer, ils s'immobilisèrent brutalement et se mirent à les dévisager d'un œil curieux. Une chose était sûre : ils n'allaient pas passer inaperçus.

— Votre Majesté, finit par bredouiller la jeune femme.

— Et moi qui voulais garder l'incognito ! répondit-elle en riant. Un cornet avec deux boules de chocolat noir, s'il vous plaît.

— Bien sûr, Votre Majesté, répondit la serveuse en se hâtant de préparer la commande.

Ericka se tourna vers Treat.

— Et vous, quel parfum ?

— Vous n'avez qu'à choisir pour moi, répondit-il distraitement.

Pas question de relâcher son attention une seconde. La sécurité de la princesse avant tout.

— Ah non, ce n'est pas drôle, dit-elle en prenant un air contrarié.

— Bon, bon. Je vais prendre un sorbet aux fruits rouges, lâcha-t-il en se tournant vers la serveuse.

Ils s'assirent à une petite table, et on ne tarda pas à leur apporter leurs cornets. Le sorbet était délicieux. Il n'en avait jamais mangé d'aussi bon.

— Extra, hein ? lui demanda-t-elle, avant de passer sa langue sur sa lèvre avec délices.

Treat sentit son corps se crisper. Une vague de chaleur intense vint se nicher au creux de son ventre. Hélas, il avait beau tâcher de l'oublier, il ne pouvait pas la réprimer.

Au même instant, la serveuse s'approcha de nouveau de leur table.

— Je suis un peu gênée de vous demander ça, Votre Majesté, mais accepteriez-vous de vous laisser prendre en photo avec nous ?

Ericka fit une petite grimace.

— Si je fais ça, tout le monde va penser que je suis une paresseuse qui passe son temps dans les cafés.

— Oh ! non ! rétorqua la serveuse. Et puis, si quelqu'un nous pose la question, nous dirons que vous êtes venue en visite pour affaires.

— D'accord, répondit Ericka en riant. Mais je ne suis pas sûre que ça marche… Treat, vous voulez bien nous prendre en photo avec le smartphone de cette jeune femme ?

Hochant la tête, il s'exécuta puis rendit l'appareil à la serveuse.

— Si vous pouviez attendre quelques minutes, avant de les poster sur le Net, lui dit-il avant de se tourner vers Ericka. On finit dans la voiture ?

Une fois dans le véhicule, il se hâta de terminer son sorbet.

— Prenez votre temps, lui dit-elle.

— Je préférerais qu'on parte avant qu'il y ait un attroupement.

— Ah. Vous savez, j'étais tellement occupée à savourer ce petit moment de liberté que j'en ai presque oublié que vous travailliez.

Effectivement, il travaillait, et il ne pouvait pas se permettre de se laisser distraire. Même si ce moment seul avec elle était très agréable…

— Si j'oubliais de vous protéger, votre frère ne me le pardonnerait pas. Votre sécurité doit toujours rester ma priorité numéro un.

Elle poussa un soupir, avant de terminer sa glace.

— Eh bien, sachez que j'ai beaucoup apprécié ce

moment. J'espère ne pas vous avoir causé trop de soucis, dit-elle, avant de poser les yeux sur lui.

Mon Dieu, il y avait une telle sensualité dans ce regard… De nouveau, il sentit une sensation de chaleur envahir son corps. Il fallait absolument qu'il mette un terme à tout cela. Qu'il trouve une solution. Et rapidement. Pas question d'entrer dans la séduction. C'était un jeu trop dangereux.

— Des soucis ? Mais non ! répondit-il de façon aussi détachée que possible. J'ai passé un très bon moment moi aussi.

Trop bon, même, aurait-il pu dire.

— Merci pour cette petite escapade, Ericka.

Tout en poussant un petit soupir, elle se laissa retomber contre le dossier.

— Peut-être que ma sœur Bridget a raison, après tout. Elle n'arrête pas de dire que je ne sors pas assez. Mais je n'aime pas laisser Leo tout seul.

— Vous pourriez lui faire faire un petit tour de temps en temps. Est-ce qu'il est déjà allé à la plage ?

— Une seule fois, et il était vraiment tout petit. J'ai toujours peur que des paparazzi le prennent en photo et que les gens remarquent ses prothèses auditives. Je ressens le besoin de le protéger vis-à-vis de ça.

— Vous pourriez y aller assez tôt le matin et lui mettre un chapeau, suggéra-t-il en haussant les épaules. Ce serait l'occasion de lui faire prendre un petit bain de mer.

— Oui, peut-être. Mais, comme vous le dites si bien vous-même vis-à-vis de moi, ma priorité numéro un est de le protéger.

— Vous avez peur des questions ?

L'air soudain mal à l'aise, elle détourna le regard.

— Sans doute. Parce que je n'ai pas toutes les réponses. Et je ne les aurai sûrement jamais. Je n'ai pas envie que les gens se moquent de lui. Ça me briserait le cœur.

— J'imagine. Mais vous avez un instinct maternel très développé. Si quelqu'un faisait du mal à votre bébé, vous n'hésiteriez pas à lui casser la figure.

— Vous exagérez un peu, tout de même. Je ne suis pas une femme violente.

— Mais si quelqu'un faisait du mal à votre fils ?

— J'aime à penser que ça n'arrivera jamais.

Espérons… Tout en hochant la tête, il arrêta la voiture devant la maison.

— Merci, dit-elle au moment où il lui ouvrit la portière. Le cuisinier du palais nous a apporté de quoi manger pour ce soir. Ça vous dit de vous joindre à nous pour le dîner ?

— C'est très aimable, je vous remercie. Mais j'ai du travail administratif à faire, répondit-il.

Il aurait volontiers accepté, mais c'était mieux ainsi. Il ne fallait pas qu'il se rapproche trop d'elle. Inutile de prendre des risques.

— Ah…, lâcha-t-elle d'un air déçu. Alors à plus tard.

Il la regarda s'avancer vers la porte et la refermer derrière elle. L'attirance qu'il ressentait pour elle était totalement ridicule. C'était une princesse, sa famille régnait sur une île de la Méditerranée. Lui était né dans un quartier populaire d'une grande ville du Texas. Il n'était pas son genre, clairement. Du coup, autant se montrer prudent. Et surtout ne pas s'impliquer émotionnellement. Il savait suffisamment bien comment se passaient les choses : cette situation pouvait avoir des conséquences sur la qualité de son travail. Or cette mission pouvait lui permettre de franchir un cap dans sa carrière. Il avait travaillé dur, depuis plusieurs années. Pas question de perdre ce qu'il avait acquis parce qu'il se sentait attiré par une princesse. Ce serait trop bête !

De retour dans la dépendance, il prit le temps de se faire un sandwich avec le beurre de cacahuètes qu'il avait rapporté des Etats-Unis et se mit au travail. C'était la meilleure façon d'oublier ce qu'il avait perdu si brutalement au cours de ses années de fac.

Un peu plus tard dans la soirée, après avoir vérifié le périmètre, il alla frapper à la porte de la maison d'Ericka.

Ce fut la nourrice qui lui ouvrit.

— Comment allez-vous, ce soir, monsieur Walker ?

— Très bien, je vous remercie. Tout le monde va bien ?

— Parfaitement bien. Le petit a l'air ravi de son nouveau mobile. Sa Majesté a passé tout l'après-midi à travailler et à l'initier à la langue des signes. Cette femme ne s'arrête jamais. Je ne sais pas comment elle fait. D'autant qu'elle ne dort quasiment pas de la nuit.

Tout en souriant, il hocha la tête. Il pouvait toujours compter sur Marley pour lui fournir des informations sur la vie d'Ericka.

— Ravi de savoir que tout se passe bien. Si vous avez besoin de quelque chose, n'hésitez pas à m'appeler.

— Merci.

De retour dans sa chambre, il passa quelques coups de téléphone. L'accord qu'il avait passé avec le roi lui permettait de donner corps à ses projets et de signer des contrats décisifs. Jusqu'ici, tout s'était bien passé, mais ce n'était pas une raison pour baisser la garde. Même la nuit.

Quelques heures plus tard, il jeta un coup d'œil à la pendule. Il était vraiment temps pour lui d'aller se coucher. Il fit quelques pompes dans sa chambre. Hélas, impossible de trouver le sommeil. Du coup, il enfila son maillot de bain pour aller faire quelques longueurs dans la piscine. Il descendit lentement dans l'eau. Là, il aperçut une silhouette devant lui.

Ericka.

Il prit une profonde inspiration.

— Qu'est-ce que vous faites là ?

— Vous allez bien nager quand vous n'arrivez pas à trouver le sommeil. Je n'ai pas le droit de faire pareil ?

Il passa un long moment à étudier son visage. Manifestement, elle ne plaisantait pas. Elle avait juste besoin d'une bonne nuit de sommeil, tout comme lui.

— Vous avez essayé la méditation ?

— Le problème avec la méditation, c'est qu'imaginer être une fougère ou un oiseau ne m'aide pas à oublier mes soucis.

Il ne put s'empêcher d'éclater de rire. C'était un peu exagéré, mais il comprenait parfaitement ce qu'elle voulait dire. A la différence près qu'il avait plus de regrets que de soucis.

— Bon. Allez nager. Je vais rester sur le côté pour veiller sur vous.

— Ne vous inquiétez pas pour moi, dit-elle en s'élançant dans la piscine.

Il fut très étonné par sa grâce et son agilité. Elle se déplaçait lentement, mais à un rythme très régulier. Une fois arrivée au bout du bassin, elle repartit en sens inverse comme une nageuse professionnelle. Très impressionnant. Après quelques longueurs, elle se remit sur le ventre et changea de nage.

Au bout d'un moment, un peu essoufflée, elle s'arrêta.

— Je n'ai jamais été très douée pour la brasse papillon.

— Mais on dirait que vous êtes douée pour tout le reste.

Elle prit plusieurs profondes respirations avant de reprendre :

— Comme je vous l'ai dit, mon père nous a toujours encouragés à nager. C'est probablement l'une des rares choses que je lui dois. Bon, je continue un peu.

Elle fit encore quelques longueurs. Cette fois, il ne put s'empêcher de laisser son regard s'attarder sur son corps. Un corps parfait. Athlétique, mais avec de douces courbes féminines et sensuelles.

Quelques minutes plus tard, elle s'arrêta de nouveau devant lui.

— Je crois que ce sera tout pour ce soir, fit-elle d'une voix haletante.

— Vous ne pensez pas que vous en avez fait un peu trop ?

— Non. Il faut toujours pousser ses efforts au maximum quand on nage. Même quand on a l'impression qu'on va se noyer.

— A l'avenir, prévenez-moi, si vous décidez d'aller nager au milieu de la nuit.

— Vous êtes vraiment pénible, lui dit-elle en laissant doucement retomber sa tête à côté de lui, sur le rebord de béton. On est bien, dans l'eau, la nuit, vous ne trouvez pas ?

Un peu trop, même.

— Vous pensez beaucoup à Leo, la nuit ?

— Oui. Je me demande souvent si je n'ai pas déclenché sa surdité pendant ma grossesse.

— Ce n'est pas un problème génétique, plutôt ?

— C'est l'hypothèse la plus probable. Mais ça ne m'empêche pas de m'interroger. De me demander ce que j'aurais pu faire pour empêcher ça.

Pourquoi s'en voulait-elle à ce point ? Ce n'était pas sa faute si son enfant était né sourd.

— Vous n'auriez rien pu faire.

— Comment pouvez-vous le savoir ? Comment pouvez-vous être certain que j'ai fait tout ce qui était en mon pouvoir pour protéger Leo au cours de ma grossesse ?

— Je le sais, c'est tout. Et je sais aussi que vous n'auriez rien pu faire pour prévenir sa surdité. D'autre part, vous ne pouvez pas rendre son monde parfait. Et c'est tout à fait normal. Tout ce que vous avez à faire, c'est l'aimer de tout votre cœur. Vous êtes sa mère. Vous ne pouvez pas tout régler, tout réparer. Personne ne vous le demande.

Elle poussa un profond soupir.

— Parfois, j'aimerais avoir des superpouvoirs …

— C'est inutile. Vivez l'instant présent et faites ce

que vous pouvez. Ça vous aidera à dormir sur vos deux oreilles chaque soir.

— Dormir sur mes deux oreilles chaque soir ? répéta-t-elle en riant. C'est de la science-fiction !

— Faites encore quatre longueurs.

— Mais je suis fatiguée ! protesta-t-elle.

— Pas assez, puisque vous continuez de penser.

Tout en poussant un petit grognement, elle s'élança dans la piscine et se remit à nager, plus lentement. Au bout de quatre longueurs, elle s'accrocha péniblement au rebord de béton, juste à côté de lui.

— Vous n'êtes pas aussi méchant que mon père, mais vous n'en êtes pas loin. Je suis vraiment épuisée.

— Bien. Alors vous allez peut-être dormir un peu, cette nuit. Laissez Marley s'occuper de Leo s'il se réveille.

— J'ai l'impression de ne pas assumer mes responsabilités de mère quand je ne me réveille pas pour lui la nuit.

— Faites une pause. Dites-vous que vous n'avez pas de mari pour vous aider.

L'air préoccupé, elle se mit à se mordiller la lèvre.

— Ça, c'est encore un autre problème. Leo grandira sans figure paternelle.

— Des figures paternelles, il en a plein. Votre frère, vos beaux-frères. Tous les chemins mènent à Rome. Et vous suivez le vôtre.

— Si vous le dites, murmura-t-elle en nouant une serviette de bain au-dessus de ses seins.

— Mais je vous le dis. Maintenant, vos paupières sont lourdes, très lourdes. Vous avez sommeil, très sommeil. Vos yeux se ferment…

— Vous êtes un type bien, Treat, mais vous n'êtes pas hypnotiseur.

— Je vous parie que dans cinq minutes vous serez endormie.

— Pour toute la nuit ?

— Oui.

Il attendit qu'elle soit partie pour se remettre à nager. Il avait envie d'elle. Terriblement envie d'elle.

- 6 -

Le lendemain soir, Ericka envoya à Treat un texto : elle envisageait d'emmener Leo à la plage le lendemain matin. Que devait-elle penser de lui ? Elle avait parfois l'impression qu'il parlait avec elle à cœur ouvert et, d'autres fois, qu'il tenait à garder ses distances pour rester aussi professionnel que possible.

Mais, après tout, c'était cet aspect-là qu'elle aurait dû apprécier, songea-t-elle en se glissant dans son lit. Car c'était ce dont Stefan et elle avaient besoin. Néanmoins, ce n'était pas son côté professionnel qui lui plaisait ; c'était son cœur, son cœur tendre. Quand il lui parlait de façon intime et chaleureuse, elle se sentait à la fois forte et fragile. C'était très troublant. Il allait vraiment falloir qu'elle trouve un moyen de chasser ces sentiments.

Prenant une profonde inspiration, elle essaya de faire l'exercice de méditation qu'elle avait appris un peu plus tôt dans la journée. Curieusement, elle ne tarda pas à s'endormir.

Cette nuit-là, des bribes de réalité vinrent s'entremêler à ses rêves : Treat la prenait dans ses bras et elle sentait contre elle la chaleur de son corps puissant et musclé. Elle était si près qu'elle percevait les battements rapides de son cœur.

— J'ai envie de toi, avouait-il. J'ai envie de toi, mais je ne peux pas écouter ce que me dit mon corps.

Elle sentait son propre corps se lover contre le sien.

— J'ai envie de toi, moi aussi. Mais j'avais peur que ce ne soit pas réciproque.

— Tu t'es trompée, disait-il en baissant doucement la tête vers elle.

Il joignait ses lèvres aux siennes, glissait sa langue dans sa bouche. Elle savourait le goût divin de son baiser passionné. Ivre de désir, elle ne pouvait s'empêcher de frotter sa poitrine contre la sienne, lui arrachant un petit grognement.

— C'est tellement bon, murmurait-il. J'ai envie de toi. J'ai envie de plus. Je te veux nue.

Son cœur battait si vite qu'elle craignait de s'évanouir. Glissant ses doigts dans ses cheveux courts, elle écartait encore un peu ses lèvres pour l'embrasser avec fougue et passion.

Quelques instants plus tard, comme par magie, les vêtements de Treat avaient disparu, de même que les siens. Ses tétons, durcis par le désir, se pressaient contre la peau ferme de ses pectoraux. Elle pouvait sentir la chaleur de son corps contre le sien, nu de la tête aux pieds. Il dévorait alors sa bouche, et le baiser qu'ils échangeaient se prolongeait à l'infini.

— J'ai envie de me perdre en toi, murmurait-il contre ses lèvres, tout en glissant un doigt dans son sexe humide et brûlant de désir.

— J'ai envie de toi. J'ai besoin de toi.

Poussant un petit grognement, il écartait ses jambes, et…

Elle s'accrochait à ses épaules, cambrait les hanches.

— Treat…

Soudain, un bruit vint s'immiscer dans les brumes de son rêve. Des cris de bébé. Le corps encore brûlant de désir, elle se redressa brutalement dans son lit. Après avoir repris son souffle, elle secoua la tête pour tâcher de revenir à la réalité.

— Oh ! mon Dieu !

Leo. Il était en train de pleurer. Tout en se massant vigoureusement les tempes, elle se leva pour gagner sa chambre. Une fois à l'intérieur, elle se hâta d'allumer le mobile lumineux. Aussitôt, Leo se calma. Les yeux rivés sur le plafond, il prit son pouce et se mit à le sucer.

Il cherche à se rassurer, comprit-elle soudain. Le cœur serré, elle sentit qu'elle était sur le point de pleurer. Son petit garçon faisait tout ce qu'il pouvait. Et elle ferait elle aussi tout ce qu'elle pouvait pour lui, même si la meilleure solution la terrifiait complètement.

Au bout de quelques secondes, elle retourna se coucher tout en prêtant une oreille attentive aux bruits de la maison. Mais tout était désormais silencieux. Pourvu que Leo ait retrouvé le sommeil ! Elle refit son exercice de méditation, mais se rendormit avant la fin.

Le lendemain matin, Ericka se réveilla au son du réveil. Même s'il était assez tôt, elle se sentait pleine d'entrain et d'enthousiasme. Ce jour-là, elle allait emmener Leo à la plage ! Toute contente, elle fit sa toilette, passa son maillot de bain et enfila par-dessus un short et un T-shirt.

Dans le couloir, elle croisa Marley.

— Bonjour, mademoiselle. Leo dort toujours. Je ne l'ai entendu qu'une fois cette nuit, et il s'est rapidement rendormi, sans quoi je serais allée le voir pour le bercer.

— C'est grâce à son mobile. Pourvu que ça dure. Quoi qu'il en soit, ce matin, je l'emmène à la plage.

— A la plage ? répéta la nourrice d'un air surpris. Vous êtes sûre que c'est prudent ? L'eau ne va pas être un peu froide pour lui ?

— Si elle est trop froide, il pourra toujours jouer dans le sable. Il vit sur une île, et il n'est allé à la plage qu'une seule fois dans sa vie. Je voudrais tout de même qu'il puisse découvrir la mer, ne serait-ce que quelques minutes.

La nourrice hocha la tête d'un air pensif.

— Oui, c'est une bonne idée. Il aime bien les nouvelles expériences.

Ericka sourit. Si Marley approuvait son idée, tant mieux ! Pas de doute : cette petite excursion à la plage ferait du bien à son fils, et elle n'était pas la seule à le penser.

— A tout à l'heure, dit-elle. Vous pouvez retourner dormir un peu…

Là-dessus, Ericka se précipita vers le berceau de Leo et le réveilla doucement en le prenant dans ses bras. Elle avait enfreint la règle qu'elle s'était fixée, mais tant pis. Quand elle l'allongea sur la table à langer pour le changer, il se mit à frotter ses petits yeux avec ses poings.

— Bonjour, mon petit ange…, murmura-t-elle, même s'il ne pouvait pas l'entendre.

Elle répéta en faisant le signe avec ses mains. Leo lui sourit en retour.

— Que tu es beau, mon chéri.

Le temps de lui faire prendre son biberon, Ericka finit de le préparer. Et voilà, ils étaient prêts à partir !

Treat l'attendait devant la voiture. Elle constata que son cœur s'était mis à battre plus vite au moment même où elle l'avait vu. Mais autant ne pas trop y penser.

— Vous pensez qu'il est prêt pour aller à la mer ?

— On va commencer par le sable, et ensuite on s'approchera de l'eau. Je ne voudrais pas qu'il ait froid, répondit-elle en installant Leo dans son siège-auto. Mais je pense qu'il est prêt pour cette petite aventure.

— Si vous voulez mon avis, je pense que oui. C'est un vrai petit aventurier.

— Et comment le savez-vous ?

— Je le sens, c'est tout, répondit-il en haussant les épaules.

Sans mot dire, elle s'installa à l'avant puis lui indiqua le chemin qui menait à la petite plage privée qui appartenait à sa famille. L'endroit avait beau être interdit au public, avec un téléobjectif, un paparazzi aurait très bien pu les photographier. Mais, comme c'était la mi-décembre et qu'il était très tôt, il y avait tout de même très peu de risques pour que cela se produise.

Une fois arrivé au bout du chemin qui menait à la plage, Treat arrêta le véhicule.

— Et voilà, on y est, dit-il.

— On y est, répéta-t-elle, tout excitée.

Sans attendre qu'il lui ouvre la portière, elle descendit et contourna la voiture pour sortir le petit de son siège-auto.

— Chapeau, lui rappela-t-il, alors qu'elle s'apprêtait à l'extraire de la voiture.

— Ah oui, c'est vrai ! s'exclama-t-elle en posant une casquette de base-ball sur la tête du petit.

Leo la regarda en ouvrant de grands yeux, l'air de dire : « Tu es sûre que tu sais ce que tu fais ? Je n'aime pas tellement ce truc que tu viens de me mettre sur la tête. »

— Tu es très beau avec cette casquette, murmura-t-elle en le serrant contre sa poitrine.

Ils s'approchèrent ensemble des vagues qui léchaient doucement le sable de la plage. Non loin de l'eau, elle finit par s'asseoir par terre et plaça Leo entre ses jambes.

— Alors, qu'est-ce que tu en dis ? lui demanda-t-elle en lui caressant doucement la joue.

Portant son pouce à sa bouche, Leo continuait de regarder la mer en ouvrant de grands yeux curieux.

Elle prit une poignée de sable et la versa doucement dans l'une de ses petites paumes. Il baissa les yeux vers sa main. Elle répéta le geste. Lâchant son pouce, il plongea soudain ses deux mains dans le sable.

— Tu as bien compris le principe, dis donc, murmura-t-elle en souriant. Tu es très intelligent, mon chéri.

Pendant les quelques instants qui suivirent, Leo continua

de jouer avec le sable, et elle le regarda avec curiosité et fierté découvrir ce monde nouveau pour lui.

— Vous êtes sûre que vous voulez le mettre dans l'eau ? lui demanda soudain Treat. Elle est un peu froide, vous savez ?

— Je suis d'accord. Mais il pourrait peut-être juste tremper ses pieds.

Sans rien répondre, il prit Leo dans ses bras et la tira par la main pour l'aider à se lever. Galant, avec ça ! Ensemble, ils firent quelques pas dans la mer.

— Elle est fraîche, déclara-t-elle.

— Je crois qu'on ferait bien de le laisser se faire son opinion, dit-il en se penchant pour immerger les petits pieds de Leo dans l'eau.

L'air surpris, le petit s'immobilisa.

— Qu'est-ce que tu en penses, petit gars ? demanda Treat tout en se relevant.

Quand il se pencha de nouveau, Leo se mit à agiter gaiement les jambes dans l'eau.

— Je ne sais pas si on doit le prendre pour un oui ou pour un non, dit-elle en riant.

— Comme il ne crie pas, je pencherais plutôt pour le oui.

Une petite vague déferla sur les jambes de Leo, qui poussa alors un petit cri aigu. On aurait dit un cri de joie. Instinctivement, Ericka tendit les bras pour le reprendre, et Treat le lui passa doucement.

— On dirait bien que tu es un petit marin, fit-elle. On devrait t'amener plus souvent.

— Vous avez l'intention de vous baigner ?

— Pas cette fois-ci. Elle est un peu trop froide pour moi. Les yeux rivés sur la mer, il hocha la tête.

— Quand j'étais petit, on ne m'a emmené que deux fois à la mer. Et j'ai vraiment adoré. La seconde fois, c'était l'hiver. L'eau était glaciale, mais j'ai quand même plongé et nagé, raconta-t-il en riant.

— Vous n'avez pas envie d'aller y faire un petit tour ?

Il secoua la tête.

— Je ne peux pas vous protéger si je suis dans l'eau…

Mince. Une fois encore, elle avait oublié qu'il était là pour le travail, et pas uniquement pour lui tenir compagnie.

— C'est vrai, répondit-elle en soupirant.

— Je reviendrai un autre jour, quand je serai en congé.

— En congé ? répéta-t-elle alors qu'ils s'éloignaient ensemble de l'eau. Vous n'avez pas pris un seul jour de repos depuis que vous avez commencé.

— Mais il faudra bien que je commence, à un moment ou à un autre…

— Alors, je ne pourrai pas vous voir nager dans la mer.

— Vous n'allez rien rater. Je ne suis pas un champion, vous savez.

— Je parie que vous plongez dans les vagues.

Un petit sourire aux lèvres, il se tourna vers elle.

— Vous avez des talents de voyante, c'est ça ?

— Non, j'aurais juste envie de vous voir plonger dans les vagues.

— Pourquoi ?

— Parce que j'aimerais savoir comment vous étiez quand vous étiez enfant.

L'air attristé, il secoua la tête.

— L'enfant qui est en moi ne ressort pas bien souvent. L'enfant qui est en moi a eu une histoire compliquée.

— Comment ça ?

— Je vous en ai déjà bien assez dit. Vous êtes ma cliente, déclara-t-il d'une voix soudainement glaciale.

Ericka écarquilla les yeux. Ces quelques mots lui firent l'effet d'une gifle. Pourquoi avait-il réagi de cette façon ? Elle le regarda quelques instants en silence avant de reprendre la parole.

— Vous venez de partager un moment absolument merveilleux. Vous avez déjà emmené un bébé à la mer avec sa maman ?

— Jamais.

— Nous ne sommes pas de simples clients, Leo et moi, lui dit-elle en ouvrant la portière de la voiture pour installer le petit sur son siège.

Sans le regarder, elle s'installa ensuite à sa place. Elle l'entendit monter dans la voiture et mettre le contact, mais elle continua de regarder droit devant elle. Elle se sentait offensée, insultée, mais sans trop savoir pourquoi. C'était ridicule. Pourquoi se souciait-elle autant de ce que l'un de ses employés pensait d'elle ?

— Excusez-moi, dit-il en se tournant vers elle. C'était déplacé. J'ai déjà travaillé avec des femmes et des enfants, mais jamais avec des bébés. Et jamais avec vous. Il faut juste que je garde la tête froide.

Son cœur s'arrêta un instant de battre au moment où elle croisa son regard intense. Au fond, qu'éprouvait-elle vraiment pour lui ? Il faisait son travail. Rien de plus, rien de moins. Mais, d'un autre côté, c'était un être humain, avec des sentiments. Des sentiments bien plus profonds qu'elle ne l'aurait imaginé. Il lui inspirait des émotions, des émotions vives et fortes. Plus fortes que tout ce qu'elle avait pu ressentir jusqu'ici. En résumé, la situation était compliquée. Mais une chose était sûre : elle avait envie de lui.

Alors qu'elle se faisait ces réflexions, il avait garé la voiture.

— Je comprends, dit-elle. Je vais ramener Leo à la maison pour qu'il prenne son biberon et qu'il fasse sa sieste.

— Et, comme ça, vous pourrez vous remettre au travail, ajouta-t-il, en sortant Leo de son siège-auto. Tu as été super, petit gars.

Il se tourna vers elle.

— Vous voulez que je le ramène à l'intérieur ?

— C'est bon, merci, répondit-elle en le reprenant.

Elle sentait le regard de Treat dans son dos. Curieusement, c'était bon de savoir que ses yeux couraient sans doute le long de son corps. Pas de doute : il était aussi attiré par elle qu'elle l'était par lui. En un sens, c'était rassurant. Enfin, un peu seulement. Car, pour le moment, aucun d'entre eux ne voulait se risquer à faire quoi que ce soit.

Instinctivement, elle baissa les yeux vers Leo, qui la regarda à son tour. Il valait mieux ne rien faire. A bien y réfléchir, elle était déjà comblée par ce qu'elle avait dans les bras.

Cet après-midi-là, Ericka décida d'aller faire un petit tour au palais. Il fallait qu'elle parle à son frère, seule à seul. Elle avait beau s'inquiéter pour Leo, le sort de la famille royale de Sergenia la préoccupait, ô combien. Pourvu qu'elle arrive à mettre Stefan de son côté !

Treat insista pour l'accompagner. Durant le trajet, elle fit de son mieux pour ne pas trop penser au rêve érotique qu'elle avait fait. Ce rêve où ils étaient nus tous les deux, prêts à se donner l'un à l'autre. Lutter contre le désir coupable que lui inspirait sa présence lui demanda un effort surhumain. C'est peu dire qu'elle se sentit soulagée quand il se gara devant le palais.

— Je n'en ai pas pour longtemps, lui dit-elle en sortant de la voiture.

Elle avait prévenu son frère de sa visite, et il avait accepté de la voir, à condition que ce ne soit pas pour se plaindre de son garde du corps. En réalité, c'était peut-être son garde du corps qui avait des raisons de se plaindre d'elle. Mais c'était une autre histoire.

Elle frappa à la porte du bureau de son frère, et son

assistant lui ouvrit immédiatement. Elle avança vers Stefan, qui contourna son bureau pour la saluer.

— Tu n'as pas l'air bien, lui dit son frère.

— Oui, je suis inquiète. J'ai reçu un coup de fil de la famille royale de Sergenia.

— Aux dernières nouvelles, le pays va vraiment très mal.

L'air grave, elle hocha la tête.

— La famille royale est en danger. Ils ont besoin d'un endroit où se réfugier.

Il la regarda d'un air songeur.

— Tu sais bien que nous ne nous impliquons jamais dans la politique des autres pays.

— Il ne s'agit pas de politique. Il s'agit d'êtres humains. Imagine, si c'était nous qui devions quitter Chantaine ! Si le pays était en proie à des émeutes !

— Nous veillons sur notre peuple. Notre peuple passe en priorité. C'est pour ça que tout va bien chez nous.

— Mais ils ne demandent pas grand-chose. Ils ont juste besoin d'un endroit où se cacher.

L'air contrarié, il secoua la tête.

— Ecoute, j'apprécie ta sensibilité, mais je dois d'abord penser au bien commun. Je ne voudrais pas que des gens violents de Sergenia viennent se venger sur nos compatriotes.

— Mais si nous gardons le secret…

— Fredericka, l'interrompit-il, la réponse est non.

Elle se mordit la lèvre. Elle comprenait le point de vue de son frère, mais cela ne l'empêchait pas d'être préoccupée par le sort de la famille royale de Sergenia. Elle s'était renseignée. Apparemment, c'était des gens très bien.

— Tu sais que j'aurais pu faire ça dans ton dos.

Plissant les yeux, il prit un air mauvais qui l'aurait certainement intimidée… si elle avait eu cinq ans.

— Mais j'espère que l'honneur des Devereaux signifie encore quelque chose à tes yeux.

— L'honneur de nos ancêtres, c'est une chose. Mais le nôtre ? Tu devrais peut-être y penser. Et repenser à ce que je viens de dire.

Comme il semblait vouloir protester, elle leva la main devant elle. Elle allait peut-être regretter ce qu'elle s'apprêtait à faire, mais tant pis.

— Non, ne dis rien. Contente-toi de repenser à ce que je viens de te dire. Et passe une soirée tranquille, dans ton palais bien gardé. Et songe que tout le monde n'a pas cette chance.

Là-dessus, elle sortit du palais d'un pas précipité. Treat l'attendait à côté de la voiture. Sans attendre qu'il lui ouvre la portière, elle s'installa sur le siège passager.

— C'était rapide, comme entretien, fit-il au moment où ils passaient le grand portail du palais.

— Rapide mais efficace. J'ai dit ce que j'avais à dire.

Il se tourna rapidement vers elle pour lui jeter un regard interrogateur.

— Vous pouvez développer ?

Elle tourna son regard vers la fenêtre. La dernière chose dont elle avait envie, c'était de se justifier !

— Pas vraiment. Le truc, c'est que tout le monde pense que j'ai un job superficiel qui consiste uniquement à organiser des réunions avec d'autres têtes couronnées. Mais il arrive qu'on me prenne un peu plus au sérieux. Il arrive qu'on m'appelle pour me demander des choses importantes. Et, dans ces cas-là, comment je suis censée réagir, hein ?

— Je ne comprends pas de quoi vous parlez.

Evidemment qu'il ne pouvait pas comprendre. Elle soupira et croisa les bras.

— Peu importe.

— A vous regarder, je dirais qu'au contraire ça a beaucoup d'importance pour vous. Mais à partir du moment où votre propre sécurité n'est pas en danger...

276

— Il ne s'agit pas de moi, mais de la famille royale de Sergenia. Mais vous n'avez pas intérêt à en parler autour de vous. Sinon, je vous tue.

— Sergenia, répéta-t-il d'un air pensif. C'est terrible, ce qui se passe là-bas.

— Tout à fait. Et les membres de la famille royale ont besoin d'un endroit où se réfugier.

— Et ils voudraient venir ici, à Chantaine ? Pourquoi pas un pays plus grand ?

— J'imagine que c'est parce que nos terres sont assez isolées.

— Je vois. Mais, si j'ai bien compris, le roi n'est pas d'accord.

— Exact. Mais il est hors de question que j'abandonne. Je reviendrai à la charge dans quelques jours.

— Vous faites peur, quand vous êtes aussi déterminée, lança-t-il en souriant.

Se sentant un peu plus légère, elle lui rendit son sourire.

— Je prends ça comme un compliment.

Il la laissa devant la maison. Quand elle poussa la porte, elle fut accueillie par Marley, qui tenait Leo dans ses bras.

— Il a été un peu grognon, cet après-midi. L'ORL a appelé. Il a laissé un message ; je n'ai pas pu décrocher à temps.

Machinalement, elle consulta son téléphone portable et s'aperçut que l'ORL avait tenté de la contacter. Mince, que voulait-il lui dire ? Anxieuse, elle écouta le message. Et sentit son cœur se serrer. Le médecin confirmait ses craintes : Leo était totalement sourd. Mais il affirmait que le petit pourrait subir la fameuse opération qui lui changerait la vie dès le mois de janvier ou de février.

Que penser de cette nouvelle ? Comme le précisait une nouvelle fois le médecin, cette opération présentait un petit pourcentage de risques. Or, l'idée de mettre volontairement la vie de son fils en danger l'effrayait, ô combien. D'un autre côté, naturellement, si l'opération réussissait, Leo pourrait parler normalement et entendre bien mieux qu'avec des prothèses auditives.

D'instinct, elle se tourna vers la nourrice et tendit les bras.

— J'aimerais le prendre un peu.

— Bien sûr. Simon a fait les courses et nous a préparé à dîner. Que diriez-vous d'un peu de soupe ?

— Parfait, répondit-elle en prenant son fils dans ses bras.

Leo se mit à la regarder avec ses grands yeux bleus.

— Comment ça va, mon petit chéri ? Je pensais que tu serais fatigué par ta petite aventure de ce matin…

Leo fit une petite grimace.

— Je parie que tu as faim, maintenant. Ça creuse, le bon air marin !

— Je vais lui préparer son biberon, lança Marley, qui avait déjà commencé à faire réchauffer la soupe. J'espère qu'il va bien dormir ce soir.

— Moi aussi, dit Ericka en donnant son biberon à Leo.

Il le vida en un rien de temps. Effectivement, son petit périple lui avait ouvert l'appétit. Peu après, elle le coucha doucement dans son berceau. Elle eut à peine le temps de chanter une berceuse qu'il s'était déjà endormi.

Elle descendit dans la cuisine pour partager sa soupe avec la nourrice. Pourvu qu'il ne se réveille pas !

— Merci beaucoup pour le repas, Marley, dit-elle à la fin du dîner. La journée a été rude.

— Je sais : vous êtes debout depuis l'aube. J'imagine que vous allez bien dormir.

— Certainement. Mais je déteste me dire que vous allez devoir vous réveiller à ma place.

— Je peux dormir quand il dort. Vous, vous avez

votre travail. Ne vous inquiétez pas pour moi, répondit la nourrice en lui tapotant gentiment le dos.

Ericka esquissa un pâle sourire. Elle ne pouvait s'empêcher de songer que c'était à elle de s'occuper de son fils. Quelque part, c'était plus fort qu'elle.

Ericka finit par accepter de laisser la nourrice s'occuper de Leo pour la nuit. A contrecœur, mais tant pis. Elle l'entendit deux fois pleurer dans le babyphone, mais ses cris ne durèrent pas longtemps. Rassurée, elle se rendormit aussitôt. Quand elle se réveilla, pour la première fois depuis longtemps, elle se sentait reposée et ragaillardie.

En entrant dans la cuisine, elle vit Marley éternuer bruyamment.

— A vos souhaits. Et bonjour. J'espère que Leo ne vous a pas trop mené la vie dure cette nuit.

— Pas du tout, mademoiselle. Mais je crois que je me suis enrhumée. Je n'aimerais pas passer mes microbes à Leo, répondit la nourrice avant d'éternuer de nouveau.

— Vous n'avez pas l'air bien du tout. Vous devriez peut-être prendre un jour ou deux pour récupérer ?

La nourrice arbora un air gêné.

— Eh bien… ça m'ennuie un peu de vous laisser tout faire toute seule…

— Il me reste toujours Simon pour le ménage et les repas. Et puis vous venez de m'offrir un super cadeau : une bonne nuit de sommeil. Alors je pense que je pourrai me passer de vous pour deux ou trois jours…

— Vous en êtes sûre ?

Ericka hocha la tête.

— Vous vous remettrez plus vite si vous vous reposez

un peu. Emportez un peu de la soupe de Simon. Il en a fait pour douze.

Sans attendre la réponse de Marley, elle ouvrit le réfrigérateur pour en sortir la soupe en question et en versa un peu dans une boîte hermétique.

— Vous êtes tellement gentille, mademoiselle.

— Mais non. C'est parfaitement normal. Allez, rentrez chez vous. Allez vous reposer.

Une fois la nourrice partie, Ericka se hâta de se doucher et de s'habiller. Puis elle travailla un peu sur le planning des ateliers pour la future conférence. Et elle était en train de téléphoner à l'un des intervenants quand Leo se mit à pleurer. Après s'être hâtée de mettre un terme à la conversation, elle alla le changer et le mit dans sa gigoteuse. Tiens, et si elle lui faisait réviser sa langue des signes après son biberon ? Là, elle lui fit le signe du lait et prit sa petite main pour qu'il le fasse à son tour.

Tout en agitant gaiement les jambes, le petit fit claquer sa main contre la sienne.

— Bon, on va continuer de travailler là-dessus, dit-elle sans pouvoir s'empêcher de sourire.

Elle lui donna son biberon.

— Et maintenant c'est l'heure de ton cours.

Après avoir cliqué sur une vidéo qu'elle avait enregistrée sur son ordinateur, elle s'assit par terre et elle prit Leo sur ses genoux. Chaque fois que l'instructeur disait un mot, elle le répétait, faisait le signe avec ses mains et aidait le petit à bouger les siennes pour l'encourager à faire de même.

Soudain, on frappa à la porte.

Surprise, elle se retourna vivement.

C'était Treat. Il venait de passer la tête par l'embrasure de la porte. Elle frémit. Une étrange et agréable sensation de plaisir envahit son corps au moment où ses yeux se posèrent sur lui. Pourquoi lui faisait-il toujours cet effet-là ?

Qu'importe. Il fallait qu'elle se maîtrise. Elle ne devait surtout pas le laisser deviner ce qu'elle ressentait.

— J'étais juste venu voir si tout allait bien. J'ai vu que la nourrice était partie tôt, ce matin.

— Tout le monde va bien. Sauf Marley, en effet, elle a un méchant rhume. Je lui ai dit de rester chez elle ces deux prochains jours.

— Vous avez bien fait. Comment ça se passe, avec la langue des signes ?

Elle se mit à rire en secouant la tête.

— Je crois que ce qui l'intéresse le plus, c'est de me taper dans la main et de s'amuser. Mais j'ai lu que c'est plutôt à partir de six mois que les bébés commencent à être réceptifs à ce type d'apprentissage.

— Du moment que vous vous amusez, tous les deux... C'est un petit gars qui aime bien rire.

A ces mots, elle laissa échapper un soupir.

— J'essaie tellement de toujours tout faire correctement que j'en oublie parfois de m'amuser.

— Comment vous faisiez quand vous étiez petite ? Est-ce que vous n'appreniez pas mieux quand vous vous amusiez ?

Elle pensa à ses nourrices et à ses précepteurs. Ils avaient toujours été très sévères avec elle. Mis à part un ou deux, qui avaient pris l'initiative d'assouplir un peu les règles. Ce qui avait plutôt bien fonctionné, en effet.

— Oui, vous avez raison.

Il s'approcha d'eux. Au même moment, sorti de nulle part, Sam vint se frotter contre ses jambes. L'air désorienté, il baissa les yeux vers le chat.

— Il fait ça chaque fois que je rentre dans la maison. Il n'a toujours pas compris que je me méfie des chats ?

Ce qu'il pouvait être craquant ! Se sentant sourire, elle essaya de conserver un air sérieux.

— Apparemment, il veut vous séduire.

Il leva les yeux au ciel, mais se baissa pour caresser le chat entre les oreilles. L'air satisfait, Sam ferma les yeux.

Tout à coup, Leo poussa un petit cri tout en agitant ses mains en direction de Sam. Aussitôt, le chat s'approcha de lui. Le petit se mit à le tapoter : il n'avait pas encore appris la technique de la caresse. Sam toléra ses gestes brusques quelque temps puis se dirigea vers la cuisine.

— Est-ce qu'il se laisse toujours faire ? demanda Treat.

— Très souvent, oui, répondit-elle en se levant. Sam doit penser que sa mission consiste à veiller sur Leo.

— Un chat de garde, donc, dit-il en souriant. Pourquoi pas ? Bon, si vous avez besoin de moi…

— Je m'apprêtais à déjeuner. Simon nous a fait de la soupe et assez de pâtes pour nourrir un régiment. Vous m'accompagnez ?

Il sembla hésiter quelques secondes puis secoua la tête. Quelle déception ! Pourquoi avait-il dit non ?

— Je vous remercie, mais je ne peux pas.

Pourquoi ? Elle ne lui demandait pas la lune ! Elle avait juste envie d'un peu de compagnie. Plus elle passait de temps avec cet homme, plus elle avait envie d'en apprendre davantage sur lui. Mais il semblait déterminé à garder ses distances. Il fallait donc qu'elle respecte sa volonté et qu'elle cesse de penser sans arrêt à lui. Hélas.

Elle tourna alors son attention vers Leo. Allongé sur son tapis d'éveil, il était en train de faire ce qui ressemblait vaguement à des pompes. Elle plaça l'un de ses jouets préférés à côté de lui pour voir s'il était tenté de rouler sur le côté pour l'attraper. Il se donna beaucoup de peine pour essayer, mais, manifestement, il n'était pas encore prêt. Au bout d'un certain temps, il commença à pleurer. Même s'il ne pouvait pas l'entendre, elle le félicita de ses efforts et lui tendit le jouet. Il fallait qu'elle garde l'habitude de lui parler. De toute façon, après son opération, il l'entendrait.

Quelques instants plus tard, elle alla le coucher pour sa sieste de l'après-midi et se remit au travail. Mais, une heure plus tard environ, elle l'entendit pleurer. Surprise, elle alluma son mobile, mais le subterfuge ne fonctionna que quelques minutes. Du coup, elle le ramena avec elle dans le séjour. Mais il continua de faire la tête.

Elle passa la plus grande partie de l'après-midi à faire les cent pas en le portant dans ses bras. Pourvu qu'il n'ait pas attrapé le rhume de la nourrice ! Elle touchait régulièrement son front, mais il ne semblait pas avoir de fièvre. Au bout d'un certain temps, elle remarqua qu'il avait l'air de mâchouiller sa tétine plutôt que de la sucer.

— Tu fais tes dents ? Peut-être qu'un peu de glace pourrait te soulager ?

Elle passa la soirée à essayer de le soulager. Hélas, elle se retrouva très vite à court d'idées. Elle avait l'impression d'avoir tout essayé, mais rien ne semblait fonctionner plus d'un quart d'heure.

Elle le berça doucement sur le rocking-chair qui se trouvait à côté de son berceau. Heureusement, il finit par se calmer. Il était peut-être temps de le coucher. Mais elle venait à peine de se mettre au lit qu'il se remit à pleurer. Oh non, pas encore ! Elle ralluma le mobile, sans succès. On voyait bien qu'il souffrait. Elle décida de le bercer de nouveau puis le replaça doucement dans son berceau avant d'aller elle-même se coucher. Elle était sur le point de s'endormir quand il se mit à pleurer de nouveau.

Voilà ce que c'est que d'être une maman célibataire, songea-t-elle pour la énième fois de la journée. A bout de forces, elle se releva, berça Leo et alluma son mobile. Et dire qu'il était à peine 1 heure du matin !

Tout en nageant dans la piscine, Treat observait la maison. Il y avait de la lumière dans la chambre de Leo.

Quelques minutes plus tard, tout devint noir de nouveau. Puis il vit la lumière se rallumer. Bizarre.

Il retourna dans la dépendance, prit une douche et enfila un pantalon de jogging et un débardeur. Puis il alla se poster à la fenêtre pour observer de nouveau la grande maison. La lumière était toujours allumée dans la chambre de Leo. Quelques instants plus tard, la pièce fut de nouveau plongée dans l'obscurité. Il valait mieux qu'il aille jeter un coup d'œil, en espérant qu'Ericka et le petit allaient bien.

Avec sa clé, il ouvrit la porte d'entrée avant de monter doucement l'escalier. La porte de la chambre du petit étant entrouverte, il se faufila silencieusement à l'intérieur. Pelotonnée dans le rocking-chair, Ericka paraissait profondément endormie. Il jeta un coup d'œil au berceau. Le bébé, allongé sur le dos, dormait lui aussi à poings fermés.

Tout en se frottant le menton, il prit un instant pour réfléchir. Ericka allait avoir mal au dos si elle restait dans cette position. Et puis elle aurait déjà dû être dans son lit à cette heure-ci. Il s'approcha d'elle et lui toucha le bras. Aucune réaction. La soirée avait dû être dure. Au bout du compte, il décida de la prendre dans ses bras pour la ramener dans sa chambre.

Mais, au moment où il la posa délicatement sur le lit, il vit ses paupières s'agiter. Elle finit par ouvrir les yeux et le regarda d'un air déconcerté.

— Treat ?

— Oui, répondit-il, son visage à quelques centimètres du sien.

Elle fronça légèrement les sourcils.

— Qu'est-ce que… ?

— Vous vous êtes endormie dans la chambre du petit, et vous n'aviez pas l'air à l'aise, alors je vous ai ramenée ici.

— Et Leo ?

A ces mots, il sentit son cœur se serrer. Elle était à peine réveillée et, pourtant, la première chose qu'elle voulait savoir, c'était comment allait son fils. L'amour qu'elle lui portait était immense. Il y avait quelque chose de vraiment admirable là-dedans.

— Il dort comme un ange.

— Ouf ! Le pauvre chéri. Il fait ses dents.

— Ah, répondit-il.

A cet instant, il voulut se relever et s'éloigner d'elle. Mais il était complètement captivé par son visage. Comme hypnotisé. Impossible de bouger.

Elle baissa doucement la tête, avant de le regarder droit dans les yeux.

— Merci, murmura-t-elle en passant ses bras autour de son cou.

Et, sans rien dire, elle posa ses lèvres sur les siennes. Sa bouche était douce, mais cela ne lui suffisait pas. Il avait envie de la caresser et d'explorer son corps. Lorsqu'elle passa ses doigts dans ses cheveux, il sentit son désir grandir encore davantage.

Ce mélange de douceur et d'excitation lui paraissait totalement enivrant. Il ne pouvait pas s'arrêter de dévorer sa bouche, qui semblait s'ouvrir tout naturellement à lui. Il en voulait plus, toujours plus. Avec fougue et passion, elle l'attira un peu plus près d'elle. Il se laissa faire, savourant la chaleur féminine de son corps contre le sien. Il lui aurait été tellement facile de la débarrasser de ses vêtements, de la couvrir de baisers. Il lui aurait été tellement facile de la caresser jusqu'à la rendre complètement folle de désir. Il lui aurait été tellement facile de se glisser en elle…

Son sexe devint soudain si tendu que son corps en trembla. Elle continua de l'embrasser en enfonçant sa douce langue dans sa bouche. Et il se sentit tout à coup fort, tendre, fougueux. Complètement incapable de se maîtriser.

Mais il ne devait pas perdre le contrôle de lui-même. Hors de question.

Même si elle se frottait sensuellement contre lui, même si elle continuait de l'embrasser, il fallait qu'il s'éloigne d'elle. Pour son bien à elle. Pour son bien à lui.

Au prix d'un effort surhumain, il y parvint. Il s'écarta doucement d'elle. Que d'énergie dans ce petit bout de femme !

— Eh bien…, murmura-t-il.

— Eh bien…, répéta-t-elle, les yeux mi-clos, en lui jetant un regard sensuel.

Lentement, voluptueusement, elle fit glisser ses mains le long de ses bras. Elle lui donnait l'impression d'être fort, désirable. Cela faisait longtemps qu'il n'avait pas vécu ce genre de moment avec une femme. Mais elle était différente des autres. Elle n'était pas comme les autres.

— Je n'avais pas prévu ça, murmura-t-il.

— Moi non plus, mais je suis contente que ça soit arrivé.

Son regard était si séduisant qu'il dut s'en détourner.

— Moi aussi, répondit-il en l'embrassant sur la joue.

Ses lèvres étaient bien trop dangereuses.

— Il faut que vous dormiez, maintenant, reprit-il. Tant que vous pouvez.

— Je n'oublierai pas ce baiser, chuchota-t-elle.

— Moi non plus, répondit-il en se forçant à se lever du lit.

A contrecœur, d'un pas lourd, il quitta la chambre et rejoignit sa petite maison. Son corps était chaud, son cœur battait à tout rompre, son sexe était dur de désir. Il se déshabilla aussitôt rentré et prit une douche glacée. Debout sous le jet, il attendit que le désir qu'il éprouvait pour elle s'apaise. Il attendit quinze minutes. En vain.

Il finit par sortir de la douche et enfila un boxer. Puis il se mit à faire des pompes, à soulever des poids. Une heure plus tard, son corps était fatigué, mais son esprit était toujours agité par le souvenir des délicieuses sensations que lui avaient procurées ce corps magnifique et cette bouche sensuelle. Allait-il pouvoir oublier ce moment ?

Ericka dormit à poings fermés jusqu'à ce que les pleurs de Leo la réveillent. Quand elle arriva dans sa chambre, Sam, perché sur l'étagère au-dessus du berceau, miaulait bruyamment.

— Ça va, ça va, marmonna-t-elle. Je suis là.

Baissant les yeux vers Leo, elle se mit ensuite à caresser son petit ventre.

— Comment ça va, aujourd'hui, mon petit chéri ?

Il poussa un petit cri joyeux puis sourit. Et elle sentit son cœur se gonfler d'amour.

— Super, mon trésor, dit-elle en le posant sur la table à langer. Et tes gencives, un peu mieux ?

Il rit un peu et, de nouveau, elle se sentit emplie d'amour, de fierté, de mille émotions intenses. Cet enfant était vraiment la lumière de sa vie.

— Toi, tu es du matin, dit-elle en l'allongeant doucement sur la table à langer.

Après lui avoir donné son biberon, elle s'installa avec lui à son bureau.

— Tant que tu as l'esprit bien frais, on va faire un petit cours de langue des signes, lui expliqua-t-elle en cliquant sur une vidéo.

Elle l'aida à bouger ses mains pour qu'il suive la leçon, mais, une fois encore, il semblait préférer taper dans les siennes.

— Allez, dit-elle en riant. Essaie au moins « chat ».

Elle pointa du doigt Sam qui les regardait d'un drôle d'air. Il devait les prendre pour des fous. Puis elle fit le signe désignant l'animal et bougea les mains de Leo pour qu'il puisse faire de même.

— Chat, répéta-t-elle.

Sentant qu'on parlait d'elle, la petite bête s'approcha de Leo et se laissa toucher. Quelques secondes plus tard, cependant, elle s'éloigna en miaulant. Leo poussa un petit grognement et se mit à agiter ses mains dans sa direction.

— Tu l'aimes beaucoup, hein ? lui dit-elle en lui caressant doucement la joue.

Quelque temps après, quand elle le coucha pour sa sieste du matin, elle fut surprise qu'il s'endorme si rapidement. C'était tellement rare ! Autant en profiter pour travailler.

Il se réveilla une heure plus tard, et elle le tint éveillé jusqu'à ce qu'il commence à s'agiter. Alors, elle le recoucha. C'était le début de l'après-midi.

Après cela, elle ne put s'empêcher de penser à Treat et aux merveilleuses sensations que lui avait procurées son corps collé contre le sien. Elle ne se souvenait pas de s'être sentie plus femme, plus désirée, dans les bras d'un homme. Elle pouvait encore sentir le goût de ses lèvres, la chaleur de son corps, l'odeur de sa peau.

Son cœur battait à tout rompre. Elle avait envie d'être avec lui, de sentir sa bouche contre la sienne, de le sentir contre elle… De le sentir en elle.

Tout en se mordillant la lèvre, elle eut soudain comme un flash. La première fois qu'elle avait tenté de séduire un homme, c'était avec son ex-mari. La seconde fois, cela allait être avec son garde du corps. Cette idée la rendait tellement nerveuse qu'elle n'arrivait plus à tenir en place.

Heureusement, Leo se montra plutôt coopératif. Il se réveilla assez tôt dans l'après-midi et se montra de bonne humeur. Apparemment, ses gencives le faisaient moins souffrir. Ce qui était très bien pour lui. Et pour elle.

Le soir, il n'eut aucun mal à trouver le sommeil. Un véritable miracle, songea-t-elle. A moins que ce ne soit un coup de pouce du destin.

Tiens, et si elle mettait sa petite robe noire bien ajustée

qui mettait en valeur les courbes de son corps ? Pour ne pas trop en faire, il valait mieux qu'elle reste pieds nus. Mais elle prit le temps de se friser les cheveux et de les attacher avec quelques épingles à chignon. Il ne lui restait plus qu'à mettre un peu de mascara et d'ombre à paupières grise.

Voilà. Le tour était joué.

Les mains tremblantes, elle appuya sur le bouton qui lui permettait de contacter Treat.

— Vous pourriez venir, s'il vous plaît ?

— J'arrive, répondit-il avec empressement, sans demander la moindre explication.

Elle alla s'asseoir sur le canapé. Puis elle se leva. Puis elle se rassit.

Enfin, il ouvrit la porte d'entrée.

— Un problème ?

— Oui, répondit-elle, le cœur battant à tout rompre. Le problème, c'est que j'ai envie de toi. Très envie de toi.

Il prit une profonde et bruyante inspiration.

— Ericka…

— Je viens de t'ouvrir mon cœur. Tu ne peux pas en faire autant ?

L'air embarrassé, il détourna son regard d'elle.

— Tu sais bien que c'est mal.

— Mal ? s'exclama-t-elle en se levant d'un bond. Mais… on est deux adultes consentants. On sait ce qui est bien ou mal pour nous.

— Je ne peux pas faire ça, répondit-il en secouant la tête d'un air peiné. Ne va pas croire que je n'ai pas envie de toi, mais… si je suis avec toi, je ne pourrai pas garder la tête froide. N'oublie pas que je dois te protéger.

Ces propos lui firent l'effet d'une gifle. La façon dont il venait de la rejeter était tellement violente. Mais peut-être qu'en choisissant bien ses arguments…

— Je comprends. C'est juste, mais…

290

— Il n'y a pas de mais.

Et voilà, il redevenait ce donneur de leçons insupportable. Se sentant bouillir, elle ne put contenir sa colère.

— Oh ! arrête ton numéro ! Ça ne te dérangeait pas de m'embrasser, hier soir. Tu sais quoi ? Tu n'as qu'à aller te coucher seul, c'est tout ce que tu mérites.

— Je ne voulais pas t'humilier, balbutia-t-il en s'approchant d'elle. Je voulais simplement…

— Tais-toi ! cria-t-elle en levant sa main devant elle. J'ai commis une erreur, et maintenant nous sommes tous les deux mal à l'aise. Essayons simplement d'oublier ça.

— Je ne pourrai pas.

— Ce sera sûrement plus facile pour toi que pour moi, répondit-elle en quittant la pièce sans même se retourner.

Une fois dans sa chambre, elle se hâta de retirer sa robe. Elle avait l'impression d'avoir vieilli de dix ans, d'avoir perdu tout pouvoir de séduction. Humiliée, elle se sentait humiliée. Autant aller se coucher, et en vitesse. Treat ne faisait pas partie de son avenir. Il allait falloir qu'elle oublie ce baiser qu'ils avaient échangé. Inutile de se leurrer : il avait beau dire qu'il avait envie d'elle, il ne la désirait certainement pas autant qu'elle le désirait.

Le lendemain après-midi, Marley revint à la maison. Elle avait meilleure mine, tant mieux.

Ericka décida d'en profiter pour sortir un peu. Elle dit à Treat qu'elle voulait rendre visite à sa sœur, mais lui précisa qu'elle voulait y aller seule dans sa voiture. Il n'aurait qu'à la suivre dans son propre véhicule. Après ce qui s'était passé la veille, elle n'avait aucune envie de se retrouver en tête à tête avec lui, et encore moins dans un espace confiné.

Une fois arrivée devant le ranch de Bridget, elle sortit de sa voiture et alla frapper à sa porte.

Quelques secondes plus tard, sa sœur, précédée de son gros ventre de femme enceinte, lui ouvrit. Dès qu'elle la vit, elle prit un air radieux.

— Ericka ! Qu'est-ce que tu as fait de Leo ?

— Il se repose. Et comme j'avais juste envie de discuter un peu avec ma petite sœur…

— Eh bien, entre, répondit Bridget en la conduisant vers son séjour décoré avec un goût exquis. Tu as bien choisi ton jour. Les jumeaux sont assez calmes aujourd'hui. Ils jouent aux Lego. Quand ils sont silencieux comme cela, je m'imagine toujours qu'ils échafaudent un plan pour conquérir le monde. Mon mari dit que ma grossesse me rend à moitié folle. Mais je suis sûre que c'est vrai.

— Euh… si tu le dis…, lâcha Ericka, perplexe.

— Je plaisantais, voyons ! s'exclama sa sœur en s'esclaffant. Bon, comment va mon petit Leo ?

— Très bien. Mais moi, moyen. Je crois que je devrais sortir un peu plus pour me changer les idées.

— Toi aussi, tu deviens un peu folle ?

— Ce n'est pas exactement comme ça que j'aurais formulé les choses, mais…

— Ecoute, fit Bridget en claquant des mains, pourquoi tu ne ferais pas d'une pierre deux coups ? Tu as forcément entendu parler de l'expo organisée au musée de Chantaine ? Eh bien, je connais un très bel Italien qui serait ravi de t'y accompagner. En plus, il pourrait parfaitement te remonter le moral.

Un Italien ? L'homme en question devait certainement être séduisant, mais il ne lui ferait pas oublier Treat.

— Les Italiens sont un peu trop flatteurs à mon goût.

— Mais il y a des fois où ça fait du bien, de se sentir valorisée. Je ne te demande pas de l'épouser. Juste de passer une bonne soirée en sa compagnie. Tu n'es même pas obligée de le mettre dans ton lit. Enfin, sauf si tu en as envie…

Ericka regarda sa sœur en ouvrant de grands yeux. C'était bien la première fois qu'elle l'entendait parler de cette façon !

— Bridget ! Ecoute, je ne suis tout de même pas si désespérée !

— Oh ! ce n'est pas du tout ce que je voulais dire. Mais il faut bien que tu t'amuses un peu. Si je te propose ça, c'est juste parce que je m'inquiète pour ta santé mentale…

Ericka ne put s'empêcher de rire.

— Je ne suis pas sûre que ce soit une bonne idée. J'aurais plutôt vu un déjeuner ou une visite dans l'un de nos musées.

— Mais c'est exactement comme une visite dans un musée. Il faut juste que tu t'habilles de façon un peu plus élégante. Encore une fois, ça ne t'engage à rien. Et puis, tu peux bien t'amuser un peu. Je te trouve un peu tristounette, en ce moment. Et même un peu grincheuse…

Ericka lança un regard étonné à sa sœur. Grincheuse, elle ?

— Ce n'est pas très gentil, finit-elle par répondre d'un air de reproche.

— Mais c'est la vérité. Allez, dis-moi simplement que tu acceptes ce rendez-vous…

Ericka prit une profonde inspiration. Une chose était sûre : elle avait besoin de sortir. Elle avait passé beaucoup trop de temps enfermée avec son garde du corps. Son garde du corps qui ne se sentait pas attiré par elle. Qui ne voulait pas d'elle.

— Bon, d'accord, soupira-t-elle.

Bridget se mit à battre des mains.

— Génial ! J'ai hâte d'en parler à Antonio.

Là-dessus, Ericka alla voir les jumeaux, qui lui firent visiter le ranch. Ils étaient tellement fiers de lui montrer leurs animaux ! En partant, elle promit à sa sœur de lui amener Leo très bientôt. Et, au moment où elle retourna vers sa petite voiture, elle vit que Treat l'attendait. Décidément, elle allait vraiment avoir du mal à l'oublier. Après lui avoir fait un vague signe de la main, elle remonta dans son véhicule et reprit le chemin de la maison. Avait-elle bien fait d'accepter le rendez-vous que lui avait proposé Bridget ? Impossible à dire. Pourvu que ce soit un moment agréable !

Quoi qu'il en soit, il fallait absolument qu'elle arrête de penser à Treat. Avec un peu de chance, Antonio pourrait peut-être l'aider à y arriver.

Une fois garée devant la maison, elle marcha dans sa direction.

— Je dois assister à une réception demain soir. Pour représenter la famille Devereaux. Le palais me fournira une voiture.

Il la regarda droit dans les yeux.

— Ce n'était pas prévu.

— Et alors ? répondit-elle en haussant les épaules, avant de tourner les talons pour rentrer chez elle.

- 8 -

Le lendemain matin, Ericka se réveilla tôt en entendant pleurer Leo. Tout en se dirigeant vers sa chambre, elle fit signe à la nourrice de retourner se coucher. Ce jour-là, elle n'avait qu'une envie : profiter de la vie. Après tout, Bridget avait peut-être raison. Elle était trop sérieuse. Du coup, cela la rendait un peu grincheuse. Elle avait pourtant beaucoup de choses pour elle. Un bébé heureux et en bonne santé. Une nounou géniale. Une famille soudée. Et, en plus, elle habitait dans une maison magnifique située dans un cadre magnifique.

— Bonjour, mon chéri ! lança-t-elle à Leo en baissant les yeux vers lui.

Instinctivement, elle se mit à lui masser doucement la poitrine. Aussitôt, il cessa de pleurer et la regarda en souriant. Après l'avoir changé, elle lui mit ses prothèses auditives, même si elles l'aidaient très peu, voire pas du tout.

— Je parie que tu as envie d'un biberon, dit-elle en se dirigeant vers la cuisine.

Il but avec appétit. Là-dessus, elle décida de changer un peu son programme habituel. En temps normal, elle lui aurait fait faire un peu d'initiation à la langue des signes avant de le laisser jouer. Mais, ce jour-là, le soleil était radieux. En plus, elle avait entendu à la radio qu'il allait faire très beau et assez chaud. Bref, c'était le temps idéal pour une petite promenade ! Après lui avoir mis une casquette, au cas où des paparazzi rôderaient dans les parages, elle l'installa dans sa poussette. Mais, quand elle sortit de la maison, le soleil brillait si fort qu'il se mit à se frotter les yeux.

— Désolée, mon petit cœur, lui dit-elle en rabattant la capote pour le mettre à l'ombre.

Une fois à hauteur du portail, elle appuya sur le bouton qui permettait de l'ouvrir. Mais, au même moment, elle entendit un bruit de pas derrière elle. Elle se retourna.

C'était Treat.

Evidemment. Encore et toujours Treat.

Quand son regard se posa sur lui, elle sentit des émotions violentes et contradictoires se partager son cœur. Un étrange mélange d'enthousiasme et d'exaspération.

— Qu'est-ce que vous faites ? lui demanda-t-il.

— J'emmène Leo faire une promenade.

— Vous auriez dû me le dire.

— N'y voyez rien de personnel, mais je n'avais pas l'intention de vous inviter à vous joindre à nous. Enfin… peut-être que c'est personnel, après tout, ajouta-t-elle en haussant les épaules. De toute façon, on ne va pas trop s'éloigner.

— Peu importe. Il faut que je garde un œil sur vous si vous passez ce portail. Il pourrait vous arriver n'importe quoi.

— A 7 heures du matin ? Ça m'étonnerait. La plupart des citoyens de Chantaine ne se lèvent pas avant 9 heures. Ecoutez, c'est sa première sortie en poussette depuis quasiment une semaine : ne nous gâchez pas ce moment.

Il leva ses deux mains devant lui. Manifestement, il battait en retraite.

— Très bien, très bien. Vous n'aurez qu'à faire comme si je n'étais pas là.

— Ça ne va pas être facile, marmonna-t-elle en reprenant sa marche.

Histoire d'oublier sa présence, elle admira les pins

parasols et les agaves qui se dressaient gracieusement sur les rochers, au bord de la mer. Peine perdue. Elle essaya ensuite de penser à son travail. Encore raté. Au bout de quelques minutes, elle se pencha pour vérifier si Leo allait bien. Tiens, il s'était déjà assoupi.

— Petit coquin, dit-elle en lui ajustant sa veste.

— Il s'est endormi ? demanda Treat, qui se trouvait désormais juste derrière elle.

— Oui, répondit-elle en riant. Et moi qui pensais que ce serait une expérience stimulante pour lui…

— On ne peut pas lui en vouloir. Il est bien couvert, bien à l'ombre. Il fait beau, et le mouvement de la poussette doit le bercer. A sa place, j'en profiterais pour faire une petite sieste.

Elle lui jeta un regard puis se remit à avancer.

— Vous faites la sieste, vous ? lui demanda-t-elle.

— Ça m'arrive. Des petites siestes d'un quart d'heure.

— Quand je dors, j'aime que ça dure des heures et des heures, sans interruption.

— Et c'est une mère célibataire qui me dit ça ! lança-t-il avec un sourire compréhensif.

— Oui, enfin, je n'ai pas trop à me plaindre. C'est tout de même mieux qu'au cours des deux premiers mois qui ont suivi sa naissance. Maintenant, j'ai Marley pour m'aider. C'est tout de même plus facile.

— Et le mobile lumineux, dit-il en lui adressant un sourire espiègle.

Son regard resta fixé sur ses lèvres ; elle se sentait comme hypnotisée par elles. Non, ce n'était pas le moment de craquer, tenta-t-elle de se raisonner. Hélas, des souvenirs du baiser qu'ils avaient échangé lui revinrent à la mémoire.

Il fallait qu'elle oublie ça. Il fallait qu'elle l'oublie.

— Oui, et le mobile lumineux, murmura-t-elle.

Puis elle garda le silence. Si seulement elle pouvait faire taire les émotions qui agitaient son cœur.

— Vous n'avez pas besoin d'être mal à l'aise à cause de ce qui s'est passé l'autre nuit, lâcha-t-il soudain.

Elle se tourna vivement vers lui. Pourquoi dire une bêtise pareille ?

— Comment voulez-vous que je ne me sente pas mal à l'aise ? J'ai essayé de vous séduire, et vous m'avez repoussée. Vous n'avez pas eu envie de moi. La situation est plus qu'embarrassante, vous le comprenez bien, et…

— Je n'ai jamais dit que je n'avais pas envie de vous. Je sais juste que je ne pourrai jamais vous avoir. Et c'est mieux comme ça.

Son cœur cessa un instant de battre. Mon Dieu… Il venait de lui avouer (de façon, certes, assez ambiguë) qu'il avait envie d'elle. Quant au reste… Non, songea-t-elle en fermant les yeux. Elle et Treat, ensemble ? C'était de la folie. Il fallait qu'elle regarde la réalité en face.

— Avons-nous vraiment besoin de parler de ça ? demanda-t-elle en rouvrant brutalement les paupières. Je ne pense pas que cela puisse…

Elle prit une profonde inspiration.

— … m'aider à me sentir moins humiliée.

— Ericka…

Elle leva sa main devant elle.

— S'il vous plaît, si vous voulez parler, parlez-moi d'autre chose, lâcha-t-elle en retournant vers la maison.

Il resta à son côté.

— Qu'est-ce que vous pensez des Broncos ?

Des quoi ? Elle s'arrêta quelques instants pour le regarder d'un air étonné.

— Des Broncos ? Mais qu'est-ce que… ?

— Vous m'avez dit de changer de sujet, alors je vous parle de la première chose qui me vient à l'esprit. Les Broncos de Denver. C'est une équipe de football.

— Ah, je vois… Le mari de Valentina aime beaucoup

ce sport, mais il soutient une autre équipe. Les Rangers, je crois.

— Ça, c'est une équipe de base-ball. Une équipe texane.

— Ça ne m'étonne pas. Il est texan. Et les Ackies ?

— Les Aggies. C'est une équipe de football universitaire. Ils sont du Texas, aussi.

— Et les Broncos, ils viennent d'où ? Vous ne m'avez pas dit que vous étiez originaire du Texas ?

— Si mais, à l'université, je jouais dans l'équipe professionnelle de Kansas City.

— Je ne savais pas que vous aviez joué à un tel niveau. Et c'était une bonne équipe ?

— Elle était bonne quand j'y jouais, mais j'étais trop souvent sur la liste des joueurs absents pour cause de blessures.

— Vous avez dû beaucoup souffrir.

— J'ai été blessé tellement de fois que j'ai fini par m'y habituer, répondit-il en riant. Mais c'est mon genou gauche qui a le plus trinqué. Je peux faire du sport tous les jours, mais je suis aussi capable de vous dire quand il va pleuvoir, parce que mon genou me le fait savoir.

— Qu'est-ce que ça vous a fait de devoir arrêter la compétition ?

— J'ai été très déçu, mais je n'ai pas eu le temps de m'apitoyer sur mon sort. Je n'avais déjà plus de famille, à ce moment-là, et aucun endroit où aller. Alors j'ai dû changer mon fusil d'épaule très rapidement. Heureusement que j'avais cet ami qui voulait monter cette société de sécurité. J'ai passé pas mal de temps à manger des raviolis en boîte.

— Beurk. Si vous voulez mon avis, ça a dû vous détruire le palais. C'est pour ça que vous ne voulez pas goûter la cuisine de Simon.

— Je suis sûr que sa cuisine est délicieuse. Le problème, c'est que vous avez l'air de vouloir à tout prix me nourrir. Je peux m'occuper de ça tout seul, vous savez ?

Elle hocha la tête. Message reçu.

— Je suis curieuse, je sais, mais… qu'est-ce que vous mangez quand vous êtes tout seul ?

Il se frotta la joue et regarda ses chaussures, comme si cette question le mettait mal à l'aise.

— Rien qui pourrait vous faire envie.

— Dites quand même.

— Eh bien… beaucoup de beurre de cacahuètes et de soupes en conserve.

Pas très ragoûtant, en effet. Elle plissa le nez.

— C'est ridicule. Vous tenez tellement à rester à l'écart de ma maison et de moi que vous préférez manger des cochonneries plutôt que de la cuisine fine et élaborée. A moins bien sûr que vous ne mangiez votre beurre de cacahuètes avec du bacon…

Sans répondre, il la regarda d'un air penaud.

— Bon, je me sens mieux, maintenant, reprit-elle alors qu'ils arrivaient au portail. Je vais rentrer. Quant à vous, vous pouvez retourner dans votre trou manger votre beurre de cacahuètes. Allez, à plus tard.

Une fois devant la porte d'entrée, elle détacha Leo de sa poussette et le prit tendrement dans ses bras.

— Quand tu seras grand, chuchota-t-elle, essaie de ne pas rendre les femmes complètement folles.

Leo la regarda avec ses grands yeux innocents. Et il sourit.

Elle sentit son cœur se gonfler d'amour.

— Tu es tellement beau, de toute façon, que tu les auras toutes à tes pieds, ajouta-t-elle avant d'embrasser sa petite joue.

Elle passa le reste de sa journée à s'occuper de Leo et à rattraper son travail en retard. Il y avait de forts risques pour qu'elle rentre tard ce soir-là. Du coup, autant avancer au maximum. Sans quoi, la nourrice allait finir la journée sur les rotules. Elle était ravie d'avoir Marley avec elle. Pas question de la perdre. Comment pourrait-elle remplacer cette femme douce et compréhensive ?

Alors qu'elle se préparait pour la soirée, elle se sentit en proie à toutes sortes d'émotions contradictoires. D'un côté, elle regrettait sa décision. Pourquoi avait-elle dit oui à sa sœur ? Elle n'était pas prête à se remettre à fréquenter des hommes. De toute façon, elle n'en avait pas le temps. Mais, quand elle enfila la jolie petite robe vert émeraude qu'elle portait avant sa grossesse, ses lèvres s'étirèrent en un sourire radieux. Ce vêtement lui allait encore à la perfection !

Mine de rien, quelques années avaient suffi à lui faire perdre confiance en elle. Avant son mariage, elle avait un nombre incalculable de soupirants. Mais depuis son divorce et sa grossesse, quand elle se regardait dans un miroir, tout ce qu'elle voyait, c'était une femme fatiguée, abandonnée par son mari et tout sauf sexy. Elle avait consacré tellement d'énergie à s'occuper de Leo et à refaire sa vie qu'elle n'avait pas compris une chose essentielle : la trahison de son mari avait affecté le regard qu'elle portait sur elle-même, en tant que femme.

Elle ferma les yeux un moment puis regarda son reflet dans le miroir. Peut-être était-il temps de tout recommencer à zéro ? Elle n'était plus la jeune femme naïve qui avait épousé un homme dans le seul et unique but de fuir une ambiance familiale pesante. Certes, elle était souvent fatiguée et particulièrement vulnérable. Mais elle était plus forte, désormais.

Treat voyait d'un mauvais œil la soirée qui s'annonçait. Tout cela ne lui disait rien de bon. Il s'était habitué à ce qu'Ericka reste à la maison avec le bébé. Il n'avait pas envie qu'elle sorte, pas envie que d'autres personnes la voient, pas envie de la partager.

Il secoua la tête. C'était idiot de sa part de penser une chose pareille. Elle ne lui appartenait pas et elle ne lui appartiendrait jamais. Moralité : il n'avait aucun droit de se montrer aussi possessif vis-à-vis d'elle. Malgré tout, c'était ce qu'il ressentait. Impossible de s'enlever cette idée de la tête !

Cela étant, pas question de la laisser deviner ses sentiments.

En sortant de la douche, il enfila un costume noir, une chemise blanche et une cravate. C'était une soirée habillée. Même s'il ne pourrait pas beaucoup en profiter lui-même. Pas plus qu'il ne pourrait profiter de la compagnie d'Ericka. Hélas.

Une fois prêt, il attendit la voiture envoyée par le palais. D'après ce qu'il avait compris, il serait devant avec le chauffeur, tandis qu'Ericka serait derrière avec un homme d'affaires italien. S'imaginer la petite scène le déprimait à l'avance. Mais il fallait absolument qu'il mette ses émotions entre parenthèses. Même si elles menaçaient de le rendre fou.

Quand la limousine finit par arriver, il fit signe au chauffeur de se garer devant la porte avant d'entrer dans la maison pour chercher Ericka.

Il fut accueilli par la nourrice, qui tenait Leo dans ses bras.

— Elle est prête ? lui demanda-t-il.

— Je pense, répondit-elle en s'approchant de l'escalier. Mademoiselle ! Je crois que votre véhicule est arrivé.

Un instant plus tard, Ericka apparaissait au bas de l'escalier. La nourrice en resta littéralement bouche bée.

— Qu'est-ce que vous êtes belle…, finit-elle par murmurer.

— C'est gentil, répondit Ericka en souriant.

Treat écarquilla les yeux. Effectivement, elle était magnifique. Elle portait une robe de cocktail vert émeraude et une étole couleur crème. Cette tenue mettait parfaitement en valeur les courbes gracieuses de ses seins et de ses hanches. Ses chaussures à talons très hauts faisaient ressortir le galbe de ses jambes fines et fuselées. Il devait avoir l'air idiot, à la regarder les yeux grands ouverts, sans rien dire. Elle était bien plus belle qu'une reine de beauté. Elle avait l'air… d'une princesse.

— Bonsoir, lui dit-elle en hochant la tête dans sa direction. Je vais peut-être avoir besoin d'un peu d'aide pour monter et descendre de la limousine. Ça fait bien longtemps que je n'ai pas mis de talons.

— Pas de problème, répondit-il sur un ton qu'il s'efforça de garder neutre et détaché.

— Merci, fit-elle en s'approchant de la nourrice.

Elle déposa un baiser sur la joue de Leo, y laissant une trace de rouge à lèvres que beaucoup d'hommes auraient été ravis d'avoir. Lui y compris, naturellement.

Perdu dans ses pensées, il l'escorta ensuite jusqu'au véhicule, dont sortit tout à coup l'Italien. C'était un homme d'une quarantaine d'années, assez musclé, avec un physique de mannequin. Mais Treat s'était renseigné, ce n'était pas qu'un beau mec : il dirigeait plusieurs grandes sociétés.

Après s'être légèrement incliné devant Ericka, l'Italien lui prit la main et la porta à ses lèvres.

— Vous êtes ravissante, Votre Majesté. Laissez-moi vous aider à monter dans la limousine.

Elle le regarda dans les yeux et sourit.

— Merci beaucoup, Antonio.

Treat serra la mâchoire. Surtout, rester calme. Sinon, il allait faire ravaler son sourire à ce bellâtre.

Comme ils n'avaient pas fermé la fenêtre entre les sièges avant et les sièges arrière, il put écouter leur conservation dans les moindres détails. Antonio fit une remarque flatteuse, elle répondit en minaudant légèrement. Il fit une nouvelle remarque flatteuse, et elle se mit à rire.

L'entendre rire aux compliments de ce type était à deux doigts de le rendre fou. Calme, il devait rester calme. Il fallait qu'il se maîtrise. Parce qu'il était là pour faire son travail.

Le cœur lourd, le pas traînant, il les escorta jusqu'au musée où avait lieu le vernissage. Soudain, il vit Antonio lui prendre la main. Il serra les poings. Comment osait-il, ce salaud ? Ils flânèrent ensuite dans la salle, discutant des diverses œuvres d'art qui y étaient exposées.

Au bout d'un certain temps, Antonio prit deux coupes de champagne et en offrit une à Ericka. Elle l'accepta en souriant avant de trinquer avec lui. Là, Antonio déposa un baiser sur son poignet. Un baiser qui dura un peu trop longtemps au goût de Treat. Mais, manifestement, cela n'avait pas l'air de déranger Ericka, bien au contraire. Avec un peu de chance, l'Italien allait croire qu'elle voulait aller plus loin… Et terminer la soirée sous les draps avec lui.

Non, non, il fallait qu'il chasse ces idées de sa tête. Il n'avait pas à être jaloux de ce type. L'important, c'était son travail, et rien d'autre.

Hélas, au bout de une heure, l'impensable se produisit. Antonio embrassa les mains d'Ericka et l'attira contre lui. Elle se mit alors à rire. Pas de doute : l'Italien était de plus en plus attiré par elle. Treat resta comme pétrifié. Il n'en croyait pas ses yeux !

Quelques minutes plus tard, après avoir chuchoté quelque chose à son oreille, Antonio s'éloigna d'Ericka. C'était le moment de s'approcher d'elle.

— Je peux vous dire un mot ?

— Bien sûr. Il y a un problème ?

— Oui. Le problème, c'est qu'Antonio va sans doute vous demander bien plus que ce que vous êtes prête à lui donner.

Elle releva fièrement le menton.

— Et si j'avais envie de lui donner ce qu'il veut ?

Lui, au moins, il me trouve attirante, et il n'a pas peur de l'admettre.

Furieux, il serra les poings.

— Je n'ai pas peur d'admettre l'attirance que j'éprouve pour vous. J'essaie juste de rester professionnel.

— Alors amusez-vous bien, répondit-elle sèchement, avant de lui tourner le dos.

— Ericka…, murmura-t-il en lui prenant le bras.

Lentement, elle baissa les yeux vers sa main.

— Oui ?

Et soudain il ne put se contenir. Cédant brutalement à son instinct, il l'attira près de lui et joignit ses lèvres aux siennes, glissant sa langue dans sa bouche, l'embrassant avec fougue et passion. Elle avait un délicieux goût d'interdit. Un mélange de paradis et d'enfer. Que c'était bon.

Au bout de quelques secondes, il se força à s'écarter d'elle et la regarda dans les yeux.

— Vous êtes vraiment pénible, chuchota-t-elle, avant de tourner les talons pour s'éloigner de lui à grandes enjambées.

Le souffle court, les yeux rivés sur elle, il la regarda partir. Cette mission si prometteuse était en train de devenir un véritable cauchemar.

Ericka fit de son mieux pour écouter Antonio, mais son esprit était resté comme bloqué au moment où Treat l'avait embrassée. Elle avait encore les lèvres brûlantes, le cœur battant, le sexe chaud et humide. Elle plongea son regard dans les yeux avides de désir d'Antonio, mais n'éprouva même pas une pointe d'excitation. Non, c'était à son garde du corps qu'elle pensait, et à lui seul.

— Antonio, finit-elle par lui dire, je suis désolée, mais j'aimerais partir maintenant. Je ne me sens pas très bien.

— Vous êtes souffrante ? lui demanda-t-il d'un air anxieux.

— La nourrice qui s'occupe de mon fils est malade. J'espère que je n'ai pas attrapé son rhume.

C'était en partie vrai. Mais c'était d'une maladie tout autre qu'elle souffrait : un désir intense et ardent pour ce beau Texan qui la faisait chavirer.

— Je suis désolée, mais je préférerais rentrer.

Une ombre passa sur le beau visage d'Antonio. La déception, sans aucun doute.

— Très bien. Alors allons-y.

Il l'accompagna jusqu'à la limousine avec une exquise galanterie. Mince, ce qu'elle faisait subir à ce pauvre homme était vraiment dur. Mais elle ne pouvait jouer la comédie. Ou lui donner de faux espoirs.

Ils parcoururent en silence les petites rues qui menaient à sa maison. Quand le chauffeur s'arrêta dans le jardin, Antonio tenta de l'embrasser sur les lèvres. Elle tourna son visage sur le côté pour lui présenter sa joue. A quoi bon le nier ? Elle n'avait pas le cœur à faire semblant.

— Merci. Mais il faut vraiment que j'y aille.

— Appelez-moi si vous changez d'avis.

— Bonne nuit, dit-elle en ouvrant la portière.

Treat, qui était déjà sorti, lui tendit la main pour l'aider à descendre.

Alors que la limousine s'éloignait, il se tourna vers elle.

— Pas de regrets ? Vous n'auriez pas préféré rester avec lui ?

— A partir du moment où vous m'avez embrassée, c'était compromis.

— Je n'aurais peut-être pas dû.

— Ne recommencez pas ! Vous savez, ici, il y a un proverbe qui dit : « Ce que tu fais, fais-le bien ou ne le fais pas. » Il est temps de vous décider, maintenant. Alors, que choisissez-vous ?

— Je choisis de faire les choses comme il faut sur le plan professionnel, c'est-à-dire de vous raccompagner jusqu'à votre porte et de rentrer chez moi après.

Furieuse, elle croisa ses bras contre sa poitrine. S'il la rejetait de nouveau…

— Mais si je suivais mon instinct, reprit-il, je vous emmènerais chez moi pour vous faire l'amour.

— Et qu'est-ce que vous attendez ?

— Vous êtes sûre que c'est ce dont vous avez envie ? Parce qu'une fois que je vous aurai conduite jusqu'à mon lit je ne peux pas vous garantir que je pourrai m'arrêter, même si vous me le demandez.

Elle se mordit la lèvre. Elle sentit une vague de désir l'envahir. Elle ne se souvenait pas d'avoir autant eu envie d'un homme.

— Emmène-moi, murmura-t-elle.

Et aussitôt il la prit dans ses bras.

Quelques instants plus tard, il la déposait délicatement sur son lit.

— Tu es tellement belle, dit-il d'une voix rauque et sensuelle en commençant à se déshabiller.

Son cœur battait si vite qu'elle fut incapable de lui répondre quoi que ce soit. Elle ouvrit la bouche, mais aucun son n'en sortit.

— Dis-moi juste ce que tu veux, murmura-t-il, et je te le donnerai.

Tout ce qu'elle voulait, c'était lui.

Elle prit plusieurs profondes inspirations et ravala avec peine sa salive.

— C'est toi que je veux, finit-elle par dire en faisant courir ses mains sur les muscles parfaitement dessinés de sa poitrine, de ses épaules et de son dos.

— Tu es beaucoup trop bien pour moi, Ericka. Mais, quand je te sens contre moi, j'ai envie de plus, toujours plus.

Treat avait beau caresser le corps d'Ericka avec ses mains, avec sa bouche, chaque fois qu'il respirait, chaque fois que son cœur battait, il en voulait plus, toujours plus. Elle était magnifique. Ses lèvres pulpeuses avaient un goût sucré et épicé. Un goût de sexe.

— Tu es tellement belle.

— J'ai envie de toi, murmura-t-elle en glissant ses mains entre ses jambes.

Soudain, il se sentit vaciller. S'il ne réagissait pas maintenant, il allait perdre le contrôle de lui-même. Et il n'en était pas question.

— Ce n'est pas possible, dit-il en prenant ses mains entre les siennes.

Elle le regarda droit dans les yeux.

— Non. Donne-moi tout ce que tu as.

La lueur de désir qui brûlait dans ses yeux était si intense qu'elle faillit le faire craquer. Elle allait le rendre fou si elle continuait à le regarder de cette façon ! Il la vit poser la main sur son bas-ventre. Il serra la mâchoire. Impossible de résister plus longtemps. Ivre de désir, il écarta ses cuisses douces et blanches et enfonça ses doigts dans son intimité humide de désir, lui arrachant un petit gémissement.

— Ça va ? lui demanda-t-il en s'immobilisant.

Pour toute réponse, elle se mit à se déhancher sensuellement contre lui et colla ses lèvres contre les siennes. N'y tenant plus, il s'enfonça en elle. Sous le coup de l'excitation, elle renversa la tête en arrière, la bouche entrouverte.

Jamais il n'avait vécu un moment aussi intime et sensuel avec une femme. Plus ses coups de reins se faisaient rapides, plus il se sentait approcher de l'extase. Mais il fallait qu'elle l'accompagne dans cette explosion de plaisir.

— Je veux que tu jouisses avec moi, grogna-t-il.

Il plongea alors ses mains entre leurs corps pour caresser

308

son sexe humide. Aussitôt, elle se cambra contre lui. Puis se mit à se déhancher. Encore et encore.

— Jouis pour moi, ma chérie, jouis pour moi, dit-il en continuant de la caresser.

Et, soudain, il sentit tous les muscles de son corps se contracter. Il ferma les yeux pour mieux se laisser emporter par cette vague de plaisir. Là, il entendit Ericka pousser un cri déchirant, celui d'une femme entraînée dans un tourbillon de sensations intenses.

Quelques instants plus tard, l'ouragan qui les avait balayés s'apaisa.

— Waouh…, murmura-t-elle.

Sans pouvoir s'empêcher de sourire, il l'attira plus fort contre lui.

— Comme tu dis…, fit-il en se laissant aller à son tour.

9

— On n'aurait pas dû faire ça, murmura Treat. Je ne voudrais pas nuire à ta réputation. Ce n'est pas ma situation qui m'inquiète, mais…

— Pourquoi est-ce que tu essaies toujours de jouer les grands frères ? l'interrompit Ericka. Tu es mon amant, maintenant.

— Je n'essaie pas de jouer les grands frères. Mais c'est mon boulot de te protéger.

Tout en soupirant, elle repoussa ses cheveux derrière ses oreilles. Décidément, il n'y avait pas moyen de lui faire entendre raison.

— C'est très gentil de ta part de me protéger, mais je préférerais que tu me fasses l'amour.

— Très bien. Seulement, il faut que tu prennes une décision. Est-ce que tu veux que ça reste entre nous ou est-ce que tu veux que ça devienne public ?

Bonne question. Fronçant les sourcils, elle soupira de nouveau.

— Je n'ai pas envie qu'on se mêle de mes affaires. Je n'ai pas envie qu'on s'intéresse à la vie de Leo du soir au matin. Je n'ai pas envie qu'on passe notre vie au microscope. C'est peut-être bizarre, mais j'ai envie de protéger la relation que nous avons, toi et moi. Il te faut un contrat pour ça ?

Il lâcha un petit rire et l'attira près de lui.

— Non, répondit-il en passant doucement ses doigts

dans ses cheveux avant d'effleurer sa bouche de ses lèvres. Pas besoin de contrat. C'est entre toi et moi.

Encore une fois, il lui fit l'amour. Et, encore une fois, elle sentit exploser en elle un véritable feu d'artifice de sensations aussi intenses que délicieuses.

Après cela, elle ne tarda pas à trouver le sommeil. Mais elle se réveilla aux alentours de 2 heures du matin. Comme à son habitude, elle guetta la respiration de Leo dans le babyphone. Un réflexe. Seulement, il n'y avait pas un bruit autour d'elle. Et pour cause : elle était chez Treat ! Pour un peu, elle avait failli l'oublier.

— Il faut que j'y aille, murmura-t-elle.

— Pourquoi ? demanda-t-il en faisant langoureusement glisser sa main sur son bras.

— Il faut que j'aille voir Leo. Je ne peux pas l'entendre d'ici. Je ne peux pas vérifier s'il va bien. Excuse-moi.

— Mais tu n'as pas à t'excuser, répondit-il en se levant. Je vais te raccompagner jusqu'à la porte.

Ils s'habillèrent tous deux en silence. Le moins qu'on puisse dire, c'est qu'elle se sentit légèrement troublée au moment d'enfiler sa robe de cocktail toute froissée.

— J'espère que Marley ne nous a pas surpris, dit-elle en se passant nerveusement la main dans les cheveux. Je ne sais pas comment faire comme si de rien n'était. Elle est tellement intuitive.

— Ne t'inquiète pas, dit-il en sortant avec elle. Ne lui en parle pas, c'est tout. Elle est trop discrète pour t'interroger.

— Oui, j'imagine.

— Mais, si tu la croises en rentrant, va te brosser tes dents.

— Pourquoi ? demanda-t-elle en se couvrant la bouche. J'ai mauvaise haleine ?

— Pas du tout. Mais dis-lui que tu vas te brosser les dents parce qu'il y avait trop d'ail dans les amuse-bouches.

Elle ne va pas insister. Qui a envie de respirer l'haleine de quelqu'un qui a mangé trop d'ail ?

Elle le regarda en plissant les yeux.

— Tu ne dis pas ça parce que je sens l'ail, j'espère ?

Pour toute réponse, il se pencha vers elle pour lui donner un baiser passionné.

— Devine ?

— Je vais prendre ça pour un non, dit-elle sans lâcher son cou. Tu sais, j'ai très envie de rester avec toi. Mais il faut vraiment que j'aille voir Leo.

A son tour, il la serra dans ses bras.

— Je ne suis pas loin. Je ne vais pas m'envoler.

Elle resta quelques instants blottie dans la chaleur réconfortante de ses bras puis se força à se détacher de lui. Dommage, elle serait bien restée encore un moment.

— Bonne nuit, murmura-t-elle avant de prendre le chemin de chez elle.

Une fois dans le vestibule, elle s'immobilisa. Un silence total régnait dans la maison. Incroyable, songea-t-elle en se dirigeant vers sa chambre à pas de loup. Une fois à l'intérieur, elle se mit en pyjama et s'assit sur son lit, écoutant attentivement les bruits qu'émettait le babyphone. En dehors d'un léger grésillement qui couvrait à peine le bruit calme et régulier de la respiration de Leo, rien.

Etrange… Il valait mieux qu'elle aille jeter un coup d'œil pour en avoir le cœur net. Mais, quand elle poussa la porte de la chambre de Leo, elle constata qu'il dormait profondément. Elle n'en croyait pas ses yeux !

De retour dans sa chambre, elle se hâta de se brosser les dents et de se coucher. Dommage que Treat ne soit pas avec elle. Son corps musclé l'avait réchauffée, réconfortée. Les sentiments qu'elle éprouvait pour lui allaient bien au-delà du désir purement physique. Pour être honnête, même si cette idée la rendait heureuse, elle l'inquiétait également.

Heureusement, elle ne tarda pas à sombrer dans un profond sommeil, malgré les pensées qui se bousculaient dans son esprit.

Soudain, elle fut réveillée par un bruit aigu. Leo. Il s'était mis à pleurer. Combien de temps avait-elle dormi ? A peine un quart d'heure, sans doute. Elle jeta un coup d'œil à son réveil. Incroyable, cinq bonnes heures s'étaient écoulées depuis qu'elle était rentrée !

D'un pas plus énergique que de coutume, elle se dirigea donc vers la chambre du petit et commença à le changer.

— Un biberon ? demanda-t-elle en accompagnant ses propos d'un signe.

Le regard de Leo resta fixé sur son visage.

Elle refit le signe plus lentement. Une seconde plus tard, il souriait en agitant gaiement les jambes.

— Tu es le plus génial de tous les bébés du monde, murmura-t-elle en le prenant dans ses bras.

Comme à son habitude, il but son biberon avec appétit. Et, quelques heures plus tard, après leur routine quotidienne, il s'endormit sans problème pour sa sieste du matin.

— Merci, chuchota-t-elle en quittant sa chambre.

Un instant plus tard, elle s'allongeait sur le canapé et s'endormait à son tour.

Hélas, ce moment de répit fut de courte durée. Une demi-heure après, elle fut réveillée par les pleurs du petit. Sa couche ayant légèrement débordé, elle décida de lui donner un bain. Comme ce petit semblait avoir une relation ambiguë avec l'eau, il valait mieux que le bain soit à la température idéale pour sa délicate peau de bébé.

Tout en lui parlant longuement, elle le lava dans une petite baignoire en plastique. Et, une fois qu'il fut savonné et rincé, elle l'enveloppa dans une serviette de toilette bien douce et moelleuse.

— Alors, qu'est-ce que tu en dis ? Ça fait du bien, non ?

Le petit enfouit son nez dans son cou et resta immobile

pendant un long moment. Qu'il était mignon, songea-t-elle en l'embrassant doucement sur le sommet de la tête.

Quand il recommença à s'agiter, elle lui mit une couche et l'habilla. Peu de temps après, elle le déposa doucement dans son berceau, laissant sa main s'attarder longuement sur son petit ventre. Il gazouilla un peu en remuant les bras et les jambes. Et il s'endormit de nouveau.

Chaque fois qu'elle le regardait dormir, une seule pensée lui venait à l'esprit : elle avait le plus génial de tous les bébés du monde.

Treat faisait les cent pas dans sa chambre. Il se sentait rongé par la culpabilité et par la honte. Comment avait-il pu céder aussi facilement à ses instincts ? Il était censé la protéger. Pas coucher avec elle !

Tout en continuant d'aller et venir, il songeait à la nuit qui venait de s'écouler. Il avait beau chercher dans ses souvenirs, il ne s'était jamais senti aussi attiré par une femme. Difficile de nier l'évidence. L'ennui, c'est qu'il avait perdu les pédales quand ce stupide Italien s'était mis à la draguer si lourdement. C'était complètement idiot de sa part mais, à partir de là, il avait été incapable de refouler ses sentiments plus longtemps. Il avait tellement envie d'elle... Et, d'ailleurs, il avait toujours envie d'elle.

Il prit soudain conscience d'une chose : il pouvait dire adieu à tous ses projets d'expansion de sa société. Rester auprès d'Ericka et de Leo lui semblait plus important que tout. Jamais il ne pourrait les quitter. Ils occupaient une trop grande place dans son cœur, désormais. S'il s'en allait, ce serait le jour où elle lui demanderait de partir, pas avant. Hélas, il savait au fond de lui que ce jour viendrait. Qu'à un moment ou à un autre, elle ne voudrait plus de lui dans sa vie. Elle était la princesse d'une petite île de la Méditerranée ; il était né dans un quartier populaire du Texas. Il ne fallait pas qu'il l'oublie.

Ericka dut se faire violence pour se concentrer sur les mille choses qu'elle avait à faire. Elle était encore tout excitée par la nuit qu'elle avait passée avec Treat. Vers la fin de la matinée, elle reçut un nouveau coup de téléphone pressant de la part du représentant de la famille royale de Sergenia. Il fallait vraiment qu'elle persuade son frère de les laisser séjourner à Chantaine. Seulement, comment faire ? Tout cela commençait à l'angoisser sérieusement. Peut-être que prendre l'air dans le jardin lui ferait du bien... En sortant, elle tomba nez à nez avec Treat.

Dès qu'elle le vit, elle sentit son cœur bondir dans sa poitrine.

— Salut, dit-elle d'une voix timide.

— Salut, répondit-il en la regardant de la tête aux pieds. Tout va bien ? Je pensais venir voir comment tu allais.

Il fit une pause et plongea son regard dans le sien.

— Ça va ?

— Ça va, répondit-elle en s'asseyant sur le banc près de la piscine. Mais je viens de recevoir une nouvelle demande d'asile de la part de la famille royale de Sergenia. Stefan m'a déjà répondu qu'il n'était pas d'accord. Mais j'aimerais trouver un moyen de le faire changer d'avis.

Tout en hochant pensivement la tête, il prit place à côté d'elle.

— Commence peut-être par évoquer l'un de tes exploits ou l'une de tes réussites. Quelque chose qui serait susceptible de l'impressionner. Tu as une idée ?

— Eventuellement... Il y a ces deux chercheurs qui ont accepté d'assister à la conférence. Ils sont très réputés dans leur domaine. L'un a même reçu le prix Nobel de médecine.

— Très bon, ça. L'autre truc, c'est de lui parler au bon moment. A quelle heure s'arrête-t-il de travailler ?

— Vers 4 ou 5 heures de l'après-midi, généralement. Pourquoi ?

— C'est à ce moment-là qu'il faut lui parler. Parce qu'il n'aura rien d'autre à l'esprit. Et, enfin, il faut lui donner des raisons de croire qu'il a tout intérêt à prendre cette décision.

— Ça, ça risque d'être difficile.

— Mais les avantages ne doivent pas forcément être immédiats. Cela produira peut-être quelque chose sur le long terme.

Elle hocha la tête, pensive. Eh bien… quel stratège ! En tout cas, cela valait le coup de suivre ses conseils.

— Je vais demander à l'assistant de Stefan de me donner un rendez-vous pour demain après-midi. Pour ce qui est de ce soir, Simon m'a apporté un immense plat de lasagnes. Alors, si tu veux te joindre à nous pour le dîner…

— Comment se priver du plaisir de manger en ta compagnie ? demanda-t-il d'une voix suave.

En un battement de cils, il était tout à coup redevenu ce séducteur auquel il était impossible de résister. Elle sentit soudain un frisson de plaisir lui parcourir le dos.

— J'ai pensé à toi toute la journée. Et je pense que ça ne va pas être facile de…

Elle s'éclaircit la gorge.

— D'être ensemble.

Le ventre noué par l'angoisse, elle poursuivit :

— Je voudrais pouvoir passer du temps avec toi. Seule. J'ai envie de toi, mais j'ai envie de conserver mon intimité. Marley est là cinq jours sur sept environ, mais elle sera absente après-demain…

— Je vois, murmura-t-il en faisant remonter sa main le long de sa cuisse. Ne t'inquiète pas. Je ne viendrai pas me glisser dans ton lit si tu ne m'y as pas invité.

Mon Dieu, il fallait qu'il arrête de la regarder de façon aussi virile et sensuelle. Sinon, elle n'allait pas pouvoir résister très longtemps.

— Ce n'est pas que je n'ai pas envie de t'y inviter...

— On verra ça plus tard, dit-il en se levant.

Elle se leva à son tour.

— Pourquoi tout semble plus facile pour toi que pour moi ? On a l'impression que tu contrôles parfaitement la situation, alors que moi...

Sans finir sa phrase, elle se hissa sur la pointe des pieds pour effleurer ses lèvres des siennes. Tout en l'attirant vers un petit bosquet qui les protégeait d'éventuels regards indiscrets, il dévora sa bouche avec fougue et passion.

Quand il se détacha d'elle, ses yeux brillaient comme deux flammes.

— J'ai l'air de maîtriser la situation ? demanda-t-il.

Elle fit de son mieux pour reprendre son souffle, reprendre ses esprits.

— Je n'en sais rien. Mais ce qui est sûr, c'est que ça me plaît.

— A moi aussi, répondit-il en riant doucement. Bon, à tout à l'heure.

Sitôt qu'il fut parti, elle alla se servir un verre d'eau glacée. Elle n'aimait pas beaucoup les boissons glacées mais, après ce baiser ardent, un bain glacé n'aurait pas suffi à la rafraîchir.

Un peu plus tard, il revint à la maison pour le dîner. Heureusement que la nourrice ne dînait pas avec eux puisqu'elle s'occupait de Leo. L'alchimie qu'il y avait entre elle et lui était si forte... Marley l'aurait forcément remarquée ! Ce fut un moment absolument délicieux. Que c'était bon de passer du temps avec lui !

Après l'avoir laissé repartir chez lui, elle passa le reste de la soirée à essayer de ne pas trop penser à lui. Sans parler de son entretien du lendemain avec son frère : il était temps de le préparer ! Une fois Leo endormi, elle coucha sur le papier les arguments qu'elle voulait exposer.

Peu de temps après, elle alla se coucher. Et, au moment où elle se glissa entre les draps, elle ne put s'empêcher de penser aux merveilleuses sensations qu'elle avait éprouvées quand Treat l'avait prise dans ses bras. Une petite voix, au fond d'elle, essayait de lui rappeler qu'elle avait tort de s'emballer, de se bercer d'illusions. Mais elle préféra ne pas l'écouter. Plus tard, peut-être, songea-t-elle, mais pas maintenant.

Le lendemain après-midi, Treat la conduisit au palais. Le trajet se fit en silence ; Ericka était trop nerveuse pour parler. Elle avait tout de même la destinée d'une famille entre ses mains, ce n'était pas rien ! Quand il s'arrêta devant l'immense bâtiment et qu'il lui ouvrit la portière, il posa doucement sa main sur son épaule.

— Respire un bon coup, lui dit-il d'une voix rassurante. Ou deux bons coups. Et n'oublie pas : tu es très persuasive.

Elle s'exécuta. C'était très gentil de sa part de lui faire tous ces compliments. Pourvu que l'avenir lui donne raison !

— C'est juste que Stefan est tellement habitué à dire non, répondit-elle en faisant une petite grimace. Il y a des fois où je me demande même si ce ne serait pas son mot préféré.

— Mais tu ne dois pas prendre ces « non » pour des réponses définitives. Tu ne l'as pas fait la dernière fois. Ta volonté est aussi forte que la sienne. Voire plus, s'il s'agit d'un sujet qui te tient particulièrement à cœur.

Elle hocha la tête avec détermination. Il avait raison : inutile de partir battue d'avance.

— Merci pour ton soutien, murmura-t-elle avant de se diriger vers la porte du palais.

Elle salua cordialement tous les membres du personnel

qu'elle rencontra sur son chemin, puis s'arrêta quelques instants pour prendre une profonde inspiration avant de frapper à la porte du bureau de son frère. Le grand moment était arrivé : c'était à elle de jouer. Un instant plus tard, le fidèle Rolf lui ouvrait. Stefan se leva pour l'accueillir.

— Content de te voir, dit-il en s'approchant d'elle pour la saluer. Leo te laisse un peu plus dormir ?

— Quand il ne fait pas ses dents, oui. Je lui ai acheté un jouet qui fait de la lumière au plafond. Ça l'aide beaucoup à trouver le sommeil.

— Tu devrais en parler à Eve. Le bébé n'est pas encore né mais, à mon avis, c'est bien de connaître une ou deux astuces avant, dit-il en lui faisant signe de s'asseoir. Tu voulais me parler de quelque chose de particulier ?

— Oui. Pour commencer, je voulais te dire que deux autres personnes ont accepté de participer à la conférence. Hector Suarez, l'un des plus grands experts en matière d'accès à l'eau potable. Et Albert Cohen, prix Nobel de médecine.

— Bravo, fit-il d'un air satisfait. Je ne regrette pas de t'avoir laissée organiser cette conférence.

— Merci. Plusieurs participants souhaiteraient aussi organiser une table ronde pour discuter des différents moyens possibles d'aider les pays en difficulté.

— Parfait.

Bon. La phase d'approche était terminée. Il était temps de passer aux choses sérieuses.

— Et, maintenant, venons-en à ma préoccupation principale.

— Il s'agit de ton garde du corps, c'est ça ? Je sais que sa période d'essai est terminée...

— Non, il est très bien. Discret. Et étonnamment gentil avec Leo.

— Ravi de l'apprendre, dit-il en se calant au fond de son siège.

— J'ai reçu un nouvel appel du porte-parole de la famille royale de Sergenia.

— On en a déjà discuté. J'ai dit non. Et je n'ai pas changé d'avis.

— Mais si ces personnes venaient ici incognito, hein ? Réfléchis. Nous ne sommes pas obligés d'annoncer publiquement qu'ils vivent à Chantaine. Et puis la situation est provisoire. Ils ne demandent pas à obtenir la citoyenneté et à rester indéfiniment.

— Mais pourquoi ici ? Pourquoi pas un pays plus grand où ils pourraient se fondre dans la masse ?

Elle s'attendait à ce qu'il lui oppose cet argument. Heureusement, elle avait tout prévu.

— S'ils souhaitent se cacher à Chantaine, c'est aussi parce que notre pays est moins connu.

— Mais ce n'est pas une raison pour qu'on se retrouve mêlés à cette histoire.

Elle serra les poings. Il ne voulait vraiment rien entendre ! Comment pouvait-on être borné à ce point ?

— Tu as toujours dit que tu voulais être un meilleur dirigeant que notre père. Je trouve que ce serait une belle occasion de le prouver. Lui, il préférait fuir les problèmes que les résoudre. Mais, toi, tu es plus fort que ça. Tu sais très bien que c'est ce qu'il y a de mieux à faire.

Comme il la regardait sans rien dire, elle releva fièrement le menton.

— Et si c'était tes enfants, hein ? Tu n'aimerais pas que quelqu'un manifeste un minimum de compassion à leur égard ?

Peu à peu, elle eut l'impression que l'expression de son frère se modifiait. Son regard devint plus doux, et il se mit à se frotter les sourcils du bout des doigts.

— Je vais y réfléchir, murmura-t-il.

— Non. C'est maintenant qu'ils ont besoin de venir à Chantaine. Tu dois dire oui.

— Je dois ?

— Oui, tu dois, répondit-elle sans ciller.

Il poussa un soupir de lassitude.

— Tu ne me lâcheras pas tant que je n'aurai pas dit oui, c'est ça ?

— C'est ça.

— Très bien. Mais je veux qu'ils obéissent à des règles très strictes. Ils ne pourront pas être vus ensemble en public. Ils devront abandonner temporairement leur identité et ils devront travailler.

Incroyable. Il avait dit oui, enfin. Elle avait réussi.

— Marché conclu, déclara-t-elle en se levant. Merci. Je savais que je pouvais compter sur toi.

Il se leva à son tour.

— Mais je me demande encore si c'est une bonne idée.

— Compte sur moi, tu ne le regretteras pas, répondit-elle avant de l'embrasser sur la joue.

— Tu es devenue très volontaire. Je suis fier de toi.

Mon Dieu. C'était la première fois qu'il lui faisait un tel compliment. Elle se retourna vers lui, les larmes aux yeux.

— Venant de toi, ça me touche beaucoup, avoua-t-elle, avant de quitter lentement le palais.

Une fois dans la voiture, Treat lui jeta un regard interrogateur.

— Il a accepté de les laisser s'installer à Chantaine. Je suis tellement contente que j'ai envie de danser sur les toits.

— J'aimerais pouvoir te laisser faire ça, répondit-il en souriant.

Elle eut du mal à se retenir de le prendre dans ses bras. Après tout, il n'y avait aucun mal à fêter dignement cette grande victoire.

— Tu sais quoi ? Je connais un petit bar près de la mer où je pourrais boire un Martini et toi, une bière, murmura-t-elle avant de lui adresser un grand sourire.

— Tu es sûre que ça ne risque pas de poser problème ? Je veux dire, qu'on s'affiche en public, toi et moi ?

— Je ne pense pas. A partir du moment où on ne s'embrasse pas. C'est juste histoire de boire un verre. Et puis, on est lundi soir ; il ne devrait pas y avoir trop de monde.

— Bon, marmonna-t-il.

Eh bien, le moins qu'on puisse dire, c'est qu'il ne cherchait pas à cacher son peu d'enthousiasme.

— Si ça t'ennuie, tu n'as qu'à te contenter de me déposer au bar. Comme ça, je pourrai boire mon Martini en paix.

— Comme si je pouvais te permettre de faire ça…

— Me permettre ? répéta-t-elle. Ce n'est pas parce que tu es mon garde du corps que tu dois avoir les yeux rivés sur moi vingt-quatre heures sur vingt-quatre.

— Mais tu admettras que c'est tentant, répondit-il en lui lançant un regard plein de désir.

A ces mots, elle sentit sa colère s'apaiser. Elle ferma les yeux et sourit.

— J'ai juste envie de profiter de ce moment, murmura-t-elle.

Quand ils arrivèrent devant le bar, Treat vit Ericka attacher ses cheveux et mettre ses lunettes de soleil.

— Il fait déjà nuit, dit-il. Tu ne vas pas avoir l'air un peu bizarre avec tes lunettes de soleil ?

— Au moins, on ne me reconnaîtra pas, répondit-elle en trébuchant légèrement sur les marches qui menaient à la porte d'entrée du bar.

— Et si tu tombes ?

— Si je tombe, tu me rattraperas, répondit-elle avec un sourire charmeur.

Décidément, on ne savait jamais à quoi s'attendre avec elle ! Depuis le premier instant, il avait compris que c'était une femme très volontaire, prête à tout pour protéger les personnes qu'elle aimait. Mais pas seulement. Il l'avait prise dans ses bras, et elle l'avait embrassé avec une passion qui lui avait fait tourner la tête. Et, maintenant qu'elle avait réussi à convaincre son frère de se ranger à son avis, elle voulait juste savourer sa victoire. Rien que de très normal, au fond.

Ils entrèrent. Ericka avait raison : il n'y avait pas beaucoup de clients dans le bar.

— Viens, on va se mettre près de la mer, dit-elle en avançant d'un pas chancelant.

Glissant son bras autour de sa taille, il la conduisit jusqu'à une petite table. S'ils arrivaient à ne pas se faire remarquer, ce serait un miracle !

— Si tu continues de trébucher comme ça, ils ne vont pas vouloir te servir d'alcool.

Tout en souriant, elle poussa un soupir puis agita la main vers un serveur, qui se dirigea immédiatement vers eux.

— Bonsoir, qu'est-ce qui vous ferait plaisir ?

— Il y a quelques années, vous faisiez un super cocktail à base de Martini. Je ne me rappelle plus comment vous l'appeliez…

— Le Hollytini, répondit le serveur. Mais nous l'avons rebaptisé Hollytini Princesse, parce que c'était le préféré de la princesse Fredericka, à ce qu'on dit.

L'air gêné, elle se racla la gorge.

— Ah oui ? fit-elle avant de se tourner vers Treat. Tu vois ? C'est quelque chose.

— Effectivement. Je vais prendre une bière.

— Et pour vous ? demanda le serveur à l'intention d'Ericka. Un Hollytini Princesse ?

— Oui, s'il vous plaît. Mais sans alcool.

— Très bien, répondit-il avant de s'éloigner.

— Je croyais que tu voulais fêter ta victoire en buvant un verre ?

— Je ne bois plus, dit-elle nonchalamment. Ce dont j'avais envie, c'était passer un peu de temps dans ce petit bar romantique tout en regardant la mer avec mon amant.

A ces mots, il sentit une délicieuse sensation de chaleur se répandre en lui. En d'autres circonstances, il l'aurait immédiatement prise dans ses bras. Mais il ne pouvait pas. Pas ici. Il fallait qu'il se retienne.

Une fois servis, ils trinquèrent.

— A ta santé, dit-elle en levant son verre.

— Et à la santé de la princesse Hollytini, ajouta-t-il en souriant.

Ils discutèrent assez longuement. Elle lui parla notamment des nombreuses fois où elle avait fait le mur pour aller courir les boîtes de nuit avec ses amis. Finalement, cela ne l'étonnait pas beaucoup venant d'elle.

— Tu devais être une vraie terreur, lança-t-il. Pas étonnant que ton frère ait fait appel à moi. Tu n'aurais jamais pu faire ça si j'avais été ton garde du corps, à cette époque…

— Je t'aurais détesté.

— Mais ça n'aurait rien changé, répondit-il en secouant la tête.

Tout en souriant, elle but une gorgée de son cocktail.

— De toute façon, j'ai passé l'âge de ce genre de bêtises.

— Je vois ça.

Quelques instants plus tard, ils sortirent du bar. Ils venaient à peine de retourner à la voiture qu'elle se jeta dans ses bras.

— J'ai envie d'être seule avec toi. Je ne sais pas comment je vais faire pour attendre que la nourrice prenne son jour de congé, murmura-t-elle avant de joindre ses lèvres aux siennes.

Il lui rendit son baiser et dut se faire violence pour se détacher d'elle. S'il n'arrivait pas à se maîtriser, il allait se laisser emporter par son désir.

— Il faut qu'on rentre chez toi. Maintenant, attache ta ceinture et ne bouge pas, lui dit-il d'un ton ferme.

Elle s'exécuta sans rien dire. Mais à peine étaient-ils arrivés devant la maison qu'elle se remit à l'embrasser. Par prudence, il jetait de temps en temps des coups d'œil furtifs aux volets fermés. Pourvu que personne ne les observe ! Une fois encore, il dut se faire violence pour se dégager de son étreinte. Hélas.

— Nous sommes des adultes responsables, murmura-t-il. Nous pouvons assumer ce qu'on fait.

Elle le regarda en fronçant les sourcils.

— Mais, avec ton comportement, on ne peut pas dire que tu rends les choses faciles.

— Je n'ai jamais dit que ce serait facile, rétorqua-t-il, le corps encore tout tendu et tremblant de désir. Le truc, c'est qu'il faut attendre que ce soit le bon moment. Mais si ça ne te gêne pas que la nourrice soit au courant…

L'air contrarié, elle soupira.

— Tu as raison, excuse-moi. Tu dois me prendre pour une femme désespérée et en manque…

Doucement, il plaça sa main sur la sienne.

— Non. Je te prends pour une femme extraordinaire et passionnée. Et je pense que je dois te protéger. Parce que c'est mon travail. Mais pas seulement.

10

Le lendemain matin, Treat reçu un coup de téléphone du palais.

— Monsieur Walker ? Glendall Winningham, du service des relations publiques du royaume. Je vous informe qu'un article accompagné de photos a été publié sur le site d'un magazine people au sujet de la princesse Fredericka. De ce fait, l'intérêt que le public porte à la princesse pourrait être décuplé dans les jours à venir. Je pense que cette information vous sera utile dans le cadre de votre travail. Je vous envoie par e-mail le lien vers le site en question. Bonne journée.

L'homme raccrocha.

Treat resta un certain temps sans réagir, son téléphone à la main. Un article sur Ericka, avec des photos ? Mais qu'est-ce que c'était que cette histoire ?

Autant savoir de quoi il retournait, et vite. Il se hâta donc d'allumer son ordinateur et de cliquer sur le lien en question. « Qui est ce beau ténébreux qui accompagne la princesse Fredericka ? », lisait-on en haut de la page. Sur la photo qui illustre l'article, on pouvait la voir avec ses lunettes de soleil, assise en face de lui, dans le petit bar.

Bon sang, c'était exactement ce qu'il voulait éviter. Le type du palais avait raison : si le journaliste qui avait pris la photo et rédigé l'article s'intéressait de près à Ericka, Leo et elle risquaient fort d'être harcelés par les curieux chaque fois qu'ils essaieraient de passer les portes de la maison dans les jours à venir.

Il imaginait déjà la scène : les gens qui allaient se ruer sur eux ; les paparazzi qui prendraient des photos de Leo ; les articles révélant la surdité du petit ; le chagrin d'Ericka.

Tout en se passant nerveusement une main sur le visage, il tenta de se raisonner. Inutile de paniquer. L'urgence, c'était de trouver le moyen de renforcer la sécurité de la maison. Cela allait être compliqué, mais tant pis : personne ne devait découvrir que le petit Leo portait des prothèses auditives. Ericka commençait tout juste à s'habituer aux petits défis et aux petits bonheurs qu'engendraient les besoins particuliers de son fils. Elle n'avait certainement pas envie que sa vie soit scrutée par les journalistes, étudiée à la loupe. Elle n'avait pas besoin de pression supplémentaire.

Après avoir longuement observé les alentours de la maison, il frappa à la porte et entra. Ericka, vêtue d'un pyjama rose, les yeux encore tout embrumés par le sommeil, donnait paisiblement son biberon à Leo. Dès qu'elle le vit, elle lui adressa un grand sourire.

Aussitôt, il se sentit submergé par une violente émotion. Il l'avait déjà vue dans de nombreuses tenues, dans de nombreuses situations. Mais jamais auparavant il n'avait été aussi touché par le spectacle qu'elle lui offrait.

— La nuit a été dure ? lui demanda-t-il.

— Il a beaucoup pleuré vers 4 heures du matin. Je crois que je vais organiser une fête quand il aura fini de faire ses dents. Et toi ?

— J'ai eu mes quatre heures de sommeil, donc, ça va. Mais j'ai reçu un coup de fil du palais ce matin.

— Ah. J'ai entendu mon téléphone vibrer, moi aussi, tout à l'heure. Mais comme il fallait que je le change et que je lui donne son biberon… C'était qui ?

— Glendall Winningham.

— Ah. M. Relations publiques. Mais… pourquoi il t'a appelé ?

Il se mit à jeter des coups d'œil furtifs autour de lui. Inutile que des oreilles indiscrètes entendent ce qu'il avait à lui dire.

— Où est la nourrice ?

— Elle dort. Elle va sans doute se réveiller dans une heure. Par ailleurs, elle a pris son après-midi. Bon, tu veux bien me dire ce qui se passe ?

— Une photo de toi et de moi a été publiée dans un journal people en ligne.

— Où a-t-elle été prise ?

— Dans le bar où on était hier soir. Je te laisse savourer le titre de l'article : « Qui est ce beau ténébreux qui accompagne la princesse Fredericka ? »

Elle resta quelques instants à le regarder fixement. Soudain, contre toute attente, elle éclata de rire, ce qui ne manqua pas de surprendre le petit, qui se mit à la regarder avec de grands yeux sans lâcher son biberon. Au bout de quelques secondes, la tétine s'échappa de ses lèvres. Il se mit à s'agiter nerveusement, comme s'il était sur le point de pleurer.

— Oh non, mon chéri, rassure-toi, tout va bien, murmura-t-elle en replaçant le biberon devant sa bouche.

Leo se laissa faire et se remit à téter paisiblement.

— Je peux savoir ce qui te fait rire ? lui demanda Treat.

— Ce qui me fait rire, c'est que c'est la faute de Stefan, répondit-elle en continuant de glousser. Je lui avais dit de me trouver quelqu'un de discret. Personne ne voudra croire que tu es la nounou de Leo ou même mon assistant. Tu es trop…

Elle poussa un petit soupir.

— … trop viril.

Non, effectivement. Néanmoins, tout cela ne semblait pas tellement la déranger. C'était à n'y rien comprendre !

— Je vois que cette histoire n'a pas l'air de t'inquiéter. Pourtant, le type du palais m'a laissé entendre que les médias et les gens risquaient de beaucoup s'intéresser à toi…

Elle fit une petite grimace.

— C'est exact. Tu ne t'imagines pas le nombre d'articles délirants que la presse a écrits sur ma famille et moi. Ne t'en fais pas, ça finira bien par se calmer.

Elle marqua une petite pause, avant de reprendre :

— Il n'y avait qu'une seule photo ? S'ils en avaient pris une de moi en train de t'embrasser dans la voiture…

— Heureusement, ce n'est pas le cas. Mais il va falloir qu'on se montre plus prudents.

— Il va falloir que *je* me montre plus prudente, tu veux dire. Que je me contrôle davantage en public.

— Je pense qu'il va falloir qu'on…

— Qu'on quoi ? Qu'on mette un terme à notre relation à cause d'une photo ? Ecoute, le gouvernement va faire une déclaration officielle pour dire que tu es mon garde du corps, rien de plus…

Elle ferma les yeux et soupira.

— Je n'ai pas envie d'avoir l'impression de te supplier, murmura-t-elle.

Le supplier ? La vérité, c'était qu'il se sentait écartelé entre ce qu'il pensait être le mieux pour elle et ce dont lui avait envie.

— Je n'ai pas du tout l'impression que tu me supplies, lui répondit-il. Je veux juste…

— Ça suffit, l'interrompit-elle. Je ne veux plus parler de ça. Les hommes et leur lâcheté… J'ai déjà donné, merci.

Elle se leva d'un bond.

— Les hommes et leur lâcheté ? répéta-t-il.

— C'est ça, tu as bien entendu. Maintenant, si tu veux bien m'excuser, j'ai d'autres choses à faire. Bonne journée, dit-elle en s'éloignant.

Il resta littéralement pétrifié par cette sortie brutale, glaciale et… princière. Est-ce qu'on apprenait aux princesses à se comporter de cette façon ? Quoi qu'il en soit, il n'avait aucune envie de se retrouver confronté à cela au quotidien.

Il retourna dans sa maison pour travailler. Il se sentait abattu, difficile de prétendre le contraire. Plus tard dans l'après-midi, il entendit la nourrice s'en aller puis Simon arriver, sans doute avec du linge propre et des vivres.

Plus il pensait à Ericka, plus il se rendait compte qu'elle avait raison. Son mari s'était montré lâche avec elle en la trompant. Lui-même avait ses torts. Après tout, il lui avait envoyé toutes sortes de messages ambigus. Il n'avait pas eu le courage d'assumer le désir qu'il éprouvait pour elle. Il n'avait pas eu le courage de la faire passer avant son travail.

Mais il était bien décidé à se rattraper. Sans attendre.

Une fois dans la maison, il entendit des bruits venant du salon. Ericka était là. Elle essayait d'obliger Leo à se retourner en l'attirant avec un jouet.

— Allez, murmurait-elle. Tu peux le faire.

Assis à côté d'eux, Sam regardait fixement le jouet, bougeant sa tête comme un arbitre de tennis chaque fois qu'Ericka le déplaçait.

Soudain, Leo poussa un cri de colère.

Elle lui tendit aussitôt le jouet. Le petit se mit aussitôt à le manipuler.

— Tu y étais presque, mon chéri, murmura Ericka.

Tout à coup, sans daigner lever la tête, elle ajouta :

— Je peux savoir ce que tu viens faire ici ?

— M'excuser.

Elle releva brusquement la tête vers lui, l'air étonné.

— Je te demande pardon ?

— J'ai beaucoup réfléchi, et je me rends compte que je t'ai envoyé des signaux contradictoires. J'ai repoussé tes avances plusieurs fois, parce que je voulais que notre relation reste dans un cadre strictement professionnel. Mais parallèlement, inconsciemment, j'essayais de te séduire. Parce que je te trouve absolument irrésistible.

Elle croisa ses bras sur sa poitrine.

— Du coup, qu'est-ce que tu choisis ?

— Tu connais déjà la réponse. Je choisis de faire les deux. Si tu le voulais, je pourrais démissionner. Comme ça, on pourrait voir comment les choses fonctionnent entre nous…

— Je n'ai pas envie que tu démissionnes, répondit-elle en secouant violemment la tête. Est-ce qu'on ne pourrait pas juste vivre les choses au jour le jour, pour le moment ? Est-ce que tu ne pourrais pas juste accepter le fait que tu m'apprécies ?

Treat se passa la main dans les cheveux. Les sentiments qu'il éprouvait pour elle allaient bien au-delà, mais il valait mieux ne rien dire. La situation était déjà assez compliquée. Il était temps de répondre franchement aux questions qu'elle semblait se poser.

— Eh bien… si, je crois.

— Parfait. Simon m'a apporté un repas chinois. Tu préfères en rapporter une partie dans ta caverne ou dîner avec moi ?

— Je serais ravi de dîner avec toi, répondit-il.

A ces mots, il prit conscience qu'Ericka méritait un homme qui lui fasse la cour. Dans le passé, tout un tas d'hommes avaient certainement essayé de gagner ses faveurs mais, à la différence de tous ces types, il avait attiré son attention. Il était sorti du lot. Voilà pourquoi il était hors de question de prendre à la légère l'affection et la passion qu'il semblait lui inspirer. Malheureusement, il ne voyait pas comment les choses pouvaient fonctionner entre eux.

Le soir venu, ils partagèrent le délicieux repas cuisiné

par Simon. Une fois encore, elle accepta de se confier en lui racontant son adolescence mouvementée. Manifestement, elle n'était pas la seule à avoir fait les quatre cents coups. Ses sœurs et elle avaient pris l'habitude, dès leur enfance, de se serrer les coudes pour s'opposer à la rigueur et au sérieux de leur frère.

— Bridget a toujours été une rebelle. Elle essayait toujours d'échapper aux responsabilités du palais. Et puis elle est tombée amoureuse de ce médecin américain qui vivait dans un ranch avec ses neveux qu'il avait adoptés. Quand elle nous l'a dit, personne ne l'a crue. On la voyait mal s'engager à ce point pour quelqu'un !

— A t'écouter, on dirait que tu as tout de même un peu profité de ton enfance…

— Oui. Et c'est aussi le cas de mon frère et de mes sœurs. Mais Stefan et Valentina ont toujours été très sérieux, moins enjoués. Je pense que Stefan a eu très tôt conscience qu'il était l'héritier du trône et que, par conséquent, il a toujours eu l'impression qu'il devait exceller dans tous les domaines. Tu sais, ma mère est morte à l'époque où Valentina était à l'université. Ça a été très dur pour nous tous.

Treat sentit son cœur se serrer. La pauvre. Cela avait dû être un tel choc, surtout à un aussi jeune âge.

— Elle te manque, j'imagine.

— Ce qui me manque, c'est tout ce que j'aurais aimé partager avec elle, tout ce qu'elle ne m'a pas donné de son vivant. Du coup, je vais tout faire pour offrir le meilleur de moi-même à Leo.

— Je comprends, dit-il en hochant la tête.

— Et toi ? Et tes parents ? lui demanda-t-elle.

A ces mots, il eut envie de détourner son regard du sien, mais son visage était d'une telle douceur, comme empli d'une tendre compassion.

— Mon père est mort très jeune, et ma mère a dû

travailler énormément. Elle était toujours très fatiguée. Il fallait qu'elle gagne sa vie, qu'elle s'occupe de mon frère… Bref, elle avait à peine le temps de souffler.

— Ah. Je ne savais pas que tu avais un frère. Est-ce qu'il te ressemble ?

— Non, répondit-il en secouant la tête. Il avait beaucoup de problèmes de santé.

— Je suis désolée.

Feignant l'indifférence, il haussa les épaules. Ne pas avoir su sauver sa famille continuait de le hanter. Mais son frère et sa mère n'étaient plus là, désormais, et il n'avait aucun moyen de se rattraper. Ils étaient partis. Pour toujours.

Leo poussa soudain un petit cri, l'arrachant à ses tristes pensés.

— Tu te sens un peu à l'écart de la conversation ? lui murmura-t-elle en lui caressant doucement la joue.

Tout en agitant joyeusement les jambes, le petit se mit à la regarder intensément.

— Qu'est-ce que ça fait d'avoir près de soi un petit être qui vous aime d'un amour aussi fort ? lui demanda-t-il.

— C'est la chose la plus merveilleuse du monde, répondit-elle en souriant tendrement. Enfin, pas toujours. Quand il a faim ou quand il fait ses dents, ce n'est pas si simple. Bon, je le change, je le baigne, et je lui donne son biberon. Tu veux m'aider ?

— Je préfère laisser ça aux experts, répondit-il en se levant. Je vais aller vérifier le périmètre et voir si le nouveau système d'alarme fonctionne bien. Mais je pourrai revenir après, si tu veux ?

— D'accord. Rendez-vous dans une petite heure ?

Sentant le plaisir bouillir en lui, il s'acquitta de sa tâche le plus vite possible. Il avait envie de la prendre dans ses bras et de goûter de nouveau ses lèvres. Pourtant, ce n'était pas faute de faire des efforts pour ne pas penser à elle ! Il faisait de son mieux pour s'empêcher de songer à la nuit qu'ils avaient passée ensemble. Mais ce souvenir était resté profondément gravé dans sa mémoire et dans son corps. Plus il apprenait de choses sur elle, plus il avait envie d'elle.

De retour dans la maison, il la trouva assise sur un canapé, en train de lire quelque chose sur une tablette. Ce qu'elle était belle. Dès qu'elle le vit, elle se leva.

— Je viens de mettre la bouilloire sur le feu. Tu veux un thé ?

Il fit une petite grimace.

— Le thé, je ne le bois que très sucré, et surtout glacé. Mais un verre d'eau ne me ferait pas de mal.

— Comme je te l'ai déjà dit, j'ai passé quasiment toute ma grossesse au Texas, chez ma sœur Valentina. Son mari aime beaucoup le thé glacé, lui aussi.

Cette fois-ci, ce fut à elle de faire la grimace.

— Le mien, poursuivit-elle en se versant une tasse, je le préfère bien chaud avec un nuage de lait.

Quand elle revint dans le séjour avec sa tasse et le verre d'eau, elle lui dit :

— Tu sais, j'étais en train de lire des informations sur l'opération que va subir Leo au mois de janvier ou de février. Elle se fera sous anesthésie générale et ça me terrifie. On va l'endormir… Je ne sais pas si je vais le supporter. Mais il faut que je me fasse une raison, si je veux lui offrir le meilleur avenir possible. Ce n'est pas une solution miracle. Mais au moins, après l'intervention, il pourra entendre avec des prothèses auditives.

— Ça aura un impact sur sa façon de parler ?

— Sûrement. Même après l'opération, il y aura encore beaucoup à faire sur le plan médical et éducatif. Nous avons de la chance, parce que Stefan a des contacts en Italie, il y a des chirurgiens très expérimentés dans ce domaine, là-bas. On ira certainement les voir, Leo et moi, pour l'opération. Chaque fois que j'y pense, j'en ai les mains qui tremblent.

A ces mots, il sentit sa poitrine se serrer. Il détestait la voir si bouleversée. Posant à son tour son verre sur la table, il prit ses mains tremblantes dans les siennes.

— Ne te torture pas avec ça. Ma mère disait toujours qu'il y a suffisamment de soucis à gérer dans une journée. Du coup, ça ne sert à rien de s'inquiéter pour le lendemain.

— Ça devait être une femme bien, murmura-t-elle.

— C'est vrai.

— Je parie qu'elle était très fière de toi.

— J'espère.

Avec la vie si difficile qu'elle avait eue, il ne souhaitait qu'une chose : avoir pu lui apporter un peu de réconfort.

— Distrais-moi, murmura Ericka en se rapprochant doucement de lui. Empêche-moi de me faire du souci.

Elle semblait si sincère, si douce. Comment aurait-il pu la repousser ? Lentement, tendrement, il joignit ses lèvres aux siennes. Sa bouche, pulpeuse et sensuelle, donnait tout autant qu'elle réclamait. Cela le rendait totalement fou de désir. Malgré tout, inutile de se précipiter. Il avait beau avoir une envie folle de faire glisser ses mains sur son corps tout entier et de s'enfoncer en elle, il voulait savourer cet instant. Prendre le temps de passer ses doigts dans ses cheveux, de caresser la peau douce et soyeuse de ses joues…

Il l'embrassa pendant un long moment. Il n'était sûr que d'une chose : il en voulait davantage. Il posa alors ses mains sur ses épaules pour mieux sentir ses seins ronds et fermes contre les muscles de son torse. Ce qui ne fit que l'exciter davantage.

Les mains accrochées autour de son cou, elle l'attira encore plus près d'elle. A cet instant, Treat se sentit chavirer. Impossible de résister davantage. Penché vers Ericka, il plaça ses deux mains sous ses seins et l'entendit pousser un petit gémissement de plaisir. Il n'avait plus qu'une envie : lui montrer avec son corps à quel point il la trouvait belle et désirable.

Après avoir déboutonné son chemisier et défait son soutien-gorge, il se mit à lui caresser langoureusement les seins, s'attardant sur ses tétons durcis de désir. Il sentit son souffle chaud sur sa nuque au moment où il baissa la tête pour mieux y goûter.

— Oh ! Treat…, murmura-t-elle.

Ivre de désir, il retira sa chemise pour mieux sentir la douceur de ses seins contre sa peau.

— Tu es tellement belle. Tellement belle.

Lentement, elle fit glisser sa main le long de son corps pour toucher son sexe durci de désir. Là, elle se mit à le caresser sensuellement à travers son jean. Que c'était bon.

Hélas, cette douce torture ne dura que quelques secondes. Car Leo se mit soudain à crier.

Aussitôt, elle se détacha de lui. Ils se regardèrent dans les yeux quelques secondes. Le petit pleurait de plus en plus fort. Et Sam ne tarda pas à entrer dans la pièce, en miaulant bruyamment. Il fallait se rendre à l'évidence : leur moment d'intimité était terminé.

Elle finit par prendre une profonde inspiration puis se pencha pour récupérer son soutien-gorge.

— Il faut que j'aille le voir, lâcha-t-elle.

Voyant qu'elle avait du mal à reboutonner son chemisier, il décida de l'aider. Et, pourtant, ses doigts étaient encore tout tremblants d'excitation.

— Désolée, lui dit-elle en se précipitant vers l'escalier.

— Je t'attends là, répondit-il.

Et, comme un lion en cage, il se mit à faire les cent pas dans la pièce.

*
* *

Ericka vérifia la couche de Leo. Elle était sèche. Il avait bu tout son biberon : cela voulait dire qu'il n'avait pas faim. Tiens, il avait l'air de mâchouiller sa tétine. Elle identifia aussitôt le problème.

— Oh ! mon pauvre chéri, tes gencives te font mal. Attends, je vais te chercher de la pommade.

Elle redescendit avec le petit dans ses bras. Quand elle arriva dans la cuisine, Treat lui jeta un regard interrogateur.

— Il fait ses dents. Tu n'es pas obligé de rester, tu sais ? Je crois que je vais devoir le bercer pendant un petit moment.

— Je vais chercher mon ordinateur pour travailler un peu en t'attendant.

— C'est gentil à toi mais, tu sais, il peut se montrer très bruyant.

— Ça ne me gêne pas, répondit-il en haussant les épaules.

— OK. Je reviens dès qu'il se sera endormi.

Malheureusement, Leo se réveillait chaque fois qu'elle le couchait dans son berceau. Même le mobile ne fonctionna pas. Une chose était sûre : la nuit allait être longue. Jetant un coup d'œil en bas de l'escalier, elle s'aperçut que Treat était toujours penché sur son ordinateur. Eh bien, il en avait du courage ! Avec le vacarme que faisait Leo, n'importe quel homme serait parti depuis longtemps.

Perdue dans ses pensées, elle se remit à faire les cent pas dans le couloir. Sentant la fatigue venir, elle recommença à le bercer. Rapidement. Quand elle ne bougeait pas suffisamment vite, il se remettait à pleurer. Le mouvement devait sans doute l'aider à oublier sa douleur.

Soudain, Treat apparut dans l'encadrement de la porte, ses larges épaules empêchant la lumière du couloir de filtrer. Combien de temps s'était écoulé depuis la fin prématurée de leurs ébats ? Impossible à dire. Enfin, quelle ironie du sort… La soirée avait été si prometteuse. Dans ses bras, elle s'était sentie tellement bien : la plénitude qu'elle avait éprouvée était absolument indescriptible. Mais, désormais, il fallait qu'elle se concentre sur Leo. Elle n'en voulait pas au petit, bien évidemment. Il n'empêche : elle ne pouvait pas s'empêcher de se sentir un peu mélancolique. Et puis elle ne pouvait pas reprocher à Treat de vouloir retourner chez lui.

— Tu veux que je prenne le relais ? lui demanda-t-il.

Elle resta quelques instants à le regarder. Comment ça, prendre le relais ? Non, elle avait dû mal entendre.

— Je te demande pardon ?

— Je peux prendre le relais, si tu veux. Enfin, si tu n'as pas peur que je m'y prenne mal...

Elle sentit son cœur se gonfler dans sa poitrine et elle eut soudain les larmes aux yeux. Tout en battant furieusement des paupières, elle secoua la tête avant de se raviser.

— Tu es sûr que tu as envie de faire ça ? Il est de très mauvaise humeur. Il va falloir que tu le portes ou que tu le berces.

— Ne t'inquiète pas, lui dit-il en tendant les bras.

Délicatement, elle lui passa Leo. Le petit continua de pleurer quelques secondes mais, dès que Treat se mit à marcher, il se calma.

— Tu es sûr... ?

— Oui, sûr. Tu sais bien que je n'ai besoin que de quatre heures de sommeil. Moins, si nécessaire. Allez, va te coucher.

Elle resta quelques instants à observer ce grand garde du corps musclé qui tenait dans ses bras un minuscule bébé. Pas de doute : cette image resterait gravée à jamais dans sa mémoire. Quoi qu'il puisse se passer ensuite, elle n'oublierait jamais cet instant.

Ericka retourna ensuite dans sa chambre pour aller se coucher et sombra dans un sommeil sans rêves. Quelques heures plus tard, sentant les rayons du soleil filtrer à travers les rideaux, elle se força à ouvrir les yeux. Aussitôt, elle tendit l'oreille. Pas un bruit.

Pourvu que Leo aille bien ! Afin d'en avoir le cœur net, elle se tourna vers le babyphone. Rien. Ce n'était pas normal, il fallait qu'elle aille voir, et tout de suite ! Elle se leva d'un bond et se précipita dans la chambre de Leo. Son berceau était vide. Mais où était-il passé ? Le cœur battant à tout rompre, elle descendit précipitamment l'escalier. Soudain, une voix résonna.

— Tu nous cherchais ?

C'était Treat. Assis sur le canapé, il était en train de donner son biberon à Leo.

— Je ne suis pas sûr de l'avoir changé dans les règles de l'art. Il gigote pas mal quand on essaie de lui mettre une couche, hein ?

— Tu…, balbutia-t-elle, stupéfaite. Tu es resté toute la nuit ?

— Oui. Il s'est endormi quelques minutes après ton départ. Et j'ai fait pareil. Dans le rocking-chair.

— Mais pourquoi est-ce que tu ne m'as pas réveillée ? demanda-t-elle, se sentant soudain rongée par les remords. Je ne t'ai jamais demandé de rester toute la nuit.

— Et alors ? Où est le problème ?

— Ça ne relève pas de tes responsabilités, disons.

L'air pensif, il baissa les yeux vers Leo.

— Je crois que si, d'une certaine façon. Parce que c'est un petit bout de toi.

Elle se mordit la lèvre. Eh bien… Le moins qu'on puisse dire, c'est qu'elle ne s'attendait pas à se sentir aussi émue. Ses mots l'avaient touchée en plein cœur.

— Je suis désolée que la soirée ne se soit pas déroulée comme prévu, soupira-t-elle en se laissant tomber sur le canapé. Ça ne me gêne pas que tu aies passé la nuit ici, bien au contraire, mais j'aurais préféré le savoir.

— La prochaine fois, répondit-il en lui lançant un regard plein de promesses.

Sans rien dire, elle le regarda donner son biberon à Leo. Encore une image qui resterait à jamais gravée dans sa mémoire. Il fallait qu'elle fasse tout son possible pour s'en souvenir. Quelque chose lui disait qu'il finirait tôt ou tard par sortir de sa vie. Leur relation n'était qu'une folle parenthèse. Il n'empêche : chaque jour qu'elle passait avec lui, elle se sentait devenir plus forte. Il lui rappelait qu'elle était humaine et qu'il n'y avait rien de mal à cela. Il lui rappelait qu'elle était une femme désirable. Et, pourtant, comment pouvait-il avoir envie de faire sa vie avec une femme qui était à la fois une princesse et une mère célibataire ? Qu'importe : elle comptait bien profiter intensément de chacun des moments qu'elle passait avec lui, parce qu'il avait le don de lui rendre confiance en elle-même et en l'avenir.

11

Vers la fin de l'après-midi, Ericka appela la nourrice chez elle. Marley n'était pas venue travailler. Pourvu qu'il ne lui soit rien arrivé ! Hélas, personne ne répondit. Une heure plus tard, Marley téléphona : elle avait eu un accident de voiture et avait été conduite à l'hôpital.

Ericka laissa échapper un petit cri. Quelle horreur !

— Mais vous allez bien ?

— Je suis désolée, mademoiselle. J'ai reçu un petit éclat de verre dans le bras quand le pare-brise a explosé, mais ils veulent vérifier qu'il n'y en a pas d'autres. Excusez-moi, vraiment.

— Mais ne vous excusez pas, voyons. L'important, c'est que vous alliez bien. Prenez tout le temps dont vous avez besoin et, surtout, rappelez-moi pour me donner de vos nouvelles.

Une fois qu'elle eut raccroché, Ericka prit un instant pour réfléchir. Voyons… Comment allait-elle s'organiser pour la soirée ? Quelques instants plus tard, quelqu'un frappa à la porte.

Treat.

— Je viens voir si tout va bien, lança-t-il d'un air radieux.

— Pas de problème pour nous, mais je viens d'apprendre une mauvaise nouvelle. La nourrice a eu un accident de voiture. Elle avait l'air un peu choquée, mais elle m'a dit qu'elle allait bien.

— Ah, zut. Quelqu'un l'a examinée ?

— Oui, elle est à l'hôpital. Mais je ne pense pas qu'elle rentrera ce soir, ni même demain. Or, il se trouve que je devais me rendre à l'inauguration de l'arbre de Noël du palais ce soir. Et c'est demain que la famille royale de Sergenia doit arriver. J'étais censée représenter le pays.

— Tu veux que je m'occupe du petit ? proposa-t-il en haussant les épaules.

Ericka se gratta la tête. Ce serait la meilleure solution, en effet. Mais allait-il accepter ?

— Ça m'ennuie de te demander ça, mais je n'ai aucune envie qu'il se retrouve face à des appareils-photo ce soir. Vu qu'il n'est pas de très bon poil en ce moment, je sens qu'il va faire tomber son chapeau, et tout le monde verra qu'il porte des prothèses auditives. Or je n'ai pas envie d'être bombardée de questions pour le moment. Dans d'autres circonstances, j'aurais pu demander à l'une de mes sœurs de me remplacer. Malheureusement, toute la famille doit être là.

— Et ta sécurité ?

— Le gouvernement est censé m'envoyer une voiture avec chauffeur et garde du corps pour que tu puisses te reposer un peu. Ce que tu ne fais jamais, d'ailleurs. Il faut parfois souffler, de temps en temps !

— Il est hors de question que je me repose si je dois m'occuper de Leo, s'offusqua-t-il.

A ces mots, Ericka se sentit rassurée. Il n'y avait aucune inquiétude à avoir : Leo serait en sécurité avec Treat.

— Tu es sûr que ça ne te dérange pas ?

— Non, je te dis. On va regarder du foot ensemble. Je suis sûr qu'il va adorer.

Ni une ni deux, elle le prit tendrement dans ses bras. Que c'était rassurant de pouvoir compter sur lui,

— Merci. Vraiment, dit-elle, la voix brisée par l'émotion.

— Hé ! fit-il en lui caressant doucement les cheveux.

342

Qu'est-ce que c'est que ça ? Tu ne vas pas pleurer, tout de même ?

— Non, dit-elle en battant furieusement des paupières pour essayer de retenir ses larmes.

— Ne t'inquiète pas. Je prendrai soin de lui. Il est en sécurité avec moi.

Elle prit une profonde inspiration. Allez, ce n'était pas le moment de craquer, tout allait bien.

— Je sais qu'il est en sécurité avec toi. Maintenant, je ferais bien d'aller me préparer pour la soirée. Simon nous a encore concocté un succulent repas. Du coq au vin. Je suis sûre que tu vas adorer.

Une heure plus tard, la limousine arriva devant la maison. Le soir était en train de tomber sur l'île et, de loin en loin, quelques lumières commençaient à s'allumer. En arrivant devant le palais, elle constata qu'il brillait de mille feux. Quelle beauté ! C'était la femme de Stefan, Eve, qui avait insisté pour renforcer les traditions de Noël. Petit à petit, elle avait transformé le palais, à l'extérieur comme à l'intérieur. Les conseillers insistaient toujours pour maintenir un certain degré de décorum mais, avec tous ces bambins qui galopaient partout dans les couloirs de l'immense château, difficile d'appliquer l'étiquette !

Une fois à l'intérieur du bâtiment, elle fut escortée jusqu'à l'une des salles de réception les plus confortables. Tranquillement assise dans un fauteuil, Bridget regardait en souriant son mari qui poursuivait gaiement les jumeaux. Assise par terre, la fille de Stefan était occupée à faire des coloriages, tandis que son petit frère de deux ans essayait de faire la course avec les jumeaux. Soudain, il trébucha, mais Eve le rattrapa à temps et le prit dans ses bras. Quant à Pippa, elle regardait la scène en tenant sa petite fille tout près d'elle.

Là, Eve s'approcha doucement d'Ericka.

— Contente de te voir, lui dit-elle en la saluant. Je

suis désolée pour la nourrice de Leo. Tu penses que ça va aller ?

— J'en saurai certainement davantage demain, mais elle n'avait pas très envie de rester à l'hôpital. J'imagine que c'est plutôt bon signe.

— Tant mieux. Qui surveille Leo ?

— Mon garde du corps.

— Quoi ? fit Eve en ouvrant de grands yeux.

Effectivement, il y avait de quoi être surpris, mais tant pis : il fallait assumer.

— Oui. Il se débrouille étonnamment bien avec lui. Bon, il n'est pas très doué pour le changer, mais…

— Les hommes ne sont jamais très bons pour ce genre de choses, l'interrompit Eve. Heureusement, la soirée se terminera vite.

Leur conversation fut interrompue par l'attaché de presse qui leur rappela le programme des festivités. Les enfants feraient une brève apparition au moment où le roi ordonnerait l'illumination de l'arbre. Une fois les guirlandes allumées, les nourrices emmèneraient les plus petits se coucher et les plus grands jouer dans la salle prévue à cet effet. Du fait de sa grossesse, la princesse Bridget serait excusée si elle souhaitait partir à ce moment-là. Mais les autres adultes devraient rester jusqu'à la fin.

Au moment où Ericka s'approcha avec sa famille de l'imposant sapin, les citoyens de Chantaine qui s'étaient rassemblés dans la pièce en restèrent littéralement muets d'admiration. Tout sourire, elle agita sa main dans leur direction.

Une fois arrivé près du sapin, Stefan monta sur une estrade.

— Bonsoir, peuple de Chantaine, dit-il. Merci de vous être joints à nous pour l'illumination de l'arbre de Noël du palais. Cette période de l'année doit être une période d'espoir, d'amour et de paix pour le monde entier. Je suis particulièrement satisfait de la paix qui continue de régner dans notre pays, et j'aimerais vous remercier, vous, citoyens de Chantaine, pour le respect dont vous avez toujours fait preuve vis-à-vis de votre pays et de vos concitoyens. Vous êtes un véritable exemple pour le reste du monde.

La foule se mit à applaudir bruyamment.

— Comme vous pouvez le voir, la famille royale s'agrandit, je dirais même qu'elle s'agrandit un peu plus chaque jour, poursuivit-il en jetant un coup d'œil au ventre de Bridget.

Il y eut quelques éclats de rire dans la salle.

— Au nom de toute la famille royale de Chantaine, je vous souhaite de bonnes fêtes de fin d'année, et un Noël plein d'amour, d'espoir et de paix.

Là-dessus, il fit un petit signe de tête, et l'immense sapin s'illumina. Sous les applaudissements de la foule, les enfants, accompagnés de leurs nourrices et de Bridget, s'en allèrent en agitant la main, et les festivités continuèrent avec une chorale d'enfants et un concert de musique instrumentale.

Ericka resta pensive devant cette petite cérémonie. Comment aurait réagi Leo s'il avait été là ? Les lumières l'auraient fasciné, c'était certain. Mais il n'aurait pu entendre ni les applaudissements de la foule ni la musique. A cette idée, elle sentit son cœur se serrer. Elle voulait tellement qu'il soit heureux. L'année prochaine, peut-être ?

Quand elle retourna chez elle, vers 22 heures, elle trouva Leo installé sur les genoux de Treat, face à l'ordinateur.

— Ça s'est bien passé ? lui demanda Treat en levant les yeux vers elle.

— Très bien, je te remercie. J'allais te poser la même question.

— Je l'ai emmené faire un tour en voiture. Ensuite on

est allés faire un petit plongeon dans la mer. On a bu deux ou trois bières à la plage et on est rentrés voir le match.

Sans pouvoir s'empêcher de sourire, elle leva les yeux au ciel.

— Et en vrai ?

— En vrai, je lui ai donné son biberon. Tu savais que les bébés pouvaient roter plus fort que les camionneurs ?

Elle s'esclaffa. Décidément, il avait le don de la faire rire à tous les coups !

— Oui, c'est très bon pour eux. Ils ont du mal à digérer quand ils n'ont pas fait leur rot.

— Ah, je vois. Bon, quand il a eu fini son biberon, j'ai goûté le coq au vin de Simon. C'est très bon, mais pas autant que tes fameux sandwichs bacon-beurre de cacahuètes. Bref, ensuite, on a fait quelques pompes, tous les deux. Et puis je lui ai donné son bain.

Surprise, elle le regarda avec de grands yeux.

— Tout seul ?

Il releva fièrement le menton.

— Ce n'est pas si difficile que ça. Il suffit de veiller à ce que l'eau soit à la bonne température. Je n'ai peut-être pas fait les choses dans les règles de l'art, mais je débute, tu comprends. Bref, là, j'étais en train de lui parler football. Il a bâillé une ou deux fois, mais je me suis dit que j'allais attendre un peu avant de le coucher. J'ai pensé qu'il aurait sûrement envie de voir sa maman avant de s'endormir.

Sans répondre, elle prit place à côté de lui et tendit les bras à Leo. Le petit se pencha vers elle, et elle le serra contre elle.

— Tu vois ? dit Treat. J'étais certain qu'il avait hâte de te revoir.

Après avoir doucement bercé Leo, elle embrassa sa petite joue.

— Il n'a pas eu l'air de souffrir de ses gencives ?

— Non. Mais ça viendra peut-être plus tard.

— Merci d'avoir pris soin de mon petit bébé.

— Mais je t'en prie. Et puis Sam a supervisé l'ensemble des opérations. Sauf quand je lui ai donné son bain. Curieusement, dès qu'il m'a vu mettre de l'eau dans la baignoire, il a disparu sans laisser de traces.

— Ça, ça ne m'étonne pas, dit-elle en riant.

Elle fit une petite pause, avant de reprendre la parole :

— Il faut que je me lève tôt demain matin pour accueillir la famille royale de Sergenia : les sœurs Tarisse et leur frère. Stefan m'a chargée de leur expliquer que nous avons un peu durci les termes de notre accord, mais je ne peux pas lui en vouloir, vu que c'est moi qui lui ai forcé la main… Bref, je vais emmener Leo avec moi au palais. Je pense qu'une des nourrices d'Eve et de Stefan pourra s'en occuper.

— Tu peux très bien me le laisser, tu sais…

— Oui, mais j'ai déjà assez abusé de ta gentillesse.

— Je t'ai dit que ça ne me dérangeait pas, affirmat-il en se levant du canapé. A quelle heure tu veux que je vienne ?

— Eh bien… 7 heures. On m'a dit que le rendez-vous avait été fixé dans un hôtel. Je pourrai y aller en voiture toute seule.

— Demande tout de même à ce qu'on t'envoie un garde du corps. Bon, moi, je vais me coucher. Ça me fait mal de l'admettre, mais je comprends pourquoi les mères de jeunes enfants se sentent si fatiguées.

Après s'être levée à son tour, elle l'embrassa doucement sur la joue.

— Je croyais que tu étais un dur qui n'avait besoin que de quelques heures de sommeil.

— Oui, et je vais les prendre de ce pas. Leo devrait bien dormir après un dernier biberon. Mais, s'il se réveille, n'hésite pas à m'appeler. Bonne nuit, princesse.

Ce qu'il était agaçant. Elle détestait qu'il l'appelle

princesse. Mais la façon dont il avait prononcé le mot lui avait paru très… séduisante.

D'ailleurs, tout ce qu'il lui disait lui paraissait séduisant.

Ericka se leva tranquillement. La nuit avait été calme : Leo ne s'était pas réveillé de la nuit. Dommage qu'il dorme toujours à poings fermés : elle n'allait pas pouvoir le serrer dans ses bras avant son départ ! Après s'être préparée en vitesse, elle descendit dans la cuisine prendre son petit déjeuner.

Au même moment, Treat entra dans la pièce.

— On dirait que tu as bien dormi, cette nuit, murmura-t-il après avoir étudié son visage.

— C'est parce que Leo a bien dormi, répondit-elle.

Elle-même avait du mal à y croire. Et pourtant, si bizarre que cela puisse paraître, c'était le cas.

— Je suis sûr que c'est grâce à cette discussion qu'on a eue hier soir tous les deux, entre hommes : je lui ai expliqué qu'il devait laisser dormir sa maman.

— En tout cas, on dirait que ça a bien fonctionné. J'aurais dû te demander de lui en parler plus tôt.

— C'est un truc de mec, fit-il en haussant les épaules.

— Si tu le dis…

La limousine du palais ne tarda pas à arriver. L'apercevant par la fenêtre, elle se tourna vers Treat.

— Je devrais être rentrée vers l'heure du déjeuner. Ne l'emmène pas faire du ski nautique, lança-t-elle avant de l'embrasser tendrement sur la joue.

— Mince, moi qui en avais réservé un !

— Bon, à tout à l'heure. Et merci encore.

Une fois dans la limousine, elle jeta un coup d'œil à l'adresse de l'hôtel où elle devait retrouver la famille Tarisse. Au départ, Stefan voulait qu'ils signent un engagement écrit. Heureusement, elle avait réussi à le convaincre que ce n'était pas une bonne idée. Inutile de leur demander une chose pareille alors que leur séjour à Chantaine ne devait pas s'éterniser.

Son garde du corps l'escorta jusqu'au deuxième étage du petit hôtel en question. Au moment où elle entra dans la suite, assez spacieuse, elle reconnut immédiatement le responsable de la sécurité du palais, Paul Hamburg, ainsi que l'un des assistants de son frère. Et, naturellement, les sœurs Tarisse. Les deux princesses paraissaient fatiguées et à bout de nerfs. Dire qu'elles étaient radieuses, d'ordinaire !

Paul fit tout de suite les présentations.

— Princesse Fredericka Devereaux, je vous présente les princesses Sasha et Tabitha Tarisse.

— Je vous en prie, appelez-moi Ericka, dit-elle en s'approchant des deux jeunes femmes. Vous devez être fatiguées. Voulez-vous une tasse de thé ?

— Oui, merci, répondit Sasha.

Aussitôt, Ericka tourna la tête vers l'assistant.

— Veuillez aller leur chercher du thé et des pâtisseries, je vous prie.

Les cheveux de Sasha, la sœur aînée, étaient attachés en chignon tandis que ceux de Tabitha retombaient librement sur ses épaules.

— Nous vous remercions de tout cœur d'avoir accueilli notre famille, dit Sasha. Veuillez nous excuser, nous ne sommes pas au meilleur de notre forme.

— Notre frère Alex nous a menti, poursuivit Tabitha. Il devait nous rejoindre ici, à Chantaine, mais il a disparu.

— Oh ! je suis désolée…, dit Ericka. Avez-vous une idée de l'endroit où il pourrait être ?

L'air furieux, Tabitha croisa ses bras sur sa poitrine.

— Je ne sais pas. Si ça se trouve, il est en train de faire la fête en Italie…

— Tabitha ! s'exclama Sasha. Excusez-la, ajouta-t-elle en se tournant vers Ericka.

— Ne vous en faites pas : je comprends sa déception. Je sais ce que c'est de se brouiller avec ses frères et sœurs.

Au même instant, l'assistant revint avec le thé et les biscuits. Ericka attendit que tout le monde soit servi avant de reprendre la parole.

— Nous sommes ravis de vous accueillir ici à Chantaine mais, comme vous le savez, vous devrez respecter plusieurs règles au cours de votre séjour. Pour la sécurité de nos citoyens comme pour la vôtre. J'imagine qu'on vous a expliqué que vous devrez changer d'identité. Sasha, je sais que vous êtes une pianiste de talent mais, hélas, vous ne pourrez pas jouer en public.

L'air attristé, celle-ci hocha la tête.

— Soyez rassurée : vous pourrez jouer en privé. Nous veillerons à ce que vous ayez accès à un piano.

— Merci, dit Sasha. Ça serait extrêmement difficile pour moi de ne pas pouvoir jouer du tout.

— Il nous faudra encore quelques jours pour vous trouver un logement et un travail. En attendant, vous pouvez rester ici. D'autre part, je vous demanderai de ne pas apparaître ensemble en public.

Tabitha prit un air surpris.

— Jamais ? demanda-t-elle.

— En tout cas, tant que vous serez ici. Mais souvenez-vous que la situation est provisoire. Vous rentrerez chez vous dès que les problèmes seront résolus dans votre pays. C'est une question de sécurité. Si vous êtes ensemble, les gens risquent de vous reconnaître plus facilement.

Les yeux rivés sur Ericka, Sasha prit la main de sa sœur.

— Nous ferons comme vous nous le demanderez. Mais en ce qui concerne notre frère, Alex ?

Ericka tourna son regard vers Paul Hamburg.

— Nous allons faire notre enquête, répondit celui-ci. Discrètement, bien sûr, afin de ne pas éveiller les soupçons.

— Je sais que vous ne recevez pas d'ordres de ma part, répliqua-t-elle, mais j'espérais que vous pourriez peut-être faire un effort.

— Entendu, Majesté.

— Merci, dit-elle avant de se retourner vers les deux sœurs. Maintenant, laissez-moi vous parler de Chantaine.

Une heure et demie plus tard, elle remonta dans la voiture pour retourner chez elle. Elle espérait avoir en partie apaisé leur esprit, mais cela prendrait du temps, très certainement. Voir la peur qui brillait dans leurs yeux l'avait bouleversée. Les pauvres, leur situation était vraiment terrible. Une chose était sûre : elle allait tout faire pour garder contact avec elles. Et elle allait également s'assurer qu'elles puissent fêter Noël dignement. Après tout ce qu'elles avaient vécu, elles avaient le droit d'être entourées, tout de même.

De retour chez elle, elle fut accueillie par la voix de Treat. Il avait l'air d'être à l'étage.

— Ce n'est pas aussi grave que ça en a l'air.

Elle se précipita dans l'escalier. Mon Dieu, qu'était-il arrivé ? Une fois en haut, elle entra dans la salle de bains. Treat et Leo étaient là. Couverts de peinture bleue et rouge.

— Mais qu'est-ce que… ?

— Je t'ai dit que ce n'était pas grave. Il faut juste qu'on prenne un bon bain.

— Mais comment est-ce que vous avez fait ça ? lui demanda-t-elle.

Certes, il n'y avait aucune raison de s'inquiéter : ce n'était qu'un peu de peinture. Mais elle avait le droit de savoir ce qui s'était passé.

— Tiens, regarde ça. Toi qui aimes l'art…

Là-dessus, il brandit une grande feuille de papier blanc

avec, en bleu, les empreintes de pieds de Leo et, en rouge, ses empreintes de mains.

Sans rien dire, elle la prit doucement dans ses mains. Et fondit en larmes.

— Tu trouves ça moche ? demanda-t-il d'un air taquin.

— Tais-toi. Tu sais bien que non, répondit-elle en essuyant ses larmes. Je peux t'aider ?

— Descends dans le salon et va te reposer un peu. C'est un boulot d'homme.

Tout en riant, Leo passa sa main couverte de peinture rouge sur la joue de Treat, qui le regarda d'un air attendri.

Ericka posa ses yeux sur Treat. Pas de doute : elle venait de tomber follement amoureuse de lui.

Même si elle avait très envie d'aider Treat, Ericka se força à rester assise sur le canapé. Tout en sirotant un thé, elle se remit à regarder la « peinture » et pleura encore. Elle avait pris des milliers de photos de Leo, mais c'était comme une partie de lui qu'elle tenait entre ses mains. Il ne lui restait plus qu'à trouver la meilleure façon de l'encadrer.

Au bout de quelques minutes, Treat finit par descendre avec Leo, propre comme un sou neuf. Ce qui n'était pas le cas de Treat, encore barbouillé de peinture.

— La salle de bains est nickel, dit-il. Mais mes affaires sont chez moi. Je vais rentrer prendre une douche.

— Tu reviens, après ?

Il la regarda dans les yeux pendant un long moment avant d'acquiescer.

— Oui.

Une fois seule, elle habilla Leo et lui donna son biberon. Alors qu'il terminait de boire, elle remarqua que ses petites paupières tombaient. Il était temps de le coucher. Avec tout ce qu'il avait fait dans la matinée, il méritait une bonne sieste. Sans surprise, il s'endormit presque aussitôt.

Alors qu'elle attendait le retour de Treat, elle se sentit soudain étonnamment nerveuse. De fait, les événements des jours précédents l'avaient rendue plus vulnérable que de coutume. Tout bien réfléchi, il valait mieux qu'elle passe un coup de téléphone à Simon : elle n'avait pas envie qu'on lui prépare à manger.

Quelques instants plus tard, Treat entra dans la pièce. Ses cheveux étaient encore humides, et son regard chercha immédiatement le sien.

— Comment s'est passée ta matinée ?

— Ça n'a pas été facile. Elles ont peur. Et je les comprends. J'espère que la quiétude de Chantaine les apaisera.

— C'est vrai que c'est un endroit plutôt sympa pour se cacher, dit-il en attrapant ses mains. Et c'est grâce à toi qu'elles sont là.

— J'espère que tout finira par s'arranger pour elles.

— Toi, tu caches quelque chose, dit-il en se penchant vers elle pour mieux étudier son visage. Je vois bien que ça tourne, là-dedans, ajouta-t-il en désignant son crâne.

Le cœur battant à tout rompre, elle se passa la main dans les cheveux. Pourquoi se sentait-elle si intimidée, tout à coup ?

— J'essaie simplement de réfléchir à un moyen astucieux de te dire que Leo dort et que nous avons la maison pour nous tout seuls, se contenta-t-elle de répondre.

A ces mots, il l'attira plus près de lui et joignit ses lèvres aux siennes.

— Tiens donc ! lança-t-il en la prenant dans ses bras. J'essayais de faire durer le plaisir, mais j'en ai assez d'attendre.

— Ah oui ?

Elle se hâta de déboutonner sa chemise, pendant que ses doigts ne tremblaient pas encore d'excitation.

Il l'embrassa lentement et profondément, avant d'effleurer doucement sa joue et sa gorge. Elle poussa un soupir. La chaleur de ses lèvres ne faisait qu'attiser le feu qui grandissait en elle.

— Tu as la peau tellement douce, murmura-t-il en commençant à déboutonner son chemisier.

Un instant plus tard, il l'avait débarrassée de son soutien-gorge, et elle savourait les délicieuses sensations que lui procurait son torse puissant et nu contre ses seins.

Ivre de désir, elle posa sa bouche contre la sienne. Elle l'entendit prendre une profonde inspiration puis le laissa l'embrasser avec passion. Elle le sentait animé d'une telle fougue qu'elle en frémit de la tête aux pieds. Désormais, tout son corps brûlait de désir pour lui.

Quelques instants plus tard, il fit glisser sa jupe et sa culotte le long de ses cuisses.

— Je suis nue et tu ne l'es pas.

— Ça ne va pas tarder, dit-il en commençant à embrasser son corps.

Elle avait désormais l'impression d'être dans un délicieux cocon où ils étaient seuls tous les deux. A cet instant, l'idée d'être séparée de lui ne serait-ce qu'une seconde lui parut insupportable. Soudain, il finit par s'enfoncer en elle en la serrant fermement contre lui, comme s'il ne voulait jamais plus la laisser partir.

Et voilà : leurs deux corps ne faisaient désormais plus qu'un. Et quelques minutes plus tard ils jouirent ensemble, corps, cœurs et souffles mêlés.

Ils passèrent ensuite un agréable après-midi ensemble. Ils jouèrent avec Leo et dînèrent de quelques restes. Il essaya de l'intéresser un peu au football ; elle essaya de l'intéresser un peu à l'art. Malheureusement, elle savait que ces moments de bonheur partagé seraient bientôt terminés ; la nourrice avait appelé pour dire qu'elle reviendrait travailler dès le lendemain après-midi. Treat devait s'en douter, lui aussi.

Le lendemain, Ericka se surprit à soupirer de contentement. Elle devait se rendre à l'évidence : elle ne s'était jamais sentie aussi heureuse. En milieu de matinée, elle reçut un coup de téléphone de Treat. Bizarre. D'ordinaire, quand il avait quelque chose à lui dire, il venait directement.

— Bonjour, lui dit-elle d'un ton enjoué.

— Il y a un homme au portail. Il s'appelle Jean-Claude, il dit qu'il veut voir son fils.

Un sentiment de panique s'empara d'elle. Mon Dieu, jamais elle n'aurait imaginé qu'une chose pareille puisse arriver.

— Jean-Claude, tu es sûr ?

— C'est ce qui est marqué sur sa carte d'identité. Mais je peux le renvoyer, si tu veux.

Elle ferma les yeux. Elle était tellement certaine que son ex ne manifesterait jamais le moindre intérêt pour Leo. Mais pourquoi maintenant ? Pourquoi ? Se rappelant soudain ce que son frère lui avait dit, elle se laissa gagner par la colère.

— Non. Laisse-le entrer, dit-elle en plissant les yeux.

12

— Je suis venu pour demander la garde partagée de mon fils, lança Jean-Claude aussitôt après être entré dans la maison.

Quelle prétention ! songea Ericka. Comment avait-elle pu tomber amoureuse de lui ? Surtout, ne pas s'affoler. Inutile de perdre son calme devant lui.

— Bonjour, Jean-Claude. J'espère que tu vas bien, répondit-elle poliment.

Treat, qui se tenait juste derrière son ex-mari, semblait bouillir de colère.

— Ecoute, je ne sais pas ce que tu viens faire ici. Quand tu as signé les papiers du divorce, tu as renoncé à tout droit et toute responsabilité vis-à-vis de ton fils.

— Et je le regrette désormais. J'ai pris cette décision sans réfléchir, parce que j'étais persuadé que tu avais gardé cet enfant pour m'obliger à rester avec toi, à une époque où j'avais énormément besoin de liberté.

Quoi ? Comment osait-il dire une chose pareille ? Quelle honte ! Malgré la colère, elle s'efforça néanmoins de poursuivre sur un ton neutre et détaché :

— Et, ta liberté, tu l'as maintenant.

Il se mit à se balancer nerveusement d'un pied sur l'autre.

— Je veux renégocier ce contrat.

— Je ne vois aucune raison de renégocier. Tu n'as pas manifesté le moindre intérêt pour ton fils depuis qu'il a été conçu, et moins encore depuis sa naissance.

Brusquement, il releva le menton.

— Est-ce qu'il faut vraiment qu'on aborde ce sujet devant le personnel ?

Un peu prise de court, elle cligna des yeux.

— Oui. Parce que cet homme est mon garde du corps.

— Ecoute, Ericka, je sais que ta famille possède beaucoup d'argent. Il y a tous ces yachts, ce grand palais qui est sans arrêt décoré et redécoré. Toi, tu vis dans une jolie maison ; tu n'as pas l'air d'être dans le besoin.

— Je ne vois pas où tu veux en venir.

— Je veux la garde partagée. Et une pension alimentaire pour les semaines où il sera avec moi.

— La garde partagée, une pension alimentaire ? Non, mais je crois rêver !

— On peut faire les choses discrètement, entre nous. Mais, si tu préfères, je peux aussi étaler ça sur la place publique. D'ailleurs, je connais un journaliste qui…

Constatant que Treat s'était rapproché de son ex, elle lui fit signe de ne pas intervenir. Autant ne pas envenimer la situation.

— Si on avait la garde partagée de Leo, tu devrais participer au règlement des frais médicaux ? Tu es vraiment prêt à faire ça ?

— Des frais médicaux ? répéta-t-il d'un air surpris. Qu'est-ce qu'il a ? Il a un problème ?

— Non, il est parfait. Mais il est sourd.

Jean-Claude se mit à la dévisager d'un air choqué. Le moins qu'on puisse dire, c'est qu'il tombait de haut

— Ah, finit-il par dire en secouant la tête. Je comprends mieux pourquoi tu te montres si peu avec lui en public. Comment expliquer qu'on a eu un enfant handicapé ? Mais, rassure-toi, je ne te reproche rien. J'espère que tu continueras de bien le cacher. Il faut tout faire pour protéger notre image.

Soudain, sans dire un mot, Treat s'approcha de Jean-

Claude, qu'il empoigna violemment avant de le pousser dehors par la porte restée ouverte.

— Ne t'approche plus d'elle, siffla-t-il. Tu ne les mérites pas, ni lui ni elle.

— Je vous interdis de m'insulter, commença à protester Jean-Claude.

Au même moment, sous les yeux ébahis d'Ericka, Treat le frappa violemment en plein visage. Jean-Claude s'effondra sur le sol. Mon Dieu, pourquoi restait-elle plantée là sans rien faire ? Il fallait intervenir ! Elle se précipita vers Treat et l'attrapa par le bras.

— Arrête, s'il te plaît, lui dit-elle, les larmes aux yeux, avant de se tourner vers son ex. Quant à toi, va-t'en.

— Vous aurez de mes nouvelles par mon avocat, répondit-il en se frottant la mâchoire. Vous allez me le payer.

— Il faut que j'aille lui ouvrir le portail, dit Treat, qui semblait toujours aussi furieux.

Il sortit une télécommande de sa poche et composa un code. Jean-Claude partit sans se retourner. Quelle histoire !

— Tu vas bien ? lui demanda alors Treat.

— Ça va, répondit-elle en croisant ses bras sur sa poitrine. Je n'arrive pas à croire qu'il se soit pointé comme ça à l'improviste.

— Le gouvernement garde toujours un œil sur lui. Visiblement, lui et sa nouvelle compagne dépensent bien plus d'argent qu'ils n'en gagnent, indiqua-t-il en la raccompagnant jusqu'à la maison.

Une fois à l'intérieur, il la prit dans ses bras, et elle savoura cette délicieuse sensation de tendresse et de sécurité. Que c'était bon de se sentir protégée.

— Je ne pense pas qu'il reviendra, murmura-t-il contre son front.

Après avoir poussé un petit soupir, elle s'écarta douce-ment de lui.

— Tu avais l'air tellement furieux. Il y avait une telle colère dans tes yeux.

— J'ai perdu les pédales, répondit-il en détournant son regard d'elle. Et il va falloir que je règle ce problème.

— Comment ça ?

— Il faut que j'y réfléchisse. Et que je remplisse un rapport. Mais ne t'occupe pas de ça. Tu as assez de choses comme ça à l'esprit, murmura-t-il avant de déposer sur ses lèvres un doux baiser. On en reparlera plus tard, d'accord ? Mais tu peux d'ores et déjà oublier cette histoire. Tout est fini, maintenant.

Elle hocha la tête. Quelque chose dans son comportement la rendait étrangement anxieuse. Hélas, impossible de dire quoi.

Treat rapporta l'incident avec l'ex-mari d'Ericka. Personne ne sembla satisfait qu'il ait brutalisé Jean-Claude, mais personne ne le lui reprocha non plus. Reste que la famille royale préférait généralement régler ses problèmes de façon plus discrète et plus diplomatique. Il n'avait pas pu se maîtriser, et tout le problème était là. Les sentiments qu'il éprouvait pour Ericka et pour Leo étaient trop forts. Et ils éveillaient chez lui l'envie de les protéger.

Tout en faisant les cent pas dans son séjour, il ressassait ce qui venait de se passer. Il avait agi sur un coup de tête. Pour un professionnel, c'était une faute grave. Son associé méritait mieux que ça, le royaume de Chantaine méritait mieux que ça, Ericka méritait mieux que ça.

Il savait ce qu'il avait à faire. Quelque chose qui allait être difficile et extrêmement douloureux. A cette idée, il sentit son cœur se serrer. Faisant de son mieux pour l'ignorer, il envoya un e-mail officiel à son associé, au gouvernement et au roi. Voilà. Il ne lui restait plus qu'à annoncer la nouvelle à Ericka. Ce qui serait loin d'être évident. Du coup, mieux valait le faire au moment de la sieste de Leo.

Quelques heures plus tard, il entra chez Ericka. Pour ce qui allait être la dernière fois. Le voyant arriver, elle leva les yeux de sa tablette et lui sourit.

— Coucou. Tu m'as manqué, lui dit-elle en se levant pour le prendre dans ses bras.

D'instinct, il respira le doux parfum de ses cheveux. Il avait envie de garder cette scène dans sa mémoire. De se souvenir du moindre détail. Mais, après avoir savouré l'instant pendant quelques secondes, il s'écarta d'elle et prit une profonde inspiration.

— Il faut qu'on parle, annonça-t-il.

— Ça a l'air sérieux.

— C'est le moins qu'on puisse dire.

Treat se passa une main dans les cheveux. Allez, ce n'était pas le moment d'hésiter. Il détourna le regard puis reprit :

— Ce que j'ai fait ce matin était une grossière erreur. Ce n'était pas professionnel de ma part : j'ai violé les règles de mon éthique personnelle ; j'ai réagi de façon beaucoup trop émotionnelle. Pour tout te dire, j'avais envie de le jeter dehors chaque fois qu'il ouvrait la bouche. J'ai failli craquer quand il t'a insultée. Quand tu as levé ta main devant moi, j'ai lutté de toutes mes forces pour me maîtriser. Mais… Mais quand il t'a dit ces choses au sujet de Leo…

Sa voix se brisa. Impossible de continuer. C'était trop dur.

— Je comprends tes sentiments, dit-elle. C'était une situation tellement bizarre. Moi aussi, j'ai cru que j'allais devenir folle.

— Mais, toi, tu as réussi à garder ton sang-froid, lâcha-t-il sans chercher à dissimuler sa tristesse. Ecoute, je viens de donner ma démission.

Elle poussa un petit cri de surprise et se mit à le dévisager, l'air choquée.

— Quoi ? fit-elle en secouant la tête. Non, non, non. Tu ne peux pas faire ça. Face à Jean-Claude, n'importe qui aurait réagi comme toi. C'était tellement ignoble de sa part de...

— Je ne suis pas n'importe qui. On m'a chargé de te protéger. Or j'ai laissé mes émotions prendre le dessus sur moi. J'ai perdu le contrôle. Je ne peux plus être ton garde du corps. Je pensais pouvoir séparer les sentiments que j'éprouvais pour toi du travail que j'avais à accomplir, mais ça n'a pas marché. Tu ne dois pas avoir à t'inquiéter de la façon dont ton garde du corps pourrait réagir. Tu as assez de soucis comme ça. Je ne suis pas assez bien pour toi. Je rentre aux Etats-Unis.

— Non ! S'il te plaît, ne fais pas ça.

Hélas, sa décision était prise. Il secoua la tête.

— Ericka, tu n'es pas prête à m'accepter dans ta vie, et je refuse de m'ajouter aux problèmes que tu as déjà. Je...

De nouveau, sa voix se brisa. Et il lui fallut quelques instants pour poursuivre :

— Leo et toi êtes beaucoup trop importants pour moi.

— Mais je ne veux pas que tu partes, dit-elle, les larmes aux yeux. Je veux que tu restes. S'il te plaît, réfléchis encore.

— C'est tout réfléchi. Il est temps pour moi de partir. Mes bagages sont déjà faits.

Incrédule, Ericka regardait Treat. La visite de Jean-Claude lui avait fait un choc. Mais celui-ci était pire encore. C'était indescriptible.

Non, non, non, songea-t-elle en avançant vers Treat pour le retenir. Mais les pleurs de Leo brisèrent le silence. Elle hésita quelques instants, avant de se tourner vers l'escalier. Et, après avoir jeté un dernier coup d'œil à la porte que l'amour de sa vie venait de refermer derrière lui, elle monta. Tout son univers venait de s'effondrer.

— Coucou, mon grand, dit-elle à Leo en entrant dans sa chambre.

De grosses larmes roulaient sur ses joues. Elle ne pouvait pas les retenir.

— Allez, viens. On va te changer.

Elle lui parla jusqu'à ce que plus aucun mot ne puisse sortir de sa gorge serrée par l'émotion. Alors, elle le prit dans ses bras et ferma les yeux pour mieux savourer les sensations que lui procurait la douce chaleur de son corps. Rien ne pourrait jamais l'empêcher d'aimer Leo de tout son cœur. Rien. Hélas, elle venait de laisser partir son garde du corps, et elle avait l'impression que son cœur était en lambeaux. Elle avait beau avoir senti que sa relation avec lui ne durerait pas, elle ne s'était pas préparée à ce qu'elle se termine de façon aussi brutale, loin de là.

Au contraire, elle s'était habituée à son sens de l'humour, à sa présence, à la chaleur de ses bras autour de son cou. Et, désormais, elle avait l'impression qu'un poids immense pesait sur sa poitrine. Elle pouvait à peine respirer. C'était absolument terrible. Elle ferma les yeux, et son beau visage viril apparut aussitôt dans son esprit.

Mais elle ne pouvait pas s'effondrer, non, il fallait qu'elle se reprenne. Leo comptait sur elle. Il fallait qu'elle s'accroche à cette idée. Qu'elle s'accroche à lui.

Quelques instants plus tard, la nourrice frappa et entra. Elle avait un pansement sur le front et un hématome sur la joue.

— Bonjour, mademoiselle, fit-elle d'une voix enjouée. Comme vous pouvez le constater, je suis un peu amochée, mais ce n'est pas ça qui va m'arrêter.

Ericka ne put s'empêcher de sourire. Quel soulagement !

Marley était de retour. Mais, tout de même, est-ce que son départ de l'hôpital n'avait pas été un peu précipité ?

— Vous êtes sûre que ça va aller ?

— Vous n'avez pas d'inquiétude à avoir. Je me porte comme un charme, mademoiselle. Merci.

La nourrice s'interrompit pour observer le visage d'Ericka.

— Mais vous, reprit-elle, ça n'a pas l'air d'aller bien fort. Vous êtes malade ?

Dévastée aurait sans doute été le mot juste.

— Je ne me sens pas très bien, admit-elle avant de se mordre la lèvre pour s'empêcher de pleurer.

— Bon, je vais m'occuper de votre petit ange. Vous, allez vous reposer. Ça vous fera du bien, dit-elle en tendant les bras vers Leo. Et ne vous faites pas de souci : je veillerai également sur lui cette nuit.

Ericka hocha la tête. Marley avait sans doute raison. Elle alla dans sa chambre et referma la porte derrière elle. Mais, en regardant le lit, elle pensa aussitôt à la nuit qu'elle avait passée avec Treat. Elle eut envie de quitter la pièce. Malheureusement, chaque pièce de la maison la ferait penser à lui. Aussi finit-elle par se laisser tomber sur le lit. La tête enfoncée dans son oreiller, elle s'abandonna à sa tristesse.

Le lendemain matin, Ericka se sentait vidée, lessivée. Elle s'acquitta de ses tâches quotidiennes comme un robot. Leo la faisait toujours sourire, mais elle se sentait complètement dépourvue d'entrain et de gaieté. Et dire que la période si joyeuse des fêtes de fin d'année approchait ! Elle fit de son mieux pour éviter les regards inquiets de Marley. Mais, au bout d'un certain temps, elle décida d'aller prendre l'air. Ce serait l'occasion d'acheter quelques cadeaux de Noël.

Ce n'était pas parce qu'elle était au trente-sixième dessous qu'elle devait oublier ses proches. Elle pensa d'ailleurs à acheter quelque chose pour les sœurs Tarisse. Malheureusement, les pauvres n'avaient toujours pas de nouvelles de leur frère !

Pendant que Leo jouait sur son tapis d'éveil, elle fit ensuite ses paquets cadeaux. Sam, qui s'était approché d'elle, se mit à jouer avec un ruban doré. Il était plus affectueux encore que d'ordinaire, comme s'il sentait son chagrin. Tout en le caressant distraitement entre les oreilles, elle regardait Leo qui, en poussant sur ses bras, parvint à se retourner sur le dos. Le petit parut quelque peu désorienté par cette expérience.

— Bravo, mon chéri, dit-elle d'une voix rassurante en s'approchant de lui. Tu t'es mis sur le dos. Tu es très fort.

Il lui rendit son sourire et se mit à rire gaiement. Elle sentit ses yeux s'emplir de larmes. Dommage que Treat ne soit pas là pour voir ça. Il aurait été ravi.

Non, il fallait absolument qu'elle cesse de penser à lui à tout bout de champ, tenta-t-elle de se raisonner. Il fallait qu'elle regarde la vérité en face : il était parti, et il ne reviendrait pas.

Tout à coup, la sonnerie de son téléphone la ramena à la réalité. C'était sa sœur.

— Salut, Pippa. Comment ça va ?

— Je suis à la maternité avec Bridget. Le travail a commencé. Tu peux venir ?

— Oh ! mon Dieu ! fit-elle, soudain tout excitée. Où en est Bridget ?

— Eh bien, on ne peut jamais savoir, avec elle, vu que c'est une grande comédienne. Mais elle est arrivée tout essoufflée. Et sans la moindre trace de maquillage.

— Non, sérieusement ?

Dire que sa sœur avait toujours refusé de se montrer

en public sans être parfaitement maquillée. Néanmoins, elle avait eu raison de faire une entorse à sa règle.

— Bon, j'arrive dès que possible, ajouta Ericka avant de raccrocher.

Après avoir confié Leo à Marley, elle se précipita vers sa voiture. Le nouveau garde du corps qui lui avait été assigné insista pour l'accompagner. Elle accepta, mais à condition que ce soit elle qui conduise. Si c'était pour rouler à une vitesse d'escargot, non merci !

Une fois à la maternité, elle rejoignit Pippa et Eve dans une salle d'attente privée.

— Je me demande combien de temps ça va prendre. Je suis toujours un peu stressée quand les Devereaux se rendent à la maternité.

Ericka hocha la tête.

— Valentina nous avait fait une belle frayeur. Mais j'espère que tout va bien se passer.

Au bout de quelques minutes, la porte de la salle de travail s'ouvrit sur le mari de Bridget. Il avait l'air radieux. C'était bon signe !

— C'est une petite fille. En parfaite santé, comme sa maman. Les jumeaux sont déjà venus la voir. Vous venez ?

— Bien sûr, répondirent-elles toutes en chœur.

Une petite princesse de plus ! Quelle joie !

En entrant, elles trouvèrent Bridget assise sur le lit. Pas maquillée, mais impeccablement coiffée.

Elle leva les yeux vers elles et leur sourit.

— Regardez ce petit trésor.

Pippa s'approcha la première. Après s'être extasiée sur le bébé, elle embrassa sa sœur.

— Tu m'as l'air beaucoup trop en forme pour une femme qui vient de donner naissance à un enfant.

— Je suis d'accord, acquiesça Eve en s'approchant à son tour. Oh ! quel joli teint rose ! Et ces cheveux tout fins ! Qu'elle est belle. Vous avez bien travaillé.

Après avoir observé le bébé, Ericka ne put que partager l'avis général.

— Elle est vraiment magnifique, dit-elle en embrassant sa sœur. Je suis très heureuse pour toi.

— Merci à vous toutes, balbutia Bridget, les larmes aux yeux. J'ai eu vraiment très peur quand les médecins m'ont demandé d'arrêter de faire trop d'efforts. Je suis vraiment soulagée qu'elle soit là, et en bonne santé.

— Tu as été très courageuse, lui dit son mari en lui caressant tendrement la joue.

L'amour qu'ils éprouvaient l'un pour l'autre était si intense qu'il semblait emplir la pièce tout entière. Ericka était ravie pour sa sœur, mais elle ne put s'empêcher de penser à Treat. Néanmoins, elle fit de son mieux pour écarter ces pensées de son esprit et tâcha d'afficher un visage souriant.

— Bon, lança soudain Eve, je crois qu'il est temps de laisser la maman et le bébé se reposer un peu.

Une fois qu'elles furent de nouveau dans la salle d'attente, Eve reprit la parole.

— Elle est magnifique. Et Bridget a l'air en excellente forme. Bon, je file annoncer la nouvelle à Stefan, dit-elle avant d'embrasser Pippa et Ericka. On se revoit au réveillon de Noël, leur dit-elle. Ça va être super. On a tellement de choses à fêter.

— OK, dit Pippa.

Ericka regarda Eve partir. Mais à peine avait-elle passé la porte de la salle que sa sœur s'approcha discrètement d'Ericka.

— Il faut qu'on parle. Je vois bien que ça ne va pas.

Ericka s'efforça de prendre un air étonné.

— Mais je vais très bien. C'est juste que je suis un peu débordée, avec Noël qui approche…

— Tu crois que je vais gober ça ? Allez, viens t'asseoir.

Il y a une machine à café. On n'a même pas eu le temps de s'en prendre un petit.

Après l'avoir fait revenir sur ses pas, Pippa fit couler deux tasses de café.

— Vraiment, il faut que je rentre, dit Ericka. J'ai laissé plein de rouleaux de papier cadeau par terre. Je n'imagine même pas ce que le chat pourrait en faire…

— Ça peut attendre. On m'a dit que ton garde du corps américain avait brutalement donné sa démission. Et, d'après la rumeur, tu avais une liaison avec lui…

Ericka but une gorgée de café, mais elle eut du mal à l'avaler. Tout comme elle avait du mal à avaler la vérité. Après tout, ce n'était pas une si mauvaise idée d'en parler. Si elle n'en parlait pas à sa sœur, à qui pourrait-elle en parler ?

— Au départ, les choses se sont mal passées entre nous. Mais il m'a beaucoup étonnée. Il s'est montré extrêmement gentil avec Leo. Et, peu à peu, je suis tombée sous son charme. Dans un premier temps, il a essayé de garder ses distances avec moi. Mais je crois que l'attirance qu'il y avait entre nous était trop forte.

— Si j'ai bien compris, il est parti parce qu'il s'est passé quelque chose avec ton ex ?

— Oui. Treat lui a mis son poing dans la figure. En fait, Jean-Claude était venu pour me demander la garde partagée de Leo, ainsi que de l'argent. Il s'est montré vraiment ignoble. Je te jure qu'il n'était pas comme ça à l'époque où nous nous sommes mariés. Je ne comprends pas comment il a pu devenir aussi horrible. Mais, en réalité, Treat a été horrifié de s'être comporté de façon aussi peu professionnelle. Et c'est pour ça qu'il est parti. Fin de l'histoire.

— Fin de l'histoire, vraiment ?

— Qu'est-ce que tu veux dire ?

— Eh bien, je vois ce qu'il y a dans tes yeux maintenant. De la tristesse, de la souffrance.

— Mais pour toi tout va bien. Tu es radieuse, tu es
heureuse avec ton mari.

— C'est le cas maintenant, mais il a fallu que j'explique
à mon mari tout l'amour que j'avais pour lui. Et toi, tu as
dit à Treat que tu l'aimais ?

Tout en se mordant la lèvre, Ericka secoua la tête.

— Tout s'est passé si vite. Je ne voulais pas lui faire peur.

Doucement, Pippa prit ses mains dans les siennes.

— Comment peux-tu savoir ce que Treat veut réellement
si tu ne lui avoues pas tes sentiments ? Ecoute, Ericka,
tu n'es plus une adolescente. Tu es une femme avec un
enfant. Tu as eu une vie sentimentale compliquée, mais il
me semble que tu sais ce que tu veux. Est-ce que tu penses
que tu rencontreras un jour un autre homme comme lui ?

Ericka sentit son cœur se serrer.

— Non, répondit-elle en secouant la tête. Mais je
l'ai perdu.

— Pas forcément. Tu peux toujours lui faire part de
tes sentiments…

— Il est reparti au Texas. Et ce n'est pas le genre de
choses qu'on peut dire par e-mail.

— On a des jets privés qui pourraient très bien
t'emmener au Texas.

Ericka se mit à faire les cent pas dans la petite pièce.
Oui, il y avait toujours cette possibilité, mais…

— Je ne peux pas faire ça. C'est bientôt Noël. Et
qu'est-ce que je vais faire de Leo ?

— Si tu me le demandais, je serais ravie de m'occuper
de lui.

Ericka sentit son cœur battre à la chamade. Mais
peut-être avait-elle tort de s'emballer…

— Je ne sais pas si je peux. Je ne sais pas si j'en ai le
courage. Et s'il me repoussait ?

— Il n'y a qu'une seule façon de le savoir. N'oublie pas de me dire quel jour tu me déposeras Leo.

Là-dessus, Pippa tourna les talons et quitta la pièce.

En rentrant chez elle, Ericka essaya de réfléchir au défi que Pippa venait de lui lancer. Elle n'arrivait pas à croire que sa sœur, jadis si timide, soit devenue si sûre d'elle. Elle s'occupa longuement de Leo mais, hélas, impossible d'oublier Treat. Résultat : elle ferma à peine l'œil de la nuit. Mais le lendemain matin, quand elle se réveilla, sa décision était prise. Elle allait se rendre au Texas pour voir Treat, et elle allait emmener Leo avec elle !

Il ne lui fallut que peu de temps pour faire ses bagages. Quelques heures plus tard, Leo et elle traversaient l'Atlantique. Le petit se montra étonnamment calme durant le voyage. Il dormit beaucoup et suivit attentivement ses cours de langue des signes. Les autres passagers le regardaient avec curiosité.

— Vous lui apprenez la langue des signes ? lui demanda soudain la femme qui se trouvait de l'autre côté de l'allée. Est-ce qu'il n'est pas un peu jeune pour ça ?

— Peut-être. Mais il est sourd. Alors, je trouve qu'il vaut mieux commencer le plus tôt possible.

— Je suis désolée.

— Mais non, ne soyez pas désolée. C'est le bonheur de ma vie, répondit Ericka.

A ces mots, elle se sentit libérée d'un poids qui pesait sur sa poitrine. Un secret de moins à garder.

Assis dans son bureau, Treat regardait l'écran de son ordinateur. Depuis qu'il avait démissionné, il était à la recherche d'autres missions. C'était un miracle que son associé ne l'ait pas renvoyé. Andrew avait l'air d'avoir eu pitié de lui. Du coup, il avait préféré ne pas en rajouter.

Depuis son retour au Texas, Treat n'avait qu'une

envie : réparer son erreur. Il passait douze heures par jour au bureau avant d'aller se coucher. Hélas, il dormait rarement. Des images d'Ericka et de Leo ne cessaient de danser dans sa tête. Et il ne savait pas ce qui était le pire : penser à elle quand il était éveillé ou rêver d'elle durant ses rares moments de sommeil.

Tout en buvant une gorgée de café, il tâcha de se concentrer sur ses problèmes professionnels. En dehors des commerçants, personne n'avait besoin de renforcer son dispositif de sécurité. Il allait vraiment falloir qu'il trouve quelque chose. Les prochaines semaines allaient être dures.

Il venait à peine de se faire cette réflexion quand quelqu'un frappa à la porte et ouvrit sans avoir été invité à entrer. Il leva brusquement la tête et resta immobile.

Ericka et Leo. Ils étaient là, tout près de lui.

Non, impossible. Il avait des hallucinations. Il était devenu fou et il imaginait des choses. Il allait vraiment falloir qu'il songe à consulter.

— Désolée, dit-elle en sortant une petite couverture du sac qu'elle portait à l'épaule, ce n'était pas comme ça que j'aurais souhaité entamer notre conversation, mais nous avons une urgence.

Sans rien ajouter, elle déposa le morceau de tissu par terre et changea Leo. Mais à peine avait-elle terminé que le petit roula sur le dos.

— Il se retourne ! s'exclama-t-il.

— Oui, soupira-t-elle avec un pâle sourire. Depuis qu'il a appris à le faire, il n'arrête pas.

— Je n'arrive pas à croire que vous soyez là…, parvint-il à ajouter, le cœur battant à tout rompre.

— Et pourtant c'est le cas, dit-elle en le prenant dans ses bras.

— Je ne sais pas comment expliquer ça, mais…

Elle recula doucement.

— Eh bien, moi, je vais t'expliquer, dit-elle en le regardant intensément. Je sais que nous avons envie de faire notre vie ensemble, toi et moi. Et je sais aussi que je ne rencontrerai jamais un autre homme comme toi. Voilà, c'est aussi simple que ça.

— Mais je ne suis pas de sang royal. Je viens d'un milieu populaire. Je ne serai jamais aussi parfait que la plupart des types qui essaient de te séduire.

— Ecoute, si je suis tombée amoureuse de toi, c'est en partie parce que, avec toi, j'ai l'impression que je peux être moi-même. Et, le mieux, c'est que j'ai l'impression que tu apprécies quand je suis moi-même. Tu m'as permis de devenir plus forte et plus sûre de moi. Tu as pris mon cœur par surprise, et je suis toute à toi, maintenant. S'il te plaît, dis-moi que tu vas nous laisser une chance.

Le cœur débordant de joie, il ferma les yeux. Mon Dieu, il n'arrivait pas à croire ce qui lui arrivait. Il était fou amoureux d'elle, et il savait qu'il n'y avait pas moyen de faire marche arrière.

— Je t'aime, finit-il par dire. Demande-moi ce que tu veux, et je m'arrangerai pour te le donner.

— Rentre avec nous pour Noël.

Cinq jours plus tard, la famille Devereaux se rassemblait pour le réveillon de Noël. Quand Ericka était petite, la veillée de Noël était guindée et à mourir d'ennui. Mais avec tous ces bébés, tous ces enfants, tout cet amour, l'ambiance était enfin à la fête. Le bébé de Bridget ne cessait de passer de bras en bras. Et, régulièrement, les jumeaux venaient embrasser ses petites joues roses. Quant au reste des enfants, ils batifolaient gaiement autour de la table.

Au bout d'un certain temps, Pippa prit Leo sur ses genoux et se mit à lui dire quelque chose en langue des signes. Voir que sa sœur avait fait tant d'efforts pour communiquer avec son fils lui fit monter les larmes aux yeux. Elle sentit son cœur se serrer. Jamais elle ne s'était sentie aussi aimée et soutenue.

Tout à coup, la voix de Treat coupa court à ses pensées.

— Eh, princesse, tu viens faire un tour avec moi dans le jardin ?

— Princesse ? répéta-t-elle en lui adressant un regard moqueur.

— Votre Majesté ? dit-il d'un air taquin.

Après avoir demandé à Pippa de surveiller Leo quelques minutes, elle suivit Treat jusqu'au jardin.

Tout en desserrant un peu sa cravate, il lui prit la main.

— Au moins, on peut dire qu'il y a de l'ambiance. Vous, les Devereaux, vous savez vous amuser.

— Et puis il y a les couches et les biberons, dit-elle en riant. On n'a pas le temps de s'ennuyer.

Elle plongea son regard dans le sien.

— Merci d'être revenu avec moi à Chantaine.

— Je suis ravi d'être ici avec toi, répondit-il en la conduisant vers un petit banc entouré de massifs soigneusement entretenus.

Une fois qu'elle se fut assise, il s'agenouilla devant elle.

— J'aurais une question à te poser.

Elle resta figée sur place à le regarder. Pourquoi s'était-il mis à genoux ? Soudain, elle le vit sortir de sa poche un petit écrin en satin.

— Fredericka Devereaux, je vous aime, toi et Leo, plus que tout au monde. Je n'aurais jamais pu rêver de connaître un jour une femme comme toi. Avec ta force, ton humour, ta passion. Veux-tu m'épouser ?

Mon Dieu. Elle aurait voulu lui répondre, mais elle était trop émue pour articuler un mot.

— Treat, je… je…

— Ne me fais pas attendre trop longtemps. C'est une véritable torture.

— D'accord, souffla-t-elle. Je t'aime de tout mon cœur. Je ne peux plus vivre sans toi. Quoi qu'il puisse arriver, j'ai envie que tu sois à mes côtés. Pour toujours.

Un grand sourire aux lèvres, il ouvrit le petit écrin, révélant un immense rubis cerclé de diamants. Une splendeur.

— Elle est magnifique, murmura-t-elle alors qu'il lui passait l'anneau au doigt. Mais l'homme qui me l'a offerte est un véritable trésor.

Epilogue

Que de choses s'étaient produites en quatre mois ! La conférence avait été un immense succès. Ericka et Treat s'étaient mariés. Et, surtout, Leo avait été opéré.

Ce jour-là, Ericka était assise avec Treat, Leo et l'ORL spécialisé dans une petite clinique italienne. A la fois nerveuse et enthousiaste, Ericka berçait Leo sur ses genoux. C'était au cours de cette consultation que l'ORL devait activer le dispositif externe. C'était une grande avancée. Néanmoins, Leo allait devoir être formé à utiliser au mieux le dispositif.

— Ça va ? lui demanda Treat, coupant court à ses pensées.

Elle prit une profonde inspiration.

— Un peu stressée.

— Ça va aller, lui dit-il, en tendant à Leo un stylo.

Le petit l'attrapa et le jeta aussitôt par terre en riant.

— Il jette tout ce qu'on lui donne en ce moment, murmura-t-elle. C'est à cause de tous ces matchs de football que tu lui montres.

— Il a un bon lancer, dit-il en lui tendant de nouveau le stylo, que Leo envoya aussitôt par terre.

L'ORL sourit.

— Je vais maintenant activer le volume sur le dispositif. Je vais le faire petit à petit mais, comme je vous l'ai déjà dit, il se pourrait qu'il pleure quand il entendra les sons pour la première fois. Pour un enfant si jeune, qui n'a jamais rien pu entendre de sa vie, ça peut être déroutant. Allez, on y va.

Tout en retenant son souffle, elle observa attentivement le visage de Leo. Au cours des premiers essais, il ne manifesta aucune réaction. Mais, soudain, il s'immobilisa en ouvrant de grands yeux. Il avait dû entendre quelque chose.

— Je crois qu'on y est, annonça l'ORL. Vous pouvez dire bonjour à votre fils, ajouta-t-il en se tournant vers Ericka.

— Bonjour, Leo. Bonjour, mon petit trésor. Je t'aime très fort, tu sais ?

Les yeux rivés sur son visage, le petit posa délicatement ses doigts sur sa bouche.

Elle poussa un petit cri de surprise, puis se mit à rire.

— Tu m'entends ? Tu m'entends, mon bébé, tu m'entends ?

Leo se mit à rire à son tour, tout en agitant la tête de gauche à droite, comme s'il avait du mal à s'habituer à cette sensation nouvelle.

— Avec ta demande en mariage, c'est le plus merveilleux de tous les cadeaux que j'aie jamais reçus, dit-elle en se tournant vers Treat, les larmes aux yeux.

Il avait été avec elle au cours de toutes les épreuves qu'elle avait vécues depuis son retour sur son île natale. Et, au fond de son cœur, elle savait qu'il serait toujours là pour les soutenir, Leo et elle. Toujours.

Passions

Le baiser d'un Fortune, de Judy Duarte - N°575

SERIE LA SAGA DES FORTUNE tome 1

Son regard se pose sur Jensen Chesterfield Fortune et, aussitôt, Amber doit se l'avouer : jamais elle n'a rencontré un homme aussi… sexy. Sexy mais inatteignable. Car Jensen n'est ici, au Texas, que pour les fêtes de fin d'année - qu'il passe en famille - et il retournera bientôt à sa vie d'aristocrate en Angleterre. Pourtant, ils échangent un baiser. Un baiser doux et incroyablement passionné. Un baiser qui ne connaîtra malheureusement pas de suite, Amber en est convaincue : comment, en effet, Jensen pourrait-il s'intéresser à une fille des grands espaces comme elle – alors qu'ils appartiennent à des mondes si différents ?

Sous l'emprise d'un cow-boy, de Kathie DeNosky

Une pluie torrentielle, le froid, la nuit, une route isolée… Heather, bloquée dans sa voiture avec Seth, son fils de deux ans, sent la panique l'étreindre. Comment va-t-elle pouvoir rentrer chez elle maintenant et mettre son enfant en sécurité ? Soudain, un cow-boy surgit dans le noir, lui offrant son aide. Heather reconnaît aussitôt TJ Malloy, son arrogant et insupportable voisin, celui qu'elle voudrait justement éviter à tout prix ! Hélas, le danger est imminent, et elle comprend qu'elle n'a pas le choix : pour le bien de Seth, elle devra accepter la proposition de TJ de les héberger, elle et son petit garçon, le temps que la situation s'améliore…

Séduite par son rival, de Silver James - N°576
SERIE HÉRITIERS ET SÉDUCTEURS

Chance. Un homme attentionné, doux. Et terriblement attirant… Alors qu'autour d'elle tout s'écroule – n'est-elle pas revenue en Oklahoma pour assister aux obsèques de son père et livrer bataille à la richissime famille Barron, depuis toujours rivale de la sienne, qui veut la dépouiller de son héritage ? – Cassidy est heureuse de trouver un peu de réconfort auprès de cet homme qui l'a séduite dès qu'elle l'a vu. Aussi, le jour où elle apprend que Chance n'est nul autre qu'un Barron, ne peut-elle empêcher une terrible colère de s'emparer d'elle. Visiblement, Chance s'est joué d'elle et l'a attirée dans le piège de la séduction dans l'unique but de faire parvenir sa famille à ses fins…

L'héritier secret, de Silver James

Et si son chemin croisait de nouveau celui de Cord ? C'est la question qui obsède Jolie Davies depuis son retour à Oklahoma City. Car c'est ici qu'elle et Cord se sont follement aimés autrefois. Ici qu'il l'a quittée sous l'injonction de sa famille, les puissants Barron, qui voyaient d'un mauvais œil la relation de leur fils adoré avec la fille d'un rival. Le jour où elle le revoit, pourtant, rien ne se passe comme elle l'avait imaginé : victime d'un accident, Cord est amené aux urgences de l'hôpital où elle travaille, et Jolie sent son cœur se serrer. D'émotion, parce que, malgré le temps qui a passé, son amour pour lui est toujours aussi fort. Mais aussi d'angoisse : que se passera-t-il si Cord découvre le secret qu'elle lui cache depuis cinq ans ?

Grisantes retrouvailles, de Shirley Jump - N°577

Le cœur plein d'espoir, Meri est de retour dans la petite ville où elle a grandi. Ici, elle l'a décidé, elle se reconstruira après la période difficile qu'elle vient de traverser et se concentrera sur son métier de photographe. Le jour où elle revoit Jack Barlow, ses belles résolutions volent pourtant en éclats. Car, désormais loin de l'adolescent maladroit qui lui a jadis brisé le cœur, Jack est devenu un homme envoûtant, charismatique… et beau comme un dieu. Et, tandis que le brûlant souvenir de leurs baisers envahit Meri, l'envie de goûter de nouveau à ses lèvres lui coupe le souffle… Pourra-t-elle vraiment trouver la paix, si près de cet homme qu'elle n'a jamais pu oublier ?

Le parfum de la tentation, de Debbi Rawlins

Obtenir un poste au sein de la prestigieuse entreprise familiale. C'est l'objectif que Lexi s'est fixé, et elle est prête à tout pour l'atteindre. Voilà pourquoi elle a accepté de relever le défi que son père lui a lancé – trouver, en dix jours, le modèle parfait pour un parfum masculin. Qui mieux que Will Tanner, une star du rodéo, pourrait incarner la sensualité sauvage qu'elle recherche ? Hélas, elle le comprend très vite, Will déteste les publicitaires et n'est pas du tout disposé à quitter les arènes qu'il affectionne tant pour un shooting photo. Hors de question d'abandonner, pourtant : Lexi décide de le suivre dans son circuit de compétitions pour le faire changer d'avis. Tout en se faisant la promesse qu'elle gardera ses distances avec cet homme têtu, arrogant… et terriblement séduisant.

Scandale à Sherdana, de Cat Schield - N°578

Olivia le sait : son mariage avec le prince Gabriel Alessandro, bientôt célébré à Sherdana, ne sera qu'une union de pure convenance. Et cela lui convient parfaitement ! Jusqu'au jour où, troublée, elle commence à éprouver des sentiments réels pour Gabriel, et qu'entre eux naît un désir aussi brûlant qu'inattendu. C'est alors que, hélas, le scandale éclate : Gabriel découvre être le père de jumelles de deux ans, nées d'une relation avec une femme qui a depuis longtemps disparu de sa vie. Quant à elle, la presse révèle au grand jour le secret qu'elle n'a jamais osé lui révéler…

Délicieuses promesses, de Stacy Connelly

Après l'accident qui a failli lui coûter la vie, Theresa a plus que jamais besoin de réfléchir à son avenir. Alors passer quelques semaines dans un gîte perdu en plein cœur de la Californie lui fera le plus grand bien, elle en est convaincue. A son arrivée, pourtant, elle se sent vaciller. Car Jarrett Deeks, le propriétaire des lieux, provoque immédiatement en elle un tumulte de sensations envoûtantes… Son désir de calme ? Balayé, en un instant, par le regard doré d'un cow-boy ! Un cow-boy mystérieux et solitaire auprès duquel elle va devoir passer plusieurs jours. Et autant de nuits…

Un homme. Une femme.
Ils n'étaient pas censés s'aimer.
Et pourtant…

HARLEQUIN
www.harlequin.fr

Liaison sous la neige, de Sara Orwig - N°579

Derrière la vitre embuée, la tempête de neige fait rage, et Savannah bouleversée, comprend qu'elle devra rester ici plusieurs jours encore.. Oh, bien sûr, la perspective de s'éloigner de Mike Calhoun, qui l'héberge depuis son arrivée, lui brise le cœur. Le charme de cet homme grand et brun ne l'a-t-il pas séduite dès le premier regard ? Et ne s'est-elle pas attachée, bien malgré elle, à son adorable petit garçon ? Hélas, malgré l'enivrant baiser que Mike lui a donné, inutile d'espérer partager avec lui davantage qu'une simple aventure. Car, dès que la tempête se sera calmée, elle n'aura d'autre choix que de reprendre la route, emportant avec elle son secret : elle est en fuite, et enceinte d'un autre...

Un mystère aux yeux verts, de Lynne Marshall

Pour qui se prend ce Gunnar Norling ? Alors qu'elle vient d'arriver à Heartlandia, une petite ville d'Oregon, Lilly est outrée. Comment ce policier – qui vient de l'interpeller pour une prétendue infraction au code de la route – ose-t-il lui parler sur ce ton ? Il a beau avoir un regard vert des plus fascinants, elle espère bien ne plus jamais le croiser ! Peine perdue, car l'enquête qu'elle mène ici pour son journal va bientôt la contraindre à se rapprocher de cet homme si rigoureux et si... séduisant, pour qu' elle se surprend très vite à ressentir un puissant élan de désir. Cependant si elle veut mener à bien sa mission, leur relation devra rester purement professionnelle...

Passions

HARLEQUIN

Un homme. Une femme.
Ils n'étaient pas censés s'aimer.
Et pourtant...

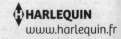

HARLEQUIN
www.harlequin.fr

OFFRE DE BIENVENUE

Vous êtes fan de la collection Passions ?
Pour prolonger le plaisir, recevez gratuitement

◆ 2 romans Passions gratuits ◆
et 2 cadeaux surprise !

Une fois votre colis de bienvenue reçu, si vous souhaitez continuer à recevoir nos romans Passions, cela se fera automatiquement. Vous recevrez alors chaque mois 3 volumes doubles inédits de cette collection au tarif unitaire de 7,35€ (Frais de port France : 1,99€ - Frais de port Belgique : 3,99€).

➡ **ET AUSSI DES AVANTAGES EXCLUSIFS :**

➡ **LES BONNES RAISONS DE S'ABONNER :**

Des cadeaux tout au long de l'année.
◆
Des réductions sur vos romans par le biais de nombreuses promotions.
◆
Des romans exclusivement réédités notamment des sagas à succès.
◆
L'abonnement systématique et gratuit à notre magazine d'actu ROMANCE.
◆
Des points fidélité échangeables contre des livres ou des cadeaux.

<u>Aucun engagement de durée ni de minimum d'achat.</u>
◆
Aucune adhésion à un club.
◆
Vos romans en avant-première.
◆
La livraison à domicile.

➡ **REJOIGNEZ-NOUS VITE EN COMPLÉTANT ET EN NOUS RENVOYANT LE BULLETIN !**

✂

N° d'abonnée (si vous en avez un) ⊔⊔⊔⊔⊔⊔⊔⊔

RZ5F09
RZ5FB1

Mᵐᵉ ☐ Mˡˡᵉ ☐ Nom : .... Prénom : ....

Adresse : ....

CP : ⊔⊔⊔⊔⊔ Ville : ....

Pays : .... Téléphone : ⊔⊔⊔⊔⊔⊔⊔⊔⊔⊔

E-mail : ....

Date de naissance : ⊔⊔ ⊔⊔ ⊔⊔⊔⊔

☐ Oui, je souhaite être tenue informée par e-mail de l'actualité d'Harlequin.
☐ Oui, je souhaite bénéficier par e-mail des offres promotionnelles des partenaires d'Harlequin.

Renvoyez cette page à : Service Lectrices Harlequin – BP 20008 – 59718 Lille Cedex 9 - France

La romance sur tous les tons

Toutes nos actualités et exclusivités
sont sur notre site internet.

E-books, promotions, avis des lectrices,
lecture en ligne gratuite, infos sur
les auteurs, jeux-concours… et bien
d'autres surprises !

Rendez-vous sur

www.harlequin.fr

facebook.com/LesEditionsHarlequin

twitter.com/harlequinfrance

pinterest.com/harlequinfrance

www.harlequin.fr

OFFRE DÉCOUVERTE !

Vous souhaitez découvrir nos collections ? Recevez **2 romans gratuits*** et 2 cadeaux surprise ! Une fois votre colis de bienvenue reçu, si vous souhaitez continuer à recevoir nos romans, cela se fera automatiquement. Vous recevrez alors chaque mois vos romans inédits en avant première.

Vous n'avez aucune obligation d'achat et cette offre est sans engagement de durée !

*1 roman gratuit pour les collections Nocturne, Best-sellers Policier et sexy.

☛ COCHEZ la collection choisie et renvoyez cette page au
Service Lectrices Harlequin – BP 20008 – 59718 Lille Cedex 9 – France

Collections	Références	Prix colis France* / Belgique*
❏ AZUR	ZZ5F56/ZZ5FB2	6 romans par mois 27,25€ / 29,25€
❏ BLANCHE	BZ5F53/BZ5FB2	3 volumes doubles par mois 22,84€ / 24,84€
❏ LES HISTORIQUES	HZ5F52/HZ5FB2	2 romans par mois 16,25€ / 18,25€
❏ BEST SELLERS	EZ5F54/EZ5FB2	4 romans tous les deux mois 31,59€ / 33,59€
❏ BEST POLICIER	XZ5F53/XZ5FB2	3 romans tous les deux mois 24,45€ / 26,45€
❏ MAXI**	CZ5F54/CZ5FB2	4 volumes multiples tous les deux mois 32,29€ / 34,29€
❏ PASSIONS	RZ5F53/RZ5FB2	3 volumes doubles par mois 24,04€ / 26,04€
❏ NOCTURNE	TZ5F52/TZ5FB2	2 romans tous les deux mois 16,25€ / 18,25€
❏ BLACK ROSE	IZ5F53/IZ5FB2	3 volumes doubles par mois 24,15€ / 26,15€
❏ SEXY	KZ5F52/KZ5FB2	2 romans tous les deux mois 16,19€ / 18,19€
❏ SAGAS	NZ5F54/NZ5FB2	4 romans tous les deux mois 29,29€ / 31,29€

*Frais d'envoi inclus

**L'abonnement Maxi est composé de 4 volumes Hors-Série.

N° d'abonnée Harlequin (si vous en avez un) ⌷⌷⌷⌷⌷⌷⌷⌷⌷⌷

Mme ❏ Mlle ❏   Nom : _____

Prénom : _____   Adresse : _____

_____

Code Postal : ⌷⌷⌷⌷⌷   Ville : _____

Pays : _____   Tél. : ⌷⌷⌷⌷⌷⌷⌷⌷⌷⌷

E-mail : _____

Date de naissance : _____

❏ Oui, je souhaite recevoir par e-mail les offres promotionnelles des éditions Harlequin.
❏ Oui, je souhaite recevoir par e-mail les offres promotionnelles des partenaires des éditions Harlequin.

Date limite : 31 décembre 2015. Vous recevrez votre colis environ 20 jours après réception de ce bon. Offre soumise à acceptation et réservée aux personnes majeures, résidant en France métropolitaine et Belgique, dans la limite des stocks disponibles. Prix susceptibles de modification en cours d'année.Conformément à la loi Informatique et libertés du 6 janvier 1978, vous disposez d'un droit d'accès et de rectification aux données personnelles vous concernant. Par notre intermédiaire, vous pouvez être amenée à recevoir des propositions d'autres entreprises. Si vous ne le souhaitez pas, il vous suffit de nous écrire en nous indiquant vos nom, prénom et adresse à : Service Lectrices Harlequin BP 20008 59718 LILLE Cedex 9. Service Lectrices disponible du lundi au vendredi de 8h à 17h : 01 45 82 47 47 ou 33 1 45 82 47 47 pour la Belgique.

Harlequin® est une marque déposée du groupe Harlequin. Harlequin SA – 83/85, Bd Vincent Auriol – 75646 Paris cedex 13. SA au capital de 1 120 000€ – R.C. Paris. Siret 318671591000069/APE5811Z.

Composé et édité par HARLEQUIN

Achevé d'imprimer en novembre 2015

La Flèche
Dépôt légal : décembre 2015

Pour l'éditeur, le principe est d'utiliser des papiers
composés de fibres naturelles, renouvelables, recyclables,
et fabriquées à partir de bois issus de forêts qui adoptent
un système d'aménagement durable. En outre, l'éditeur attend
de ses fournisseurs de papier qu'ils s'inscrivent dans
une démarche de certification environnementale reconnue.

Imprimé en France